D1539869

VERS UN MONDE SANS PAUVRETÉ

Muhammad Yunus

avec la collaboration d'Alan Jolis

VERS UN MONDE SANS PAUVRETÉ

L'autobiographie du « banquier des pauvres »

traduit de l'anglais par
Olivier Ragasol Barbey et Ruth Alimi

JC Lattès

*À tous ceux qui ont rendu possible
l'aventure de Grameen.*

AVANT-PROPOS DE L'ÉDITEUR

Muhammad Yunus habite l'un des pays les plus pauvres de la planète. Bien qu'il ait reçu 30 milliards de dollars d'aide étrangère depuis son indépendance, le Bangladesh n'est pas sorti du tunnel.

Des catastrophes naturelles — cyclones, inondations ou famines —, ravagent périodiquement le pays. La famine de 1974 a fait des centaines de milliers de victimes ; les inondations de 1988 ont tué environ 100 000 personnes ; 150 000 autres ont péri lors du cyclone de 1992.

Pourtant, de telles catastrophes ne sont rien comparées à la malnutrition et à la pauvreté structurelle qui frappent le Bangladesh.

Pas moins de 40 % des Bangladais ne parviennent pas à satisfaire leurs besoins alimentaires minimaux. En raison de la malnutrition, l'effectif moyen de la population s'effondre.

L'analphabétisme frappe 90 % des Bangladais.

Autrefois classé pays de catégorie deux par l'Organisation mondiale de la santé (OMS), le Bangladesh a rétrogradé en catégorie trois, celle des pays où le risque de contracter la malaria et autres maladies tropicales est le plus élevé. Rares sont les touristes qui s'y aventurent, et ceux qui le font n'y restent pas longtemps.

La densité de population s'élève à 830 habitants au kilomètre carré. À titre de comparaison, on n'obtiendrait une telle densité en Europe qu'en concentrant toute la population du Royaume-Uni, de la France et de l'Irlande sur le seul territoire de la Bavière.

Des hommes et des femmes, nombreux, trop nombreux, vivent dans les rues, pieds nus, sans eau propre ni toit sous lequel s'abriter.

On imagine mal comment le Bangladesh pourrait venir en aide au reste du monde, encore moins aux pays nantis, industrialisés, de l'Occident. Et pourtant, avec la Banque Grameen, nous assistons à un transfert de technologie sans précédent, du tiers-monde vers les pays développés. Et ce qui est transféré, n'est rien de moins qu'une façon de faire disparaître à jamais la pauvreté dans le monde.

*

Ce qui va suivre n'est pas seulement l'histoire de la découverte faite, il y a vingt ans, par le professeur Yunus, qu'en accordant des microcrédits aux plus démunis de la planète on pouvait accomplir ce que des milliards de dollars d'aide étrangère n'avaient pas pu réaliser.

C'est l'histoire d'une banque qui s'est développée et a fourni des outils d'autoassistance qui ont permis à douze millions de Bangladais, soit 10 % de la population, de s'arracher à la pauvreté.

C'est aussi l'histoire d'une révolution, celle du microcrédit, qui a aidé les pauvres dans cinquante-huit pays, dont la Chine, l'Afrique du Sud, la France, la Norvège, le Canada et les États-Unis, à se responsabiliser et à prendre leur destin en main.

C'est aussi un grand dessein qui, de notre vivant, peut débarrasser la planète de la pauvreté et construire un avenir où la justice sociale retrouvera tout son sens.

C'est un message d'espoir, un programme qui a pour ambition de reléguer la misère dans un musée, pour qu'un jour nos enfants puissent le visiter et nous demander comment nous avons pu rester si longtemps sans réagir face à cette terrible situation.

Voilà pourquoi nous sommes si fiers de publier ce livre, qui contribuera à propager les idées novatrices du professeur Yunus.

Paris, juillet 1997

PRÉFACE

Mon expérience au sein de Grameen m'a donné une foi inébranlable en la créativité des êtres humains. J'en suis venu à penser qu'ils ne sont pas nés pour souffrir de la faim et de la misère. S'ils en souffrent aujourd'hui, comme ils l'ont fait par le passé, c'est que nous détournons les yeux de ce problème.

Je suis profondément convaincu que nous pouvons débarrasser le monde de la pauvreté si nous en avons la volonté. Cette conclusion n'est pas le fruit d'un pieux espoir, mais le résultat concret de l'expérience que nous avons acquise, dans notre pratique du microcrédit.

Le crédit, à lui seul, ne saurait mettre fin à la pauvreté. C'est seulement l'une des issues qui permettent d'échapper à la misère. D'autres issues peuvent être percées pour faciliter la sortie. Mais pour cela, il est nécessaire de voir les gens différemment et de concevoir un nouveau cadre pour cette société.

Grameen m'a appris deux choses : tout d'abord, les connaissances que nous avons sur les individus et les interactions qui existent entre eux sont encore très imparfaites ; d'autre part, chaque individu est important. Toute personne possède un énorme potentiel et elle peut influencer la vie des autres au sein de communautés et de nations au cours de son existence, mais aussi au-delà.

Au fond de chacun de nous, il existe bien plus de possibilités que celles que nous avons eu l'occasion d'ex-

plorer jusqu'à présent. Si nous ne créons pas l'environnement favorable au développement de notre potentiel,
nous ne saurons jamais ce qui se cache en nous.

Il nous appartient de décider dans quelle direction
nous voulons aller. Nous sommes les pilotes et les navi-
gateurs de notre planète. Si nous prenons notre rôle au
sérieux, la destination qui nous attend sera nécessairement celle que nous avons prévue.

J'ai entrepris de raconter cette histoire parce que je
souhaitais que vous réfléchissiez à ce qu'elle peut représenter pour vous. Si vous jugez l'expérience de Grameen
crédible et convaincante, j'aimerais vous inviter à
rejoindre ceux qui croient en la possibilité de créer un
monde sans pauvreté et qui ont décidé d'œuvrer dans ce
sens. Que vous soyez révolutionnaire, réformiste, conservateur, jeune ou vieux, nous pouvons unir nos forces
pour résoudre ce problème.

Pensez-y.

Muhammad Yunus
Banque Grameen, 10 juillet 1997

PREMIÈRE PARTIE

Les débuts

I

LE VILLAGE DE JOBRA :
DES MANUELS À LA RÉALITÉ

L'année 1974 m'a marqué à jamais. C'est celle de la terrible famine qui s'est abattue sur le Bangladesh.

La presse publiait des reportages effrayants, faisant état de morts et de famines dans des villages éloignés et dans les capitales régionales du Nord. L'université où j'exerçais les fonctions de chef du département d'économie était située à l'extrémité sud-est du pays, et dans un premier temps nous n'y prêtâmes guère attention. Mais on commençait à voir apparaître dans les gares de Dhaka des hommes et des femmes squelettiques. Bientôt, des morts. De cas isolés, on passait à un flot ininterrompu d'affamés déferlant sur Dhaka.

Ils étaient partout. On avait du mal à distinguer les vivants et les morts. Hommes, femmes, enfants : ils se ressemblaient tous. On ne pouvait guère deviner leur âge. Les vieillards avaient l'air d'enfants, les enfants ressemblaient à des vieillards.

Le gouvernement ouvrit des soupes populaires, mais chacune d'elles était rapidement débordée.

Les journalistes essayaient d'alerter l'opinion. Des instituts de recherche cherchaient à réunir des informations quant à l'origine des affamés, quant à leurs possibilités de survie.

Des organisations religieuses s'efforçaient de ramasser les corps pour leur offrir une sépulture décente. Mais les cadavres s'accumulaient à un tel rythme qu'il fallut bientôt y renoncer.

Il était impossible de ne pas voir ces affamés, impossible de faire comme s'ils n'existaient pas. Ils étaient partout, allongés, très calmes.

Ils ne scandaient nul slogan. Ils n'attendaient rien de nous. Étendus sur le pas de nos portes, ils ne nous en voulaient pas, à nous, qui étions bien nourris, à l'abri du besoin.

On meurt de bien des façons, mais la mort par inanition est la plus inacceptable. Elle se déroule au ralenti. Seconde après seconde, l'espace entre la vie et la mort se réduit inexorablement.

À un moment donné, la vie et la mort sont si proches qu'elles en deviennent presque indistinctes, et l'on ne sait pas si la mère et l'enfant, prostrés là, à même le sol, sont encore parmi nous ou s'ils ont déjà rejoint l'autre monde. La mort survient à pas si feutrés qu'on ne l'entend même pas arriver.

Et tout cela faute d'une poignée de nourriture. Tout autour, le monde mange à sa faim, mais pas cet homme, pas cette femme. Le bébé pleure, puis finit par s'endormir, sans le lait dont il a besoin. Demain, peut-être, il n'aura plus la force de crier.

Je me souviens de l'enthousiasme avec lequel j'enseignais les théories économiques, montrant qu'elles apportaient des réponses à des problèmes de toutes sortes. J'étais très sensible à leur beauté et à leur élégance. Puis soudain, je commençai à prendre conscience de la vanité de cet enseignement. À quoi bon, quand des gens mouraient de faim sur les trottoirs et devant les porches ?

Désormais, ma classe m'apparaissait comme une salle de cinéma où l'on pouvait se détendre, rassuré par la victoire certaine du héros. Je savais d'entrée de jeu que chaque problème économique trouverait une solution élégante. Mais lorsque je sortais de ma classe, j'étais confronté au monde réel. Là, les héros étaient roués de coups, piétinés sauvagement. Je voyais la vie quotidienne devenir toujours plus dure, et les pauvres devenir toujours plus pauvres. Pour eux, mourir d'inanition semblait être la seule issue.

Où était donc la théorie économique qui rendrait compte de leur vie réelle ? Comment continuer à raconter de belles histoires à mes étudiants ?

Je n'avais plus qu'une envie : prendre la tangente, abandonner ces manuels, fuir la vie universitaire. Je voulais comprendre la réalité qui entoure l'existence d'un pauvre, découvrir la véritable économie, celle de la vie réelle — et pour commencer celle du petit village de Jobra.

Jobra était proche du campus ; plus précisément, l'université avait été construite non loin du village, à l'initiative du maréchal Ayub Khan, ancien président du Pakistan. Arrivé au pouvoir en 1958 après un coup d'État militaire, Ayub Khan devait gouverner en dictateur jusqu'en 1969. Il éprouvait une profonde aversion pour les étudiants, qu'il considérait comme des fauteurs de troubles. Il décréta que toutes les universités fondées sous son régime devraient être situées à l'écart des centres urbains, afin de les mettre à l'abri de toute agitation politique.

Ainsi en allait-il de l'université de Chittagong.

*

Je décidai de redevenir étudiant. Jobra serait mon université ; les gens de Jobra, mes professeurs.

Je me promettais d'en apprendre le plus possible à propos du village. Dans mon esprit, ce serait déjà une chance d'arriver à comprendre la vie réelle d'un seul pauvre. J'aurais déjà franchi un grand pas par rapport à l'enseignement livresque. Sous prétexte d'offrir aux étudiants une sorte de vision panoramique des choses, les universités traditionnelles s'étaient coupées des réalités de la vie. Le résultat est qu'on finit par imaginer les choses au lieu de les voir.

Je décidai alors d'adopter le « point de vue du ver de terre ». Il me semblait que si je regardais les choses de près, je les verrais plus distinctement. Rencontrant un obstacle sur mon chemin, tel le ver de terre, je le contournerais et j'atteindrais mon but à coup sûr.

Je me sentais gagné par un sentiment d'impuissance face au flot grandissant d'affamés dans Dhaka. Les différents quartiers s'efforçaient de trouver de la nourriture. Mais combien d'hommes pouvait-on nourrir quotidiennement ? La famine s'étalait au grand jour, dans toute son horreur.

J'essayais de surmonter ce sentiment d'impuissance en redéfinissant mon rôle. Certes, je ne pourrais pas venir en aide à beaucoup de gens, mais je pourrais certainement me rendre utile à l'un au moins de mes semblables. Ce serait une grande satisfaction personnelle. L'idée d'apporter une aide véritable, même à petite échelle, au lieu de me payer de mots me redonnait espoir. Je me sentais revivre. Lorsque je commençai à visiter des familles pauvres de Jobra, je savais très bien le sens de ma recherche. Plus que jamais, je savais où j'allais.

*

J'entrepris donc de visiter des familles de Jobra. Mon collègue le professeur Latifee m'accompagnait habituellement. Il connaissait la plupart des familles, et savait mieux que quiconque mettre à l'aise les gens du village.

Jobra était divisé en trois secteurs, respectivement musulman, hindou et bouddhiste. Lorsque nous visitions le secteur bouddhiste, nous emmenions avec nous notre étudiant Dipal Chandra Barua. Issu d'une famille bouddhiste pauvre de Jobra, il était toujours prêt à se rendre utile.

Un jour, Latifee et moi nous arrêtâmes devant une maison complètement délabrée. Il y avait là une femme qui travaillait le bambou pour fabriquer un tabouret. Il ne nous fallut pas un gros effort d'imagination pour deviner que sa famille avait toutes les peines du monde à survivre.

— J'aimerais lui parler.

Latifee me conduisit parmi des poulets et des plantes potagères.

— Il y a quelqu'un ? demanda-t-il d'une voix aimable.

La femme était assise sous le toit de chaume pourri, sur le perron de sa maison, entièrement absorbée par son travail. Accroupie sur le sol, elle tenait entre ses genoux le tabouret à moitié terminé, les mains occupées à tresser les brins de canne.

Entendant la voix de Latifee, elle abandonna aussitôt son travail, se leva d'un bond et disparut à l'intérieur de la maison.

— N'ayez pas peur, lui dit Latifee. Nous ne sommes pas des étrangers. Nous enseignons tous deux à l'université. Nous sommes voisins. Nous aimerions seulement vous poser quelques questions.

Rassurée par le ton cordial de Latifee, elle répondit à voix basse :

— Il n'y a personne à la maison.

Elle voulait dire qu'il n'y avait aucun homme. Au Bangladesh, les femmes ne sont pas censées parler aux hommes, sauf s'il s'agit de proches parents.

Des enfants gambadaient tout nus dans la cour. Des voisins apparurent, nous regardèrent, se demandant ce que nous venions faire ici.

Dans le secteur musulman du village, nous devions souvent parler à travers une cloison de bambou nous séparant de la femme que nous interrogions. La coutume musulmane du *purdah* [1], qui veut que les femmes mariées soient pour ainsi dire isolées du monde extérieur, était strictement observée. C'est la raison pour laquelle j'avais

---

1. Littéralement « rideau » ou « voile » (N.D.T.)

parfois recours à une intermédiaire, étudiante ou écolière locale, pour échanger des messages.

Comme je suis né à Chittagong et parle le dialecte local, j'avais moins de mal à gagner leur confiance que si j'avais été un étranger. Et pourtant, ce ne fut pas facile.

J'adore les enfants, et complimenter les mères sur leur progéniture a toujours été pour moi un moyen naturel de les mettre à l'aise. Ma mère a eu quatorze enfants, dont neuf ont survécu. Comme j'étais le troisième, j'ai passé une bonne partie de mon enfance à donner le biberon à mes frères et à ma plus jeune sœur et à les changer. À la maison, dès que j'avais un moment, je prenais un bébé dans mes bras pour le câliner. Une expérience qui devait s'avérer précieuse sur le terrain.

J'allai prendre un enfant dans mes bras, mais il se mit à pleurer et courut rejoindre sa mère.

— Combien avez-vous d'enfants ? lui demanda Latifee.

— Trois.

— Celui-ci est très beau, dis-je.

Rassurée, la mère réapparut sur le pas de la porte.

Elle avait une vingtaine d'années. Mince, la peau brune, les yeux noirs, vêtue d'un sari rouge, elle ressemblait à ces millions de femmes qui travaillent dur du matin au soir, dans une totale misère.

— Comment vous appelez-vous ?

— Sufia Begum.

— Quel âge avez-vous ?

— Vingt et un ans.

Je n'utilisais ni stylo ni bloc-notes, car cela aurait pu la faire fuir.

— Est-ce que ce bambou est à vous ? lui demandai-je.

— Oui.

— Comment vous le procurez-vous ?

— Je l'achète.

— Combien vous coûte-t-il ?

— 5 *taka*. (Cela représentait à l'époque 22 *cents*.)

— Est-ce que vous avez ces 5 *taka* ?

— Non, je les emprunte aux *paikars*.

— Les intermédiaires ? Comment cela se passe-t-il avec eux ?

— Je dois leur revendre mes tabourets de bambou à la fin de la journée, afin de rembourser le prêt. Ce qui me reste, c'est mon bénéfice.

— Combien cela vous rapporte-t-il ?

— 5 *taka* et 50 *paisa*.

— Vous faites donc un bénéfice de 50 *paisa*.

Elle fit oui de la tête. Cela équivalait à 2 *cents* [10 centimes], ni plus ni moins.

— Mais est-ce que vous ne pourriez pas emprunter l'argent et acheter vous-même les matériaux ?

— Si, mais le prêteur me demanderait énormément. Et les gens qui démarrent avec eux ne font que s'appauvrir davantage.

— Combien prend le prêteur ?

— Ça dépend. Parfois, il prend 10 % par semaine. J'ai même un voisin qui paie 10 % par jour !

— Et c'est tout ce que vous gagnez en fabriquant ces beaux tabourets en bambou, 50 *paisa* ?

— Oui.

Au Bangladesh, les taux usuraires sont courants. Ils sont tellement entrés dans les mœurs que même l'emprunteur ne se rend pas compte à quel point le contrat est léonin. Dans le Bangladesh rural, une mesure de riz décortiqué (un *maund* de paddy), empruntée au début de la période de plantation, doit être remboursée avec deux mesures et demie (deux *maunds* et demi) lors de la récolte.

Lorsque la terre sert de garantie, elle est mise à la disposition du créancier, qui en détient le titre de propriété jusqu'à acquittement de la totalité de la dette. Dans bien des cas, des papiers officiels établissent les droits du créancier. Pour rendre plus difficile le remboursement du prêt, le créancier refuse tout paiement partiel.

À l'expiration d'une certaine période, le créditeur est en droit de « racheter » la terre à un « prix » fixé d'avance.

Parfois, l'emprunt est destiné à un investissement ou à une grande occasion (mariage d'une fille, pot-de-vin, frais d'avocat, etc.), mais la plupart du temps, il est tout simplement effectué à des fins de survie (achat de nourriture ou de médicaments, situation d'urgence). Dans tous les cas, il est extrêmement difficile pour l'emprunteur de se dégager d'une situation de surendettement. Le plus souvent, obligé de réemprunter pour rembourser un ancien crédit, il n'arrive à s'en sortir, si l'on peut dire, que par la mort.

Toute société a ses usuriers. Aussi longtemps que les pauvres demeureront asservis aux prêteurs, aucun programme économique ne pourra enrayer le processus d'aliénation.

Sufia Begum reprit son travail, elle n'avait pas de temps à perdre. Je regardai ses petites mains qui tressaient les brins de bambou. C'est ainsi qu'elle gagnait sa vie, accroupie à longueur de temps dans la boue durcie. Elle avait les doigts calleux, les ongles noirs de crasse.

Comment ses enfants pourraient-ils briser le cercle infernal de la pauvreté pour parvenir à une vie meilleure ? Quel avenir pour ces bébés, sinon encore et toujours la misère ? Comment pourraient-ils aller à l'école, alors que leur mère gagnait à peine de quoi se nourrir, et qu'elle n'arrivait que difficilement à les loger et à les habiller décemment ?

— 50 *paisa*, c'est ce que vous gagnez pour une journée de travail complète ?

— Oui, les bons jours.

Elle gagnait donc l'équivalent de 2 *cents* par jour : j'en étais comme pétrifié. Dans mes cours, je brassais des millions de dollars, et là, sous mes yeux, les problèmes quotidiens, la vie, la mort, se jouaient sur des centimes. Quelque chose ne tournait pas rond. Pourquoi le cours à l'université ne reflétait-il en rien la réalité de la vie ?

J'étais furieux contre moi-même, furieux contre un monde si dur, si impitoyable. Et pas la moindre lueur d'espoir à l'horizon, pas l'ombre d'une solution en vue.

Sufia Begum avait beau être analphabète, elle n'en était pas moins dotée de compétences utiles. Le simple fait d'être vivante, assise en face de moi, à respirer, à lutter calmement jour après jour contre l'adversité, prouvait à n'en pas douter qu'elle était pourvue d'une compétence utile — le sens de la survie.

La pauvreté est vieille comme le monde. Sufia n'avait aucune chance d'améliorer sa situation économique. Mais pourquoi ? J'étais bien incapable de répondre à cette question. Depuis l'enfance, nous sommes habitués à voir des pauvres autour de nous, et nous ne nous demandons jamais pourquoi ils sont pauvres. Dans le système économique en place, le revenu de Sufia était maintenu à un niveau si bas qu'elle ne pourrait jamais mettre le moindre sou de côté, investir, prendre son essor économique.

Il ne me serait jamais venu à l'esprit que quelqu'un pouvait vivre dans la détresse parce qu'il lui manquait 22 *cents*. Cela me paraissait impossible, dérisoire même. Allais-je devoir tirer de ma poche la somme misérable dont avait besoin Sufia ? Ce serait si simple, si facile.

Pourquoi mon université, mon département d'économie, tous les départements d'économie de la planète, et les milliers de professeurs d'économie intelligents qu'il y a de par le monde n'avaient-ils pas essayé de comprendre ces gens et de venir en aide à ceux qui en ont le plus besoin ?

Je résistai à l'envie de donner à Sufia l'argent dont elle avait besoin. Elle ne demandait pas l'aumône. Et puis cela n'aurait pas été une solution définitive.

*

Latifee et moi-même reprîmes la route qui mène chez moi, au sommet de la colline. Une fois arrivés, d'un pas lent, nous traversâmes mon jardin dans les dernières chaleurs du jour.

Gravir et descendre la colline à pied me fait le plus grand bien. Je songeais à l'immense décalage entre les grandes formules des gouvernements et les réalités sur le terrain. Dans la Déclaration universelle des droits de l'homme, il est dit que « *toute personne a droit à un niveau de vie suffisant pour assurer sa santé, son bien-être et ceux de sa famille, notamment pour l'alimentation, l'habillement, le logement, les soins médicaux ainsi que pour les services sociaux nécessaires ; elle a droit à la sécurité en cas de chômage, de maladie, d'invalidité, de veuvage, de vieillesse ou dans les autres cas de perte de ses moyens de subsistance par suite de circonstances indépendantes de sa volonté* ».

La Déclaration demande également aux États d'assurer la « *reconnaissance et l'application effective* » de ces droits.

Il me semblait que la pauvreté aboutissait à une dénégation effective de tous les droits de l'homme, et pas seulement d'un petit nombre de ces droits. Les pauvres n'ont absolument aucun droit, indépendamment des déclarations que signent les gouvernements ou de ce qu'ils inscrivent dans leurs grands livres.

*

J'essayai d'envisager le problème du point de vue de Sufia. Comment « contourner » le coût du bambou ? Devais-je trouver un biais ? Grimper jusqu'en haut du mur ? Chercher une fissure où me glisser ?

Je ne voyais pas de solution. Si sa vie était un enfer, c'était parce que le bambou coûtait 5 *taka*. Ce n'était pas plus compliqué que cela. Elle n'avait pas l'argent nécessaire, et elle était enfermée dans ce cercle vicieux : emprunter à l'intermédiaire pour lui vendre ensuite le produit de son travail. Impossible de sortir de cette relation de dépendance. Vues sous cet angle, les choses paraissaient relativement simples. Tout ce que je devais faire, c'était lui prêter 5 *taka*.

Jusqu'à présent, elle avait travaillé pour presque rien. On avait indéniablement affaire à une forme d'esclavage. L'intermédiaire s'arrangeait toujours pour payer Sufia un prix qui ne lui permettait que de rembourser les matériaux et de satisfaire à ses besoins élémentaires, c'est-à-dire de quoi survivre, l'obligeant ainsi à emprunter toujours.

Cet état de quasi-esclavage, Sufia n'en sortirait pas tant qu'elle ne trouverait pas ces 5 *taka* pour démarrer. Son salut viendrait par le crédit. Avec du crédit, elle pourrait revendre sans contrainte ses produits sur le marché, en obtenant une bien meilleure marge entre les coûts des matériaux et le prix de vente.

*

Le lendemain, je fis venir Maimuna, une étudiante qui rassemblait pour moi des informations, et lui demandai de dresser une liste de tous les gens de Jobra qui, comme Sufia, empruntaient à des intermédiaires et se voyaient ainsi déposséder du fruit de leur travail.

Une semaine plus tard, nous avions la liste. Y figuraient quarante-deux personnes qui avaient emprunté en tout 856 *taka*, soit moins de 27 dollars à eux tous.

— Mon Dieu, toute cette misère dans ces quarante-deux familles, et tout cela parce qu'il leur manque l'équivalent de 27 dollars ! m'exclamai-je.

Maimuna était restée debout, sans dire un mot. Nous étions l'un et l'autre stupéfaits, pour ne pas dire écœurés face à une telle aberration.

*

Il s'agissait de trouver un moyen d'aider ces quarante-deux personnes travailleuses, en pleine santé. Je ne cessais de retourner le problème dans mon esprit, comme un chien secouant son os. Si je leur prêtais 27 dollars, ils pourraient vendre leurs produits à n'importe qui et ainsi voir leur travail correctement rétribué, sans être réduits à faire appel aux usuriers.

C'était décidé : je leurs prêterais ces 27 dollars, ils me rembourseraient quand ils seraient en mesure de le faire.

Sufia avait besoin de crédit, parce qu'elle n'avait rien qui lui permette de se prémunir contre les impondérables de la vie, de remplir ses obligations familiales, de poursuivre son activité de cannage, voire de survivre en période de catastrophe.

Malheureusement il n'existait aucune institution financière susceptible de satisfaire les besoins des pauvres en matière de crédit. Ce marché du crédit, en l'absence d'institutions officielles, était accaparé par les prêteurs locaux, qui conduisaient leurs « clients » toujours plus loin sur la voie de la pauvreté. Une voie à sens unique et à grande circulation.

Ces gens n'étaient pas pauvres par bêtise ou par paresse. Ils travaillaient toute la journée, accomplissant des tâches physiques fort complexes. Ils étaient pauvres parce que les structures financières de notre pays n'avaient pas pour vocation de les aider à améliorer leur sort. C'était un problème structurel, et non un problème de personnes.

Je tendis à Maimuna les 27 dollars, en lui disant :

— Voilà. Prête cet argent aux quarante-deux personnes de notre liste. Tous pourront rembourser les intermédiaires et vendre leurs produits là où on leur en proposera un bon prix.

— Quand doivent-ils vous rembourser ?

— Quand ils le pourront. Quand ce sera avantageux pour eux de vendre leurs produits. Ils ne me devront aucun intérêt. Je ne suis pas un usurier.

Là-dessus, Maimuna s'en fut, sans doute un peu perplexe devant la tournure prise par les événements.

*

Habituellement, dès que ma tête a rencontré l'oreiller, je m'endors en quelques secondes. Mais cette nuit-là, je ne trouvai pas le sommeil, j'avais honte d'appartenir à une société incapable de donner 27 dollars à quarante-deux personnes pour les aider à subsister par elles-mêmes.

La semaine suivante, je pris soudain conscience que ce que j'avais fait ne suffisait pas. C'était une solution personnelle, obéissant à une logique purement affective. Je m'étais contenté de prêter 27 dollars, alors qu'il fallait trouver une solution institutionnelle. Si d'autres gens avaient besoin de capitaux, partir à la recherche du chef du département d'économie de l'université n'était sûrement pas la solution. Un pauvre ne peut pas monter une colline pour aller trouver un chef de département. D'ailleurs, les services de sécurité du campus ne le laisseraient pas entrer ; ils croiraient avoir affaire à un voleur.

Il fallait faire quelque chose. Mais quoi ?

Je décidai alors d'entrer en contact avec le directeur de la banque locale pour lui demander de prêter de l'argent aux pauvres. Tout ce qu'il fallait, c'était obtenir d'une institution qu'elle consente des prêts à ces gens qui n'avaient rien. C'était on ne peut plus simple... en apparence.

*

C'est là que tout a commencé. Je n'avais nullement l'intention de devenir prêteur : tout ce que je voulais, c'était résoudre un problème immédiat. Encore aujourd'hui, je considère que mon travail et celui de mes collègues de Grameen ne tend qu'à un seul but : mettre fin à la pauvreté, ce fléau qui humilie l'homme au plus profond de lui-même.

II

LA BANQUE MONDIALE
WASHINGTON D.C., 1996

Grameen ne s'est pas faite en un jour : la route fut longue et semée d'embûches. Mais la banque pour les pauvres est aujourd'hui présente jusque dans les villages les plus reculés du Bangladesh, dans des îles misérables des Philippines, en Tanzanie parmi des groupes de cases en pisé, dans des quartiers pauvres de Chicago, de Los Angeles et de Paris — et jusque dans le saint des saints de la Banque mondiale. Alors que je pénètre dans la salle de conférences de cette banque, je vois défiler dans mon esprit des images de femmes en proie aux pires difficultés.

Je considère pensivement mon assistance. Qui aurait pu imaginer que, laissant derrière moi mon bureau donnant sur les taudis de Dhaka, je serais un jour ici, au cœur du monde financier, invité à prononcer un discours sur nos réalisations et nos ambitions ?

*

Nous sommes comme deux *sparring partners*, la Banque mondiale et moi. Nous avons toujours été en conflit. Philosophie, méthodes : tout nous sépare. Nous sommes censés poursuivre le même but, et pourtant nous avons passé trop de temps et dépensé trop d'énergie à nous combattre l'un l'autre.

En 1986, lors de la Journée de l'alimentation, je participais, aux côtés de Barber Conable, alors président de la Banque mondiale, à un débat télévisé, diffusé par satellite vers des douzaines de pays. Conable me lança :

— La Banque mondiale apporte un soutien financier considérable à Grameen.

Outré par une telle contre-vérité, je m'empressai de lui rétorquer :

— La Banque mondiale ne fait rien de tel.

En fait, en 1986, nous avons refusé un prêt à taux bonifié, d'un montant de 200 millions de dollars, qu'elle nous proposait. Nous n'avions pas besoin des fonds, et je ne tenais pas à ce que les consultants hautains, arrogants, de la Banque mondiale viennent nous dicter à tout propos la marche de nos affaires.

Au cours de cette émission, Conable se vanta, déclarant notamment :

— Nos économistes comptent parmi les plus talentueux et les plus brillants de la planète.

Je lui répondis :

— Le fait de recruter de brillants économistes ne se traduit pas nécessairement par des mesures et des programmes qui soient peu ou prou dans l'intérêt des pauvres.

*

J'ai le don de m'attirer les foudres des institutions financières multilatérales.

Dans l'île du Negros occidental, au sud des Philippines, la pauvreté est relativement plus importante que dans d'autres régions de ce pays. Plus de la moitié des enfants souffrent de sous-alimentation. Un programme de transposition de Grameen au Negros, intitulé projet Dunganon, fonctionnait déjà depuis longtemps. Quelques années auparavant, nous avions fait appel au Fonds international de développement agricole (FIDA), afin d'obtenir des fonds nous permettant d'étoffer ce programme.

Le FIDA, institution spécialisée de l'ONU destinée à venir en aide aux paysans pauvres, et dont le siège est à Rome, nous répondit en envoyant quatre missions chargées de vérifier le bien-fondé de la proposition. Chacune de ces équipes de consultants devait coûter au FIDA plusieurs centaines de milliers de dollars en billets d'avion, indemnités journalières et honoraires.

Cet argent dépensé, ils ne savaient toujours pas s'il y avait lieu ou non d'approuver le financement du projet.

Aujourd'hui, dès l'annonce de l'arrivée d'un consultant, je commence à m'inquiéter. La plupart du temps, ils se contentent d'écrire un long rapport où ils vous expliquent ce que vous aviez déjà prévu de faire, mais formulé de telle façon que vous avez l'impression d'en entendre parler pour la première fois. Pis encore, ils rédigent un long rapport qui n'a strictement rien à voir avec votre travail. Ils ne se soucient même pas de savoir qui vous êtes et quelle est votre façon de faire les choses, et vous donnent des ordres sans jamais prendre la moindre part de responsabilité. Les consultants me font souvent penser à des entraîneurs de football qui n'auraient jamais touché un ballon ni même regardé un match de leur vie, et qui en fait ne connaîtraient que le volley-ball.

Je ne peux pas m'empêcher de penser que si le projet pour le Negros avait seulement reçu un montant égal au coût d'une seule mission du FIDA, il aurait été possible d'en faire bénéficier un bon millier de familles pauvres.

Les services de consultants ont connu un développement pléthorique, et les organismes donateurs se sont laissé déborder par ce phénomène.

L'idée qui se profile derrière ce recours systématique aux consultants, c'est que le pays bénéficiaire doit être accompagné à chaque pas, lors de la sélection, de la préparation et de la mise en œuvre du projet. Les donateurs et leurs consultants tendent dès lors à adopter une attitude arrogante vis-à-vis des pays bénéficiaires.

Ces consultants ont presque toujours un effet paralysant sur les idées et les initiatives des pays bénéficiaires, dont les responsables politiques et les universitaires ne jurent plus que par les chiffres figurant dans les documents des donateurs, même s'ils savent personnellement que ces chiffres sont inexacts.

Je sais bien que les organismes donateurs ont de lourdes contraintes à respecter, avant la fin de chaque année budgétaire, en matière d'utilisation des sommes destinées à certains pays bénéficiaires. Or les consultants, qui font payer cher leurs services, ont ceci de remarquable qu'ils étalent sans cesse leur très grand « professionnalisme ». Jusqu'à ce que les accords soient signés, les pays bénéficiaires sont trop contents de laisser les consultants s'occuper des questions de détail, car tout ce qui les intéresse, c'est ce qu'ils vont toucher à l'arrivée. Une fois l'accord signé, plus rien ne va — ce qui n'empêche pas les consultants de s'octroyer une part non négligeable des fonds consacrés au projet.

Un autre aspect qui m'irrite au plus haut point chez de nombreux organismes donateurs, c'est qu'ils s'imaginent que, dès lors qu'ils financent des projets, tout leur est dû.

En 1984, quand la Banque mondiale a abandonné tout espoir d'intervenir directement dans Grameen, elle a décidé de créer sa propre super-Banque Grameen au Bangladesh. L'idée était de conjuguer les caractéristiques de Grameen avec celles d'autres institutions bangladaises réputées, notamment des organisations sans but lucratif.

Lorsqu'on m'a demandé mon avis, j'ai tourné ce projet en dérision, disant qu'en mettant ensemble la vitesse du cheval, la majesté du lion, le courage du tigre et l'élégance du cerf, on devait théoriquement obtenir un superanimal, mais que, dans la pratique, il se pourrait fort qu'il ne soit pas viable. Après bien des batailles et un long travail de *lobbying* en coulisse à Washington, le gouvernement du Bangladesh a résisté à l'initiative de la Banque mondiale.

Renonçant à sa proposition, celle-ci a repris le descriptif du projet de création d'une super-Grameen et en a fait bénéficier le gouvernement sri lankais.

*

Depuis 1972, le Bangladesh a bénéficié de quelque 30 milliards de dollars d'aide étrangère. Cette année, il recevra près de 2 milliards de dollars. Mais où est allé tout cet argent ? Quand on visite nos villages, on ne lit nulle trace de cette munificence sur les visages de leurs habitants.

Où est allé l'argent ?

Lorsqu'on suit la filière de l'argent, ce qu'on découvre n'est guère reluisant, ni pour le donateur, ni pour le bénéficiaire.

Près des trois quarts de toute l'aide étrangère destinée au Bangladesh est dépensée dans le pays donateur ; en somme, l'aide est devenue un moyen pour les pays riches de donner du travail à leur population et de vendre leurs produits.

Quant au dernier quart, la quasi-totalité en revient à une petite élite bangladaise de consultants, d'entrepreneurs, de bureaucrates et de fonctionnaires corrompus — lesquels dépensent leur argent en produits d'importation ou le transfèrent sur des comptes à l'étranger, ce qui n'apporte rien à notre économie.

Le problème est le même partout dans le monde. Le montant effectif de l'aide internationale s'établit à 60 milliards de dollars par an. Et partout ces projets engendrent d'énormes bureaucraties qui deviennent corrompues et inefficaces, et subissent rapidement de très fortes pertes. L'aide a été conçue en partant du principe que l'argent devait aller aux gouvernements. Or, dans un monde qui ne cesse de clamer la supériorité de l'économie de marché et de la libre entreprise, l'argent de l'aide ne fait qu'accroître les dépenses des gouvernements... ce qui va souvent à l'encontre des intérêts du secteur marchand lui-même.

Le mauvais usage de l'aide étrangère constitue une double tragédie pour le Bangladesh. Utilisée à bon escient, l'aide pourrait contribuer pour une large part à l'amélioration des conditions de vie en milieu rural et dans les bidonvilles. Si, par exemple, ne serait-ce que 2 milliards de dollars étaient transférés directement aux dix millions de familles bangladaises les plus pauvres, environ la moitié de notre population pourrait se voir octroyer 200 dollars à titre individuel. Même s'ils n'investissaient pas tout l'argent, les bénéficiaires l'utiliseraient principalement pour acquérir des biens et des services produits tant par les familles pauvres bénéficiaires que par les non-bénéficiaires, ce qui apporterait un sang neuf à l'économie rurale.

L'aide sert généralement à construire des routes, des ponts et ainsi de suite, toutes infrastructures censées aider les pauvres « à long terme ». Mais à long terme, on a largement le temps de mourir. Et cette aide, les pauvres n'en voient jamais la couleur.

Seule une poignée de nantis bénéficie directement et indirectement de cette manne, même si elle le fait au nom des pauvres. L'aide étrangère équivaut dès lors à un acte de charité envers les puissants, tandis que les pauvres continuent de s'enfoncer dans la pauvreté.

Si l'aide étrangère doit améliorer tant soit peu les conditions de vie des pauvres, il faut qu'elle soit réorientée vers les ménages pauvres, en particulier vers les femmes des familles les plus défavorisées. L'aide doit être entièrement repensée, et ses objectifs redéfinis.

Éliminer directement la pauvreté, tel devrait être l'objectif de toute aide au développement. Le développement se réduit encore trop souvent à une question de croissance du PNB. Dans cette conception, on prend pour hypothèse que si une économie nationale se redresse, la situation des pauvres s'en trouvera nécessairement améliorée, alors même que le développement devrait être conçu comme faisant partie intégrante des droits de l'homme.

C'est la notion même de développement qu'il faut redéfinir. Par développement, il faudrait entendre un changement concret de la situation économique de la moitié la plus pauvre de la population dans une société donnée. Si l'aide ne parvient pas à améliorer les conditions économiques de cette frange de la population, alors on ne devrait pas pouvoir parler d'aide au développement. En d'autres termes, il s'agit de mesurer le développement économique à l'aune du revenu réel par habitant de la moitié la plus pauvre d'une population.

Le plus grand problème de l'aide étrangère, c'est qu'elle ne bénéficie en définitive qu'aux privilégiés, à la « moitié supérieure » de la population. Les gens en place s'en trouvent confortés dans leur pouvoir, ce qui leur permet de s'enrichir encore davantage au détriment d'autrui.

*

Dans la salle de conférence de la Banque, un journaliste américain m'aborde. Il est manifestement agacé par les critiques que je ne cesse d'adresser à la Banque mondiale, organisation à ses yeux bienfaisante et éclairée, investie d'une mission ingrate dont elle s'acquitte du mieux qu'elle peut.

Il brandit entre nous deux le micro de son magnétophone, et me lance sur un ton de défi :

— Au lieu de toujours critiquer, que feriez-vous si vous étiez président de la Banque mondiale ?

Je peux lire dans son regard qu'il cherche à me pousser dans mes retranchements.

— Je ne me suis jamais demandé ce que je ferais si j'étais président de la Banque mondiale, dis-je pour me donner le temps de préparer ma réponse. Mais il me semble que la première chose que je ferais, ce serait de transférer le siège à Dhaka.

— Et pourquoi diable feriez-vous une chose pareille ?

— Eh bien ! si comme le dit lui-même Lewis Preston [alors président de la Banque mondiale] « l'objectif primordial de la Banque mondiale est de combattre la pauvreté dans le monde », alors il me paraît évident que la Banque devrait avoir son siège dans un pays où la pauvreté fait rage. À Dhaka, la Banque mondiale serait au cœur même de la détresse humaine. En vivant véritablement auprès des pauvres, je pense que la Banque serait bien mieux à même de s'attaquer au problème rapidement et efficacement.

Il fait oui de la tête, moins agressif qu'il ne l'était au début de l'interview.

— Et puis, si le siège était transféré à Dhaka, une bonne partie des 5 000 salariés de la Banque refuseraient purement et simplement d'y aller. Lorsqu'on est fonctionnaire de la Banque mondiale Dhaka n'est pas la ville idéale pour élever ses enfants ou pour se faire des relations intéressantes. Beaucoup préféreraient prendre leur retraite anticipée ou se recycler. Cela aurait un double avantage : d'une part, ceux qui ne sont pas entièrement dévoués à la cause des pauvres prendraient d'eux-mêmes la porte de sortie, et je pourrais engager à leur place des gens vraiment concernés, qui comprennent le problème. L'autre avantage, c'est que cela réduirait les coûts, en me permettant d'embaucher des gens dont le mode de vie ne nécessite pas des salaires élevés. À Dhaka, la vie est bien moins chère qu'à Washington.

*

Tout le dispositif de l'aide étrangère a été conçu il y a des années, en un temps où l'on croyait qu'un certain seuil d'investissement devait générer une activité économique suffisante, propre à faire disparaître la pauvreté comme par enchantement. En fait, dans ce système, ni les donateurs ni les bénéficiaires ne se soucient de savoir comment vivent les pauvres. L'aide au développement n'aura servi qu'à construire des ouvrages tapageurs — ponts, gigantesques usines de prestige, barrages — et non à mettre en place des institutions, à en renouveler d'autres dépassées, à mobiliser les populations pour leur permettre de résoudre leurs propres problèmes. Dans cette optique, les projets d'autoassistance faisaient figure de « projets pour boy-scouts ».

Les choses sont lentement en train de changer à l'approche du troisième millénaire, mais ce qui continue à défrayer la chronique, ce qui plaît à tout le monde, c'est toujours le volume d'aide en dollars. Tant du côté des donateurs que de celui des bénéficiaires, la quantité règne en maître. Personne ne se soucie véritablement de la qualité. Depuis des décennies, dans le milieu de l'aide, le mot essentiel est toujours : « Combien ? »

*

En 1990, à Washington, un sympathique fonctionnaire de la Banque mondiale évoqua la possibilité de faire réaliser une évaluation de Grameen. La plupart de mes collègues au sein de Grameen me conseillèrent de décliner cette proposition, faisant valoir que vu les tensions qui avaient empoisonné les relations entre nos deux organismes, une telle évaluation serait entachée de préjugés contre nous.

Pour ma part, j'estimais que si nous ne les laissions pas entreprendre ce projet d'évaluation, ils pourraient facilement laisser entendre que nous avions quelque chose à cacher. Or, nous n'avions absolument rien à cacher. Pourquoi ne pas les laisser déployer leur puissante équipe d'évaluation ?

Persuadé que cette enquête serait positive, je ne suivis pas les conseils de mes collègues, et invitai la Banque mondiale à mener son étude. À cette réserve près que je leur demandai de faire figurer notre réponse à leur étude dans la publication définitive, si nous n'étions pas d'accord avec eux.

Au printemps de 1993, je reçus une première mouture de l'évaluation. Se fondant sur des données de 1991 et de 1992 — années où nous avons subi nos premières pertes importantes liées à un accroissement de la masse salariale —, la Banque mondiale concluait que soit nous serions perpétuellement tributaires d'aides financières, soit nous devrions mettre fin à nos activités.

Je protestai, disant que ces deux années étaient atypiques, la tendance générale étant à la couverture des dépenses par les recettes, et leur demandai de refaire leurs calculs en se basant sur les six premiers mois de 1993. Lorsqu'ils eurent utilisé ces chiffres, les enquêteurs furent surpris de découvrir que les résultats obtenus étaient à l'opposé de ceux figurant dans le projet de rapport.

Bien que la Banque mondiale et Grameen aient défendu des points de vue contradictoires sur bien des problèmes, de nombreux individus au sein de la Banque sont devenus des amis très proches et d'ardents partisans de notre action.

*

À la fin de 1995, nous avons de nouveau refusé un prêt à taux bonifié que nous proposait la Banque mondiale. Cette fois, la proposition se montait à 175 millions de dollars, dont 100 millions devaient aller à Grameen.

Les circonstances qui ont entouré mon refus sont au moins aussi intéressantes que mon refus lui-même.

Une mission d'enquête — l'une des douzaines qui se rendent tous les ans au Bangladesh — venait voir dans quels projets elle pourrait investir. Un responsable politique bangladais m'appelle pour me demander de le recevoir. Je lui réponds que nous n'avons pas besoin des fonds de la Banque mondiale, que nous en mobilisons suffisamment sur le marché par la vente d'obligations et par notre propre activité bancaire, que nous pouvons désormais nous passer de l'aide financière, et que nous serons bientôt en mesure de nous dégager de tous les prêts à des conditions de faveur, pour devenir une banque commerciale à part entière. Le responsable politique insiste : « La Banque mondiale veut vous voir. » Je finis par accepter.

Lorsque le consultant entra dans mon bureau de Dhaka et me demanda ce que Grameen souhaitait, je lui dis qu'il devait y avoir une erreur, que nous n'avions rien demandé à la Banque mondiale.

Quelques mois plus tard, la Banque mondiale et le Bangladesh étaient sur le point de passer un accord en vertu duquel la Banque donnerait au gouvernement 175 millions de dollars sous forme de prêts à taux bonifié, afin de l'aider à mettre en place des programmes de microcrédit sur le modèle de Grameen.

Alors que le projet de document était en cours de rédaction, le ministère des Finances nous en envoya un exemplaire, accompagné d'une lettre nous demandant de formuler des commentaires. Après avoir constaté que l'une des conditions d'obtention du prêt était que Grameen en accepte une partie, je m'empressai de leur envoyer un courrier, leur expliquant une fois de plus que nous ne voulions pas la moindre part de ce prêt, que nous n'en avions pas besoin.

Les fonctionnaires du ministère se retrouvaient dans une situation délicate : ils avaient travaillé très dur sur cet accord, et leurs efforts allaient être réduits à néant. Le secrétaire des Finances m'invita à venir en discuter avec lui. Je connaissais cet homme depuis longtemps et je lui vouais le plus grand respect. Je savais que j'allais perdre un ami et un soutien. Comme je m'y attendais, il fit de son mieux pour me convaincre :

— Professeur Yunus, vous n'avez même pas besoin de verser un *taka*. Tout ce que vous avez à faire, c'est dire que vous acceptez de vous voir attribuer cette ligne de crédit et que vous l'utiliserez dans l'avenir, un point c'est tout.

J'essayai de lui expliquer :

— Même si d'ici vingt ans Grameen ne verse pas un *taka*, dans les documents et les dossiers de la Banque mondiale, nous apparaîtrons pour toujours comme un bénéficiaire de leur argent. Ils nous considéreront éternellement comme un client.

— Mais notre pays a vraiment besoin de cet argent !

— Nous, à Grameen, nous n'en avons pas besoin.

— Mais songez aux millions de gens qui ne sont pas emprunteurs à Grameen ! Pensez aux pauvres !

— C'est aux pauvres que je pense, précisément. C'est pour eux que je fais ce choix apparemment incohérent. À Grameen, nous n'avons cessé d'affirmer que les pauvres étaient solvables, qu'on pouvait leur prêter dans une optique commerciale et faire des bénéfices, que les banques pouvaient et devaient être au service des déshérités de cette terre. Et que toute forme d'altruisme mise à part, elles pouvaient fort bien le faire par intérêt. Car enfin, traiter les pauvres comme des intouchables et des parias n'est pas seulement moralement indéfendable, c'est aussi parfaitement inepte d'un point de vue financier. Après dix-neuf ans de lutte, de travail acharné, de privations incessantes de la part de mes collègues et collaborateurs, nous sommes maintenant sur le point de nous dégager complètement de toute forme d'aide. Il faudrait applaudir nos efforts, au lieu de nous demander d'accepter cette ligne de crédit.

Le secrétaire des Finances me regarda. Manifestement au désespoir, il eût aimé me faire changer d'avis, mais il se contenta d'ajouter :

— Je vous comprends.

— Non, ce n'est pas du tout mon impression, lui répondis-je. Lorsque je suis venu vous trouver aujourd'hui, j'étais inquiet à l'idée de perdre un ami que je respecte, en vous mettant ainsi dans une situation impossible. J'étais agité et anxieux, mais je ne peux pas aller contre ma conscience, je ne peux pas renier tout ce pour quoi Grameen s'est battue. Si j'accepte ce prêt, tous mes collègues me demanderont d'une seule voix : « Pourquoi avons-nous travaillé si dur toutes ces années ? Pourquoi ? »

Il se leva et vint me serrer la main.

— Je comprends, me dit-il. Je n'insisterai pas.

Quel soulagement ! Cela me faisait le même effet que si, condamné à mort, je venais d'être gracié !

*

Que Grameen soit parvenue à se passer de l'argent des donateurs, voilà qui pose tout le problème de la charité.

Dès qu'on circule en voiture dans Dhaka, on est assailli de toute part par des mendiants professionnels. La première réaction est de leur faire l'aumône. Pourquoi pas ? Pour quelques sous, on peut soulager sa conscience. Quand ils sont abordés par un lépreux aux doigts et aux mains rongés par la maladie, nos hôtes sont tellement choqués qu'ils mettent immédiatement la main à la poche pour tendre au malheureux un billet qui pour eux n'est rien et qui représente une fortune pour celui qui le reçoit. Est-ce bien utile ? Non, et la plupart du temps cela ne rend pas du tout service à l'intéressé.

Celui qui donne a l'impression d'avoir fait quelque chose. Il n'a rien fait du tout.

Donner de l'argent dispense à bon compte de faire face au vrai problème. En tendant une somme dérisoire, on se donne bonne conscience sans rien résoudre. On s'est contenté de jeter un peu d'argent sur le problème, pour repartir aussitôt. On en sera quitte pour cette fois. Mais pour combien de temps ?

La charité n'est pas une solution, ni à long terme ni même à court terme. Le mendiant passera à la voiture suivante, au prochain touriste, et recommencera. Et finalement, il reviendra voir son « bienfaiteur », dont il a maintenant besoin pour vivre. Si le donateur ouvrait la porte de la voiture pour demander au mendiant quel est son problème, comment il s'appelle, quel âge il a, s'il a sollicité une assistance médicale, quelle est sa formation, alors il pourrait peut-être lui rendre service. Mais lui tendre un billet, c'est implicitement l'inviter à déguerpir pour nous laisser tranquilles.

Je ne mets pas en cause la nécessité morale de l'aide, ni l'instinct qui nous pousse à aider les nécessiteux, mais seulement la forme que revêt cette aide.

Du point de vue du bénéficiaire, la charité peut avoir des effets désastreux. Dans bien des cas, elle démotive le mendiant, qui n'a plus la volonté ni l'envie de s'en sortir. Quant au malade, il n'essaie même plus de guérir, car dès l'instant où il sera guéri, il cessera de recevoir de l'argent. On a même vu des cas, dont la presse s'est faite l'écho, où des bandes de mendiants mettaient des nouveau-nés dans des pots pour qu'ils deviennent difformes en grandissant ; ainsi, les mendiants professionnels pouvaient en faire des instruments destinés à amadouer les passants.

Dans tous les cas, la mendicité prive l'homme de sa dignité. Le dispensant de subvenir à ses besoins, elle l'incite à la passivité. Ne suffit-il pas de rester assis là et de tendre la main pour gagner sa vie ?

Lorsque je vois mendier un enfant, je résiste à l'envie naturelle de donner. Force est d'avouer qu'il m'arrive parfois de faire l'aumône, en particulier lorsque la misère humaine est si terrible — une maladie, une mère avec son enfant qui est en train de mourir — que je ne peux pas m'empêcher de mettre la main à la poche et de donner quelque chose. Mais autant que faire se peut, je réprime cette envie.

Cet exemple à l'échelon individuel illustre parfaitement ce qui se produit au niveau mondial avec l'aide internationale.

La dépendance à l'égard de l'aide crée un environnement favorable aux gouvernements qui sont passés maîtres dans l'art de négocier toujours davantage d'aide.

Les tenants de l'effort, de l'austérité et de l'autonomie passent pour des farfelus. L'aide alimentaire encourage la perpétuation des pénuries : importateurs et exportateurs de céréales, transporteurs et responsables politiques intervenant dans les achats et la distribution de céréales, tous ont quelque chose à perdre dans la perspective d'une autosuffisance alimentaire.

Ainsi, loin d'encourager des solutions locales, l'aide fausse le climat économique et politique, pour le plus grand profit des quémandeurs, des hommes politiques qui savent s'y prendre avec les donateurs, des entrepreneurs et des fonctionnaires corrompus.

*

Je me lève et vais prendre place derrière le lutrin. Désormais, Grameen vient en aide à douze millions d'individus, soit un dixième de la population du Bangladesh. Des études indépendantes ont mis en évidence qu'en l'espace de dix ans Grameen était parvenue à sortir de la pauvreté un tiers de ses emprunteurs, et à amener un autre tiers à la lisière supérieure du seuil de pauvreté. Fort de ces résultats, mon message est toujours le même : la pauvreté peut être éliminée ici et maintenant. C'est juste une question de volonté politique. Il faut le répéter inlassablement : on ne peut construire que ce qu'on a imaginé. Nous ne pourrons construire un monde sans pauvreté que si nous avons été capables de le concevoir. Et ce message prend tout son sens lorsqu'il est délivré ici, au siège de la Banque mondiale.

Ayant pris pied sur le podium, je parcours successivement les visages de ces experts mondialement renommés. Il y a parmi eux des collègues que je connais depuis des décennies, et ils sont nombreux à nous avoir vraiment aidés. D'autres continuent à douter de la viabilité de Grameen, persuadés qu'il s'agit d'un rêve. Ou d'un cauchemar.

Je sais que si les incrédules et les sceptiques m'écoutent aujourd'hui, c'est en grande partie parce que Grameen a mis ses paroles en accord avec ses actes.

— D'abord, les banques m'ont dit que les pauvres n'étaient pas solvables. Ma première réaction a été de leur répondre : « Qu'en savez-vous ? Vous ne leur avez jamais prêté. » Et si c'étaient les banques qui n'étaient pas à la hauteur ?

« Ils n'offrent pas de garanties », m'a-t-on répondu. C'est vrai, mais les pauvres ont leur amour-propre et l'exemple de ceux qui ont emprunté avant eux. Nous travaillons avec les plus démunis, dans l'un des pays les plus pauvres de la planète, avec des paysannes sans terre qui n'ont jamais touché aucun argent de leur vie, des femmes qui ne savent ni lire ni écrire, des femmes qui n'osent pas rester debout devant un homme et qui se voilent le visage en présence d'étrangers. Eh bien !, nous enregistrons avec elles un taux de recouvrement supérieur à 98 % !

Les spécialistes n'ont eu de cesse de nous expliquer que les efforts de la Banque Grameen étaient vains.

— C'est entendu, leur répondais-je, nous sommes fous. Mais qu'à cela ne tienne, nous allons persévérer.

On nous a dit que même si nous réussissions à prêter à une poignée d'indigents et à obtenir les remboursements, nous ne pourrions pas passer à une plus grande échelle et atteindre un nombre de villages suffisamment important. Or, nous travaillons aujourd'hui avec 36 000 villages, soit plus de la moitié des communes rurales du Bangladesh, et nous fonctionnons avec un personnel de 12 000 personnes réparties entre plus de 1 079 filiales.

On nous a dit que nous devrions prêter au chef de foyer, un homme dans la plupart des cas.

Au lieu de cela, nous avons focalisé notre action sur des femmes misérables, qui se sont avérées être notre arme la plus efficace contre la pauvreté. Aujourd'hui, 94 % de nos emprunteurs sont des femmes.

On nous a dit que les prêts minuscules que nous accordions (en moyenne 150 dollars par emprunteur) ne créeraient pas suffisamment de revenu pour faire évoluer la situation d'une famille ; que la pauvreté était trop enracinée pour que de tels prêts aient la moindre incidence. Or des études indépendantes font apparaître que nos emprunteurs voient leur niveau de vie augmenter régulièrement. Ainsi, en dix ans, la moitié d'entre eux se sont hissés au-dessus du seuil de pauvreté, et un autre quart est près de le franchir.

Il ressort par ailleurs de plusieurs études que nos emprunteurs sont mieux lotis que d'autres familles en ce qui concerne la nutrition, la mortalité infantile, l'utilisation de contraceptifs, les conditions sanitaires et l'approvisionnement en eau. Nos prêts au logement ont permis à 350 000 familles d'avoir un toit, tandis que 150 000 autres ont pu se construire des maisons grâce aux revenus tirés de leurs entreprises financées par Grameen.

On nous a dit que Grameen serait toujours sous perfusion, vivant des subventions de donateurs. Or nous sommes parvenus à rentabiliser nos filiales. Grameen, aujourd'hui, ne traite plus qu'aux conditions du marché, en émettant ses propres bons et en empruntant aux banques commerciales. Grameen est actuellement l'institution financière la plus saine du Bangladesh.

À la suite d'une certaine « détente » dans les relations entre la Banque mondiale et Grameen, la Banque a attribué 2 millions de dollars sous forme de don à notre filiale, le Grameen Trust, chargée de transposer nos réalisations à l'étranger.

Cette aide financière accordée au Grameen Trust représente une somme inférieure à ce que la Banque mondiale prête en moyenne *toutes les heures*. (La Banque prête quelque 22 milliards de dollars par an, soit près de 2 milliards par mois.) Il n'en reste pas moins que c'est un geste très important de sa part.

Du même coup, la Banque reconnaissait le microcrédit comme un instrument de lutte efficace contre la pauvreté. C'est à elle que reviendrait bientôt l'initiative de coordonner des programmes de microcrédit et de mettre en contact les donateurs. À cette fin, elle a créé le Groupe consultatif d'assistance aux plus pauvres (CGAP), et les institutions pratiquant le microcrédit ont été invitées à constituer le Groupe consultatif des politiques (PAG), que je préside.

*

J'ai hâte de tourner cette page douloureuse de nos relations et de repartir sur de bonnes bases. Les enjeux sont considérables. Et il y a tout lieu de croire que nous commençons enfin à faire évoluer les conceptions de la Banque mondiale.

L'année dernière, son président, James D. Wolfensohn, reconnaissait :

« Les programmes de microcrédit ont insufflé l'énergie de l'économie de marché aux villages et aux populations les plus déshérités de la planète. En abordant la lutte contre la pauvreté dans une optique de marché, on a permis à des millions d'individus de s'en sortir dans la dignité. »

III

20 BOXIRHAT ROAD,
CHITTAGONG

Principal port du Bangladesh, Chittagong est une ville marchande de trois millions d'habitants. J'ai passé mon enfance rue Boxirhat, au cœur du vieux quartier commerçant. C'était une rue à sens unique, très animée, juste assez large pour livrer passage à un camion. Boxirhat était (elle est encore) l'axe principal reliant le port fluvial de Chaktai au marché central des produits agricoles.

Le tronçon où nous habitions s'appelait *Sonapotti* ; c'était le quartier des joailliers. Nous vivions au numéro 20, à l'étage supérieur d'une petite maison sur deux niveaux. Au rez-de-chaussée, côté rue, il y avait la boutique de joaillerie de mon père, qui se prolongeait vers le fond par un atelier. Nous vivions perpétuellement dans le bruit et les gaz d'échappement, parmi les clameurs des marchands ambulants, parmi les jongleurs, les mendiants, les fous. Notre rue était sans cesse encombrée de camions et de charrettes. Toute la journée, on entendait les conducteurs s'apostropher, crier, klaxonner. Nous vivions en quelque sorte dans une ambiance de carnaval. Quand, vers minuit, les bruits de la rue finissaient par s'atténuer, ils laissaient place au bruit menu du marteau et du polissage à la lime dans l'atelier d'orfèvrerie de mon père. Le bruit était pour nous un accompagnement constant, qui rythmait notre vie.

À l'étage au-dessus, nous devions nous partager quatre pièces et une cuisine. Nous leur avions donné des noms : il y avait la pièce de maman, la pièce de la radio, la grande pièce, et enfin la pièce sans nom, où l'on étendait une natte quand il était l'heure de s'asseoir pour manger. La grande salle, pièce commune des enfants, servait à la fois de chambre à coucher et de salle de séjour.

Notre cour de récréation, c'était le toit en terrasse au-dessus de la maison, grillagé de tous côtés. Parfois, pour tromper l'ennui, nous allions au rez-de-chaussée regarder les clients ou les orfèvres au travail dans l'arrière-boutique, ou bien nous regardions seulement dehors le spectacle de la rue, toujours changeant, toujours répété.

*

Le 20 Boxirhat était le deuxième magasin de mon père à Chittagong. Le premier, il avait dû l'abandonner en 1943, lorsqu'il avait été en partie détruit par une bombe japonaise. Les Japonais, qui avaient envahi la Birmanie voisine, étaient aux portes de Chittagong, menaçant toute l'Inde. Les combats aériens n'étaient jamais très intenses. Les avions japonais larguaient essentiellement des tracts et, enfants, nous aimions beaucoup les regarder depuis le toit. Mais lorsqu'un mur de la maison s'effondra, mon père décida de nous conduire en lieu sûr, dans le village familial, à Bathua, où j'étais né au début de la guerre.

Bathua est situé à une dizaine de kilomètres de Chittagong. Mon grand-père était un modeste homme d'affaires, qui avait acheté là un terrain et une exploitation, avant d'être attiré par le métier de joaillier.

Dula Mia, son plus jeune fils, abandonna ses études secondaires, puis commença à travailler dans la petite entreprise paternelle. L'orfèvrerie est traditionnellement pratiquée par les hindous, mais il ne tarda pas à se faire un nom et fut bientôt considéré localement comme le plus important fabricant et vendeur de bijoux destinés à la clientèle musulmane.

Dula Mia n'était pas un père bien sévère. Il nous punissait rarement. En revanche, il était de la plus grande intransigeance pour tout ce qui concernait nos études.

J'entends encore aujourd'hui le bruit que faisait le tiroir de fer central des coffres-forts de mon père. Il avait trois coffres-forts en fer de 1,20 mètre de haut, encastrés dans le mur au fond du magasin, sur toute la longueur, derrière le comptoir. Lorsque le magasin était ouvert aux clients, mon père laissait les coffres-forts ouverts. L'intérieur des lourdes portes était revêtu de miroirs et garni de présentoirs, si bien que les clients ne pouvaient pas deviner qu'il s'agissait de coffres-forts, et croyaient avoir affaire à des éléments du décor.

Au bruit qu'il faisait invariablement avant de venir surveiller nos devoirs, nous savions que notre père n'allait pas tarder à monter. Avant la cinquième prière de la journée, à l'heure de la fermeture, il refermait les tiroirs : nous en entendions le grincement caractéristique. Trois verrous à chaque porte, six serrures à chaque coffre. Cela nous laissait le temps, à mon frère Salam et à moi, d'interrompre notre activité du moment pour reprendre nos lectures où nous les avions laissées. Généralement, ce n'étaient pas les livres que notre père imaginait. Mais il ne prenait jamais la peine de regarder par-dessus notre épaule pour vérifier ce que nous lisions.

Du moment qu'il nous voyait assis derrière un livre et qu'il nous entendait épeler à voix basse, c'était un homme heureux.

— C'est bien, les enfants, continuez comme ça, nous disait-il, avant de repartir vers la mosquée pour la prière.

Mon père fut toute sa vie un pieux musulman. Il fit trois fois le pèlerinage de La Mecque. Ses lunettes en écaille et sa barbe blanche lui donnaient un faux air d'intellectuel, mais il n'avait jamais rien eu d'un rat de bibliothèque. Avec sa nombreuse famille et sa petite entreprise florissante, il n'avait ni le temps ni le goût de nous surveiller vraiment. D'ordinaire, il était tout de blanc vêtu : chaussons blancs, *pae-jama*[1] blanc, tunique blanche et calotte blanche. Il partageait son temps entre son travail, ses prières et sa vie de famille.

*

Ma mère, Sofia Khatun, était une femme de tête. Très attachée à la discipline, une fois qu'elle avait arrêté une décision, elle s'y tenait avec une détermination farouche. Elle voulait que nous soyons tous aussi méthodiques qu'elle.

Elle était pleine de compassion et de bonté, et c'est sûrement elle qui a eu sur moi la plus grande influence. Elle avait toujours de l'argent de côté pour les parents pauvres qui, de temps à autre, venaient nous voir depuis des villages éloignés. C'est elle qui, par son souci des pauvres et des défavorisés, m'a aidé à trouver ma voie, et c'est elle, aussi, qui a le plus façonné ma personnalité.

Comme mon père, elle était issue d'une famille de petits négociants, qui achetaient et revendaient des marchandises de Birmanie. Son père était propriétaire foncier. Il louait ses terres et passait le plus clair de son temps à lire, à écrire des chroniques et à faire bonne chère. C'est ce côté gourmet qui lui valait l'affection de ses petits-enfants.

Ces années-là, je me souviens que ma mère portait souvent un sari de couleur claire, à l'ourlet orné d'une bande dorée. Ses cheveux d'un noir profond étaient toujours relevés en un épais chignon et séparés sur le devant, avec la raie à droite. Je l'aimais de tout mon cœur. D'entre mes frères et sœur, j'étais sans doute celui qui tirait le plus souvent sur le bas de son sari et qui réclamait le plus d'attention.

Je ne sais pas quel était son secret ; il faisait y avoir

_____

1. Pantalon ample et flottant. (N.D.T.)

un cyclone, un raz de marée, une sécheresse, pour moi elle était toujours la plus belle des femmes.

Mais surtout, par les récits qu'elle nous faisait et par les chansons qu'elle nous chantait, elle était la source de toutes nos rêveries et de tous nos émerveillements. Je l'entends encore nous raconter le massacre de Karbala[1], d'une voix brisée par l'émotion. Et tous les ans, à l'occasion du Moharram — journée où les musulmans commémorent la tragédie de Karbala —, je me rappelle lui avoir demandé :

— Maman, pourquoi le ciel est rouge de ce côté de la maison et bleu de l'autre côté ?

— Le bleu est pour Hassan et le rouge pour Hussaïn.

— Qui sont Hassan et Hussaïn ?

— C'étaient les petits-fils de notre prophète (que la paix soit avec lui), les joyaux de ses deux yeux sacrés.

Et quand elle avait fini de raconter leur assassinat, elle nous indiquait d'un geste le crépuscule, disant que le bleu d'un côté de la maison symbolisait le poison qui avait tué Hassan, et que le rouge de l'autre côté était le sang de Hussaïn.

Mais j'avais encore une autre raison de la trouver admirable. Ma mère travaillait certains des bijoux vendus dans notre boutique. Souvent, elle mettait la dernière main à des boucles d'oreilles ou à des colliers en ajoutant à l'extrémité du ruban un morceau de velours ou des pompons de laine, ou encore en fixant des torsades colorées. Ouvrant de grands yeux, je la regardais confectionner, de ses mains longues et fines, de très jolis ornements. C'est ainsi qu'elle arrivait à avoir toujours un peu d'argent de côté.

Elle eut quatorze enfants, dont cinq sont morts jeunes. Élevé dans une famille si nombreuse, j'appris de bonne heure à m'occuper des bébés (on m'en confiait parfois deux en même temps) et je compris toute l'impor-

---

1. Ville où, en 680, Hussaïn fut massacré avec les siens. Cet assassinat est commémoré au jour d'ál-Ashu-ra. (N.D.T.)

tance de la loyauté familiale, les vertus de l'émulation et la nécessité de s'entraider, mais aussi l'art du compromis lorsqu'on vit au sein d'un groupe important.

Ma sœur, Momtaz, de huit ans mon aînée, se maria dès l'adolescence. Elle habitait aux abords de la ville, non loin de chez nous, et nous lui rendions souvent visite pour faire honneur à ses copieux repas. Momtaz a hérité trois choses de maman : son excellente cuisine, le plaisir de nourrir les siens et le don de raconter d'interminables histoires.

Salam, qui avait trois ans de plus que moi, était mon compagnon de tous les instants. Pour tout le monde, la guerre avec le Japon était finie, mais pas pour Salam et moi. Nous imitions le fracas des mitrailleuses et, dans le ciel, nous remplacions les avions japonais par des cerfs-volants bigarrés. Mon père nous rapporta du marché quelques obus japonais désamorcés, et ma mère en fit des pots de fleurs, qu'elle disposa sur le toit, les faisant tenir sur les ailettes, le côté évasé vers le haut.

*

Je fréquentai l'école primaire libre Lamar Bazar, avec les autres garçons de notre quartier commerçant. Là, tout le monde parlait le dialecte de Chittagong, y compris les enseignants.

Dans mon pays, l'enseignement primaire et secondaire est réservé aux enfants dont les parents ont les moyens. Chaque classe comportait une quarantaine d'élèves, et l'enseignement primaire et secondaire n'était pas mixte.

Si vous êtes un bon élève, on vous attribue une bourse, et on vous demande de vous présenter à des examens nationaux qui sont pour l'école une source de prestige. La plupart de mes camarades eurent tôt fait d'abandonner leurs études.

Nos établissements inculquent de bonnes valeurs à nos enfants. Non seulement la réussite scolaire, mais aussi le civisme, l'importance des croyances religieuses, le respect des arts, le goût de la musique et de la poésie (Rabindranath Tagore et Kazi Nazrul Islam), et bien entendu le respect de l'autorité et de la discipline.

Salam et moi dévorions tous les livres et les magazines sur lesquels nous arrivions à mettre la main. Ma préférence allait aux romans policiers. J'en écrivis même un, une vraie série noire, à l'âge de douze ans.

Il n'était pas toujours facile de trouver de la lecture. Pour satisfaire nos besoins, nous devions improviser, acheter, emprunter et voler. Dans *Shuktara*, notre revue pour enfants préférée, éditée à Calcutta, il y avait un concours, et les gagnants recevaient un abonnement gratuit. La liste des gagnants était publiée dans la revue. Je piochai au hasard le nom de l'un d'entre eux et écrivis au rédacteur en chef :

Cher Monsieur,

Je m'appelle Untel, je suis l'un des gagnants du concours, et j'ai changé d'adresse. À compter d'aujourd'hui, veuillez me faire parvenir la revue au numéro tant de la rue Boxirhat.

Je ne donnai pas notre adresse exacte, mais celle de notre voisin, afin que mon père ne risque pas de trouver la revue. Chaque mois, nous guettions l'arrivée de notre exemplaire gratuit ; notre ruse avait fonctionné à merveille.

Même si nous ne faisions pas preuve d'un aussi grand appétit à l'égard des manuels scolaires, ces lectures indépendantes nous auront beaucoup servi. Tout au long de ma scolarité primaire et secondaire, je fus presque toujours premier de ma classe.

Nous aimions aussi nous tenir au courant de l'actualité. À cette fin, nous passions tous les jours un peu de temps dans la salle d'attente de notre médecin de famille, le Dr Banik, qui avait son cabinet au coin de la rue, pour y lire les divers journaux auxquels il était abonné.

*

Le sous-continent indien, après avoir été pendant près de deux siècles une colonie britannique, était en passe d'accéder à son indépendance. Cela devait se faire le 14 août 1947 à minuit.

À ce moment-là, le « mouvement pakistanais » — qui réclamait la formation d'un État indépendant regroupant les régions d'Inde à majorité musulmane — avait atteint son apogée. Nous savions que Chittagong allait être intégrée au Pakistan, car les musulmans étaient nettement majoritaires au Bengale oriental. Mais pour ce qui est des autres zones du Bengale musulman, on ne savait pas encore lesquelles allaient en faire partie et quelles en seraient les frontières.

Au 20 de la rue Boxirhat, amis et parents discutaient à n'en plus finir sur la question de savoir s'il fallait ou non créer un Pakistan indépendant, ainsi que sur un éventuel calendrier. Nous étions tous conscients du fait que ce serait un pays singulier, aux moitiés occidentale et orientale séparées par plus de 1 500 kilomètres de territoire indien.

La partie orientale (alors dénommée Bengale oriental) faisait environ 14 millions d'hectares, soit un territoire six fois plus petit que celui de la partie occidentale du Pakistan. C'est essentiellement un pays de plaines, traversées en tous sens de fleuves, de canaux, avec çà et là des lacs, des marais et des marécages. Un pays si plat qu'à 160 kilomètres du littoral, on est encore à moins de 10 mètres au-dessus du niveau de la mer.

*

Mon père, tout musulman qu'il fût, avait de nombreux amis et collègues hindous (l'oncle Nishi, l'oncle

Nibaran, l'oncle Profulla), mais déjà, enfant, je savais qu'en Inde la minorité musulmane nourrissait rancunes et mécontentements. Les journaux et la radio nous entretenaient des violentes émeutes intercommunautaires opposant hindous et musulmans, mais Chittagong était relativement à l'abri de ces troubles.

Nos sympathies politiques furent toujours sans ambiguïté. Nous étions tout acquis à la séparation d'avec le reste de l'Inde. Lorsque mon frère Ibrahim, de cinq ans mon cadet, commença à prononcer ses premiers mots, il appelait le sucre blanc qu'il aimait « sucre Jinnah », et le sucre roux qu'il n'aimait pas « sucre Gandhi ». (Jinnah était le leader du mouvement séparatiste, et Gandhi, on le sait, voulait conserver l'intégrité territoriale de l'Inde.)

Même ma mère faisait intervenir Jinnah, Gandhi et Lord Mountbatten dans nos histoires du soir et dans les fables amusantes qu'elle nous racontait, si bien que nous avions presque l'impression qu'ils faisaient vraiment partie de nos vies.

À dix ans, mon frère Salam se comportait déjà en analyste politique et en source d'information — ce qu'il est resté depuis. J'enviais les garçons plus âgés du quartier qui brandissaient le drapeau vert au croissant blanc et à l'étoile, en scandant le slogan *Pakistan Zindabad* (« Longue vie au Pakistan »).

*

Je me souviens, comme si c'était hier, de la nuit de l'Indépendance où tous ces rêves et ces espoirs se sont enfin réalisés.

Je revois notre maison décorée de drapeaux et de guirlandes vertes et blanches. Toute notre rue avait revêtu ses habits de fête. Dehors, on entendait le tumulte d'un discours politique, interrompu de temps à autre par le slogan *Pakistan Zindabad*. Il était presque minuit, mais notre rue était encore noire de monde. Nous tirâmes des feux d'artifice depuis notre toit et regardâmes les autres faire de même. Toute la ville était en liesse, le ciel se parait de couleurs vives.

Vers minuit, mon père nous conduisit dans la rue Boxirhat. Il était tout sauf militant, mais en signe de solidarité il était entré dans la garde nationale de la Ligue musulmane, et cette nuit-là il portait fièrement son uniforme de garde, avec l'inévitable calotte à la Jinnah. Même mes jeunes frère et sœur, le petit Ibrahim, qui avait deux ans, et Tunu, qui était encore bébé, étaient de la fête. À minuit juste, l'électricité fut coupée, et toute la ville plongée dans l'obscurité. L'instant d'après, lorsque les lumières se rallumèrent, nous étions dans un nouveau pays.

À l'âge de sept ans, pour la première fois de ma vie, je me sentis emporté par un puissant élan de fierté nationale.

Il y en aurait bien d'autres.

IV

PASSIONS D'ENFANTS

Après Momtaz, Salam, moi-même, Ibrahim et Tunu, ma mère mit au monde quatre autres enfants, Ayub, Azam, Jahangir et Moinu.

Mais quand j'eus neuf ans, ma mère commença à devenir irritable. Ce fut là le premier signe d'une maladie mentale qui allait devenir un élément dominant de notre vie de famille.

Son mal s'aggrava d'année en année. Dans ses périodes les plus calmes, ma mère parlait toute seule, tenant des propos sans suite. Pendant des heures, elle restait assise à prier, à lire la même page d'un livre ou à se réciter un poème, toujours le même, sans s'arrêter. Enfants, nous ne savions pas quoi penser quand nous la voyions dans cet état second.

Dans ses périodes les plus troublées, elle insultait les gens à haute voix, et souvent dans un langage ordurier. Parfois, elle prenait pour cible un voisin, un ami ou un membre de la famille, mais il pouvait s'agir d'un homme politique ou même d'une personnalité disparue depuis longtemps. Elle insultait des ennemis imaginaires, puis brusquement elle devenait violente.

C'était un cauchemar pour nous tous, car elle s'en prenait indifféremment aux adultes et aux enfants. D'habitude, c'est mon père qui en faisait les frais. Quand elle dormait, nous n'étions jamais sûrs de passer une nuit tranquille, nous redoutions toujours un nouvel épisode de cris et d'agressions. Lorsqu'elle devenait violente, je devais aider mon père à la maîtriser, et je protégeais également mes jeunes frères et ma sœur des coups et des projectiles qui se mettaient à pleuvoir. Après de telles crises, ma mère redevenait calme et douce, nous donnait tout l'amour qu'elle pouvait, s'occupait des plus jeunes.

Son état s'aggravant, elle finit par ne plus savoir ni ce que nous faisions, ni où nous en étions de nos études.

Ce calvaire qui était le sien lorsque nous devions la maîtriser physiquement, et lorsque nous essayions de trouver un traitement à sa maladie, était pour nous une nouvelle source d'angoisse. Mon père ne ménagea pas sa peine. Il fit subir à sa femme les examens médicaux les plus poussés qui puissent être pratiqués dans notre pays. Ma grand-mère maternelle et ses deux sœurs avaient souffert de la même affection, nous pensions donc qu'il devait s'agir d'une maladie congénitale, mais aucun médecin ne fut jamais capable d'établir un diagnostic et, grâce à Dieu, aucun de ses enfants ne devait en être atteint.

En désespoir de cause, mon père eut recours à des solutions non orthodoxes : incantations, rebouteux, hypnose... Aucun de ces traitements, dont certains étaient d'ailleurs franchement cruels, ne devait jamais donner le moindre résultat.

Mais pour les enfants que nous étions, ces traitements étaient fort intéressants. Après avoir vu un psychologue de renom essayer sur ma mère des techniques de suggestion post-hypnotique, nous nous livrâmes les uns sur les autres à nos propres expériences d'hypnose. L'un des médecins lui prescrivit trop de sédatifs, et elle devint dépendante de l'opium.

Peu à peu, mes frères et sœur et moi parvînmes à nous adapter à la situation. Nous apprîmes à vivre sans l'aide de notre mère. Sa sœur cadette et Momtaz devinrent pour nous des mères de substitution. Et nous finîmes par accepter ces difficultés avec un certain humour.

— Que dit la météo ? nous demandions-nous.

C'était notre manière de chercher à savoir quelle allait être l'humeur de notre mère. Dès qu'elle devenait calme, nous savions qu'un orage se préparait, parfois même un raz de marée. Pour ne pas risquer de prononcer le nom de quelqu'un qui risquerait de déclencher une nouvelle bordée d'injures, nous donnions des noms de code aux diverses personnes de la maisonnée : numéro 2, numéro 4, et ainsi de suite. Ces noms de code nous sont restés, et adultes et enfants les utilisaient même quand ce n'était pas nécessaire. Mon frère Ibrahim écrivit une satire hilarante à l'âge de dix ans, où il appelait notre maison une station de radio, avec notre mère toujours « sur les ondes », diffusant ses sermons dans diverses langues et sur divers tons, avec force accompagnements.

Tout au long de cette terrible épreuve, mon père fit preuve d'une force de caractère admirable. S'adaptant à la situation, il sut maintenir un climat de normalité dans la famille au sein même de ce chaos. Il s'occupa de sa femme du mieux qu'il put et en toutes circonstances, pendant les trente-trois ans que devait durer sa maladie, s'efforçant d'agir envers elle comme si rien n'avait changé, comme si elle était toujours la Sofia Khatun qu'il avait épousée en 1930, alors qu'il n'avait que vingt-deux ans. Il nous apprit à faire de même. Et jusqu'à la mort de sa femme, en 1982, il se montra un mari attentif et dévoué.

Avec cette maladie, mon père devint comme deux personnes en une, à la fois un père et une mère dans tous les sens du terme. Il était bien décidé à donner à ses enfants la meilleure éducation possible, et si nous sommes devenus ce que nous sommes aujourd'hui, c'est en grande partie à lui que nous le devons. Il était prêt à investir énormément dans notre éducation, et plus tard à nous faire voyager, mais il nous astreignait par ailleurs à vivre très simplement, en ne nous donnant que peu d'argent de poche.

Je reçus une bourse mensuelle après avoir gagné un concours opposant tous les lycées du district de Chittagong. De quoi m'assurer un peu d'argent de poche, mais cela ne suffisait pas. Je complétais cette somme en profitant de la confiance aveugle que mon père vouait à ses enfants. Pendant le « coup de feu », il avait souvent besoin d'un peu d'aide dans la boutique, et quand je me proposais il acceptait volontiers. C'était l'occasion d'effectuer un petit prélèvement — quelques billets et quelques pièces — dans le tiroir où il gardait sa menue monnaie.

Je me pris de passion pour la peinture et le dessin. Avec un ami, je suivis des cours chez un artiste d'un certain renom que j'appelais mon gourou (*Ustad*). Chez moi, je disposais mon chevalet, ma toile et mes pastels de façon à pouvoir à tout moment les cacher à la vue de mon père. En bon musulman, il réprouvait la reproduction de la figure humaine, et d'autre part, il voulait que nous nous consacrions inlassablement à l'étude. Toutes nos activités extrascolaires devaient donc rester secrètes. Certains oncles et tantes devinrent mes complices, m'aidant et m'encourageant.

Avec deux oncles, je me mis à fréquenter les salles obscures pour y voir les films hindi et les productions hollywoodiennes, et à chanter des chansons populaires imprégnées d'un romantisme irréel. L'un des succès que nous chantions avait pour titre : *Viens mon cœur, allons voir ailleurs.*

*

L'école secondaire de Chittagong devait bientôt m'ouvrir de nouveaux horizons. L'atmosphère y était résolument cosmopolite. Mes camarades étaient des fils de responsables politiques venus de différentes régions. C'étaient des garçons bien plus évolués que les élèves que j'avais connus jusqu'alors, et pour beaucoup ils devaient très bien réussir par la suite, faisant souvent des carrières politiques.

Il s'agissait de l'un des établissements les plus réputés de tout le pays. Mais pour moi, son principal attrait, c'était l'importance qu'on y accordait au scoutisme. La patrouille de l'école devint le pôle de mes nombreuses activités extrascolaires.

Mis à part l'aspect ludique, le scoutisme m'enseigna le sens moral, la piété dans le secret du cœur, plus importante que le rituel extérieur, et l'amour du prochain.

Scoutisme et bonnes notes aidant, mon père finit par voir d'un bon œil mes activités extrascolaires. Dès lors, il conçut à mon endroit une confiance inébranlable, et plus tard il devait me soutenir sans réserve dans toutes mes entreprises.

Je me souviens plus particulièrement d'un voyage en train à travers l'Inde, qui devait nous conduire au premier jamboree national du Pakistan (1953). Nous nous arrêtions pour visiter les sites et vestiges historiques qui jalonnaient le parcours. Nous étions ainsi conviés à un voyage dans le temps, à travers notre histoire. Ce fut pour nous presque un pèlerinage, nous allions à la rencontre de notre véritable identité. La plupart du temps, nous chantions et nous jouions, mais devant le Taj Mahal, à Agra, je vis Quazi Sirajul Huq, le censeur de notre établissement, très aimé de ses élèves, pleurer en silence. Ses larmes, il ne les versait ni sur le monument, ni sur les célèbres époux qui y reposent, ni même sur le poème gravé dans le marbre blanc. Il pleurait sur notre destin, sur le poids de cette histoire que nous portions sans trop savoir qu'en faire.

Je n'avais que treize ans, mais il m'avait communiqué son imagination passionnée. Quazi Sahib devint pour moi plus qu'un ami : un maître à penser. J'avais des qualités de meneur, et Quazi me laissa bientôt régler l'allure au sein du groupe. C'est dans le scoutisme que j'ai rencontré bon nombre de mes amis de toute la vie, en particulier Mahboob, qui devait plus tard travailler avec moi à la Banque Grameen. Quazi Sahib galvanisait mon imagination. Il nous enseignait à avoir la plus grande exigence avec nous-mêmes, et il canalisait nos passions et notre agitation. Je lui en serai toujours redevable.

En 1973, pendant les journées chaotiques qui suivirent la guerre de Libération du Bangladesh, je rendis visite à mon père et à mon frère Ibrahim. Nous discutâmes des troubles et des difficultés dans lesquels était plongé le pays. Un mois plus tard, Quazi Sahib, devenu un frêle vieillard, était brutalement assassiné dans son sommeil par son domestique qui voulait le voler. On n'arrêta jamais le meurtrier. Comme tous ceux qui l'avaient connu, j'étais complètement anéanti. Rétrospectivement, je compris que les pleurs qu'il avait versés au Taj Mahal avaient quelque chose de prophétique, qu'ils annonçaient le destin tragique de cet homme... et de son peuple.

V

ANNÉES DE CAMPUS AUX ÉTATS-UNIS
(1965-1972)

Une fois diplômé, j'obtins immédiatement un poste de professeur d'économie dans mon vieux collège universitaire de Chittagong. Cet établissement d'enseignement supérieur, fondé en 1836 par les Britanniques, était l'un des plus réputés du sous-continent. J'y enseignai entre 1961 et 1965 à des étudiants qui avaient presque le même âge que moi, car je n'avais que vingt et un ans lorsque je débutai.

Dans le même temps, je tentai ma chance dans les affaires. J'avais remarqué que tous les produits d'emballage devaient être importés du Pakistan occidental et que, dans la moitié orientale du pays, nous n'en fabriquions aucun. Aussi demandai-je à mon père de consentir à ce que je mette sur pied une usine d'emballage et d'imprimerie. Je rédigeai le cahier des charges et demandai un prêt à la Banque industrielle, établissement d'État. Nous étions parmi les rares entrepreneurs bengalis à vouloir investir dans l'industrie. On nous accorda le prêt sur-le-champ. Commencèrent alors les travaux d'implantation de l'usine, qui devait finalement employer cent salariés. Ce coup d'essai fut une vraie réussite commerciale.

Gagner de l'argent n'a jamais été ma préoccupation. Je n'ai jamais vraiment été tenté de devenir un homme d'affaires, mais en créant cette usine d'emballage je me prouvais à moi-même — et du même coup je prouvais à ma famille — que j'étais capable de réussir en affaires.

Mon père était à la tête du conseil d'administration, et j'exerçais les fonctions de président-directeur général. Il était extrêmement réticent à l'idée d'emprunter à la banque. Formé à la vieille école, il est de ceux qui ne croient pas au crédit commercial. Avoir un crédit bancaire en cours le rendait si anxieux qu'il tint à ce que je procède à un remboursement anticipé. Nous sommes sans doute la seule jeune entreprise à avoir remboursé un prêt avant son arrivée à échéance. Lorsque je me rendis à la banque pour rembourser, ils nous proposèrent un prêt de dix millions de *taka* pour monter une usine de papier, mais mon père ne voulait même pas en entendre parler.

La plus grande industrie d'emballage était établie à Lahore, au Pakistan occidental. Mais en bon nationaliste bengali, je savais que je pouvais fabriquer des emballages pour moins cher au Pakistan oriental. Nous fabriquions des paquets de cigarettes, des boîtes, des cartons, des emballages pour produits de beauté, des cartes, des calendriers et des livres.

Cette expérience me donna une grande confiance en moi. Elle me conforta de bonne heure dans l'idée que je n'avais pas de souci à me faire en matière d'argent. Je partageais mon temps entre l'enseignement et la gestion de mon entreprise.

*

J'aimais énormément enseigner. Ainsi, dès que j'eus la possibilité de passer un doctorat aux États-Unis, je sautai sur l'occasion qui m'était offerte d'aller en Amérique avec une bourse Fulbright [1].

---

1. Instituée après la guerre, la bourse Fulbright permet aux Américains d'étudier à l'étranger et aux étudiants étrangers de haut niveau de faire de même aux États-Unis. (N.D.T.)

C'était mon troisième voyage à l'étranger. Les deux premières fois, cela avait été en tant que scout. Mais cette fois je n'étais plus un enfant, et je voyageais seul. Mon arrivée, au cours de l'été 1965, sur le campus de l'université du Colorado fut pour moi une expérience mémorable.

Au Bangladesh, les étudiants étaient si respectueux que personne n'aurait osé appeler son professeur par son prénom. On lui adressait d'ailleurs à peine la parole. Si l'on parlait à « Monsieur le professeur », c'était uniquement après y avoir été invité, et on le faisait alors avec les marques du plus grand respect. En Amérique, les enseignants se considéraient comme des amis, au service de leurs étudiants. Une telle familiarité était absolument impensable au Bangladesh.

Quant aux jeunes étudiantes du Colorado, eh bien ! j'étais si timide, si emprunté, que je ne savais pas où regarder. Au collège de Chittagong, les étudiantes étaient encore minoritaires. Sur un effectif de huit cents étudiants, guère plus de cent cinquante étaient des filles — encore vivaient-elles entre elles, comme dans un monde à part. Leur participation au mouvement étudiant ou à d'autres activités était négligeable. Ainsi, lorsque nous montions une pièce, aucune femme n'était autorisée à jouer et les rôles féminins devaient être tenus par des garçons travestis et maquillés. Les étudiantes se cantonnaient généralement dans la « salle commune des femmes », zone bien protégée, interdite aux hommes.

Mes étudiantes étaient d'une grande timidité. Avant chaque cours, elles attendaient, toutes en groupe, devant la salle des professeurs. Et lorsque l'enseignant en sortait, sans les saluer, sans même les regarder en face, il se dirigeait vers la classe, et les filles lui emboîtaient le pas, cramponnées à leurs livres et les yeux baissés pour éviter les regards des garçons. Par respect pour leur professeur, les garçons restaient entre eux, n'osant pas adresser la parole aux filles.

Nos étudiantes, ainsi à l'écart, assises les unes à côté

des autres, ne se mêlaient pas du tout aux garçons. En tant qu'enseignant, j'évitais de leur poser devant les garçons des questions qui auraient pu leur paraître embarrassantes. Pourtant, je mettais un point d'honneur à connaître tous mes élèves. Systématiquement, au début de l'année universitaire, je retenais les noms des étudiants afin d'établir avec chacun d'eux une relation digne de ce nom. À la fin du cours, les filles me suivaient, toujours en file indienne, une par une, les livres serrés contre la poitrine, baissant les yeux. Jamais je ne me serais permis de leur parler en dehors des cours.

En fait, j'étais moi-même si timide avec les femmes que je faisais comme si elles n'étaient pas là.

Je laisse imaginer ma stupeur à mon arrivée aux États-Unis en 1965 : tout le campus résonnait de chansons rock. Les filles étaient assises sur la pelouse, déchaussées, prenaient le soleil, riaient, conversaient. Je n'osais pas leur parler. Je n'osais même pas les regarder. Les Américains commençaient à expérimenter les drogues. L'alcool coulait à flots. Moi, je ne touchais jamais à la boisson. Non par souci d'abstinence, mais parce que mon caractère me portait à fuir les fêtes trop arrosées. Non que je fusse absorbé outre mesure par mes études, mais ce que j'aimais le plus, c'était découvrir les États-Unis.

La télévision ne fit son apparition à Dhaka qu'en 1964. Je n'avais donc presque jamais eu l'occasion de la regarder avant d'arriver en Amérique. J'en devins rapidement féru. Mon émission favorite était le programme d'actualité *Sixty Minutes*, mais je regardais aussi les sitcoms, tous plus ineptes les uns que les autres, comme *I love Lucy, Gilligan's Island, Hogan's Heroes*. J'adorais la télévision. Je m'aperçus que je pouvais parler et penser clairement tout en ayant les yeux rivés sur le poste. Au contraire, si la télévision était éteinte, je n'arrivais plus du tout à travailler. C'est encore le cas aujourd'hui.

On était en pleine guerre du Viêt-nam, et avec d'autres étudiants je participais tout naturellement aux rassemblements pacifistes et aux manifestations, mais je ne prononçais jamais de discours.

À seize ans, j'avais été élu secrétaire général du Parti progressiste uni des étudiants. Ce parti, qui ne dépassait pas le cadre de notre collège de Chittagong, n'en était pas moins la formation politique dominante, bien placée pour gagner l'élection au syndicat des étudiants. Nous étions contre le régime en place : conservateur, tyrannique, il exploitait le sentiment religieux de la population. Mais je n'étais pas prêt pour autant à me plier aux directives d'un parti d'extrême gauche clandestin, trop discipliné et cultivant le secret, qui voulait utiliser notre parti comme une façade au service de ses intérêts.

Avec le soutien de mon Comité central, j'ourdis un coup de force afin d'évincer les hommes d'appareil qui nous manipulaient. Être secrétaire général était pour moi un sujet de fierté, mais que j'utilise ce poste pour remettre en question le *statu quo* fit l'effet d'une bombe dans le mouvement étudiant et eut des répercussions dans tout le district de Chittagong. Depuis lors, j'essayai toujours de mener ma barque comme je l'entendais.

Aussi, aux États-Unis, si j'exprimais mon hostilité envers la guerre du Viêt-nam, je tenais néanmoins à garder raison et à éviter tout conformisme idéologique.

Mon camarade de chambre turc et moi-même achetâmes une vieille Pontiac blanche pour 300 dollars chacun. Nous l'utilisions en alternance, sauf cas de nécessité absolue.

Mes amis bengalis de gauche ne comprenaient pas que je me montre aussi américanophile, mais cela m'était bien égal. Il y avait alors à Dhaka un fort sentiment antiaméricain. Tous les étudiants, sur nos campus, traitaient les Américains de sales capitalistes et criaient : « *Yankee go home !* », mais j'écrivais à mes amis : « Les États-Unis sont un pays magnifique, et je m'en serais toujours voulu de ne pas y être allé — ici, la liberté individuelle n'est pas un vain mot. »

Je m'amusais énormément. Mes études avançaient bien. Je trouvai même le temps d'apprendre à danser le quadrille, mais ce fut ma seule expérience dans ce domaine : je n'essayai jamais de danser ni le twist, ni le rock, ni le slow. Tous les autres étudiants étaient, me semblait-il, experts en la matière, et moi un cas désespéré. Je me contentais de faire acte de présence, et je préférais ne pas me risquer dans les fêtes où l'on dansait et où l'on buvait.

Je pris l'habitude de voir autour de moi les gens boire du vin, de la bière et des alcools forts. Et si je finis par reconnaître que tous les buveurs ne sont pas nécessairement mauvais, je ne me laissai pas tenter. Je n'en eus jamais l'envie.

De petits incidents quotidiens me laissèrent un souvenir impérissable. Je n'oublierai jamais la fois où j'entrai dans un restaurant de Boulder et où une serveuse m'accueillit d'un : « Salut ! Je m'appelle Cheryl », m'adressant un grand sourire et me tendant un verre d'eau avec beaucoup de glaçons. Personne dans mon pays ni en Asie méridionale ne s'adresserait à vous si franchement, si directement.

Les étudiants de notre groupe — des Pakistanais occidentaux, des Latino-Américains, des Africains — faisaient la cour à Cheryl et non seulement elle avait l'air d'apprécier ce badinage, mais elle leur rendait la pareille. J'étais stupéfait. Il n'était pas question que je me mette de la partie, j'étais trop intimidé pour oser même regarder la jeune fille droit dans les yeux, et le simple fait de devoir assister à la scène me mettait extrêmement mal à l'aise.

Pour ce qui est de la nourriture américaine, la cuisine épicée de ma mère me manquait, et j'avais beau aimer les frites et les hamburgers, les chips, le ketchup, je commençais à m'en lasser, et j'aurais fait n'importe quoi pour manger du riz et du dal[1], ou une friandise bangladaise.

Un jour, Cheryl me demanda :

_____
1. Plat à base de lentilles et d'épices. (N.D.T.)

— Vous les voulez comment, vos œufs ?

— Euh ! Je ne comprends pas bien le sens de votre question...

— Vous les voulez frits, brouillés, durs, pochés, ou en omelette ?

— Frits.

— Comment vous les voulez ?

— Comment ça, comment je les veux ? Je viens de vous le dire...

— Vous les voulez avec le jaune en haut ou retournés ?

— Ça m'est égal.

Mes camarades firent des gorges chaudes, se moquant de mon indécision, essayant d'expliquer à Cheryl qu'au Bengale oriental nous n'étions pas tout à fait des gens comme les autres.

— Eh bien ! avec le jaune en haut, finis-je par demander, gêné de me donner ainsi en spectacle.

— Baveux ou bien cuits ?

— Comme vous voudrez.

— Avec des toasts, des muffins ou du pain normal ?

— Je n'ai pas de préférence.

— En garniture, vous avez le choix entre des frites, des *hash browns* [1] et de la purée.

Sur le coup, je crus qu'elle le faisait exprès pour me ridiculiser devant les autres, mais je finis par comprendre que c'était le plus pur style américain — un choix interminable.

*

Après un été à Boulder, entouré d'étudiants venus de divers pays et sur un beau campus ensoleillé, je devais, dans le cadre de ma bourse, me rendre à l'université Vanderbilt, dans le Tennessee. Ce fut une tout autre expérience. En arrivant à Nashville, j'aurais pu pleurer

---

1. Sorte de croquettes de pommes de terre. (N.D.T.)

tant j'étais déprimé. L'aéroport était minuscule, insignifiant, et il n'y avait pas de campus comme à Boulder. La ville me parut laide.

Vanderbilt venait tout juste de s'ouvrir aux étudiants noirs, et le petit restaurant où j'avais mes habitudes, le Campus Grill, était encore réservé aux Blancs trois mois auparavant. Il y avait peu d'étudiants étrangers, et aucun Bengali. J'étais seul, j'avais le mal du pays. L'hiver fut rude et je n'y étais pas du tout préparé. Wesley Hall, ma résidence universitaire, était un lieu vétuste, malodorant. Nous l'appelâmes rapidement *Wesley Hell*. Les tuyaux de chauffage cognaient toute la nuit. Les douches étaient des cabines sans portes, à l'ancienne, et j'étais d'une telle pruderie que je n'osais pas me déshabiller et me doucher devant tous ces étrangers (encore aujourd'hui, je trouverais cela choquant). Je prenais ma douche en *lungi*, longue jupe qui se porte dans les bains publics au Bangladesh pour dissimuler le bas du corps.

Cette année-là, à Vanderbilt, j'étais le seul boursier Fulbright. Les cours du premier semestre m'ennuyaient. Mon programme en développement économique était un *light masters*, très superficiel par rapport à la maîtrise que j'avais déjà. Un professeur d'histoire européenne, voulant que je lui répète son cours mot pour mot, n'hésita pas à me sacquer.

J'eus toutefois la chance d'être admis en cours d'économie avancée et de passer en doctorat. La seule chose profitable de mon séjour à Vanderbilt fut ma fréquentation d'un célèbre professeur roumain, Nicholas Georgescu-Roegen.

Véritable bête noire des étudiants, il infligeait des notes épouvantables. Le pronostic concernant ses notes était généralement le suivant : « Quand il est extrêmement poli avec toi, tu peux être sûr qu'il est sur le point de t'assassiner. » Si quelqu'un arrivait à avoir un B, les autres étudiants murmuraient dans son dos : « Il a eu un B avec Georgescu. » Il avait donné une fois un A à un étudiant coréen, et de mémoire d'étudiant, c'était bien la seule fois. Inutile de dire qu'il empoisonna la vie de nombreux étudiants. Certains voulaient le tuer, d'autres n'osaient pas se trouver sur son chemin.

Georgescu était certes un véritable tyran, difficile, implacable, mais je n'ai sans doute jamais eu de meilleur professeur.

J'avais suivi un cours de statistiques pendant trois ans au Bangladesh, mais je m'apercevais à présent que je m'étais contenté d'apprendre des formules par cœur. En deux heures de cours avec le professeur Georgescu-Roegen, mes yeux se sont dessillés. Il m'ouvrait des horizons insoupçonnés. Grâce à lui, je compris qu'on n'avait pas besoin de formules, que l'essentiel était de comprendre le concept. J'avais une grande admiration pour Georgescu-Roegen : au lieu de progresser pas à pas comme autrefois, je pouvais désormais brûler les étapes.

Je fus son « chouchou », et il m'apprit certaines choses simples que je ne devais jamais oublier et qui allaient me servir lorsque je mis Grameen sur pied. Nous n'avions pas pour autant une relation très chaleureuse. C'était un professeur européen un peu vieux jeu, qui parlait avec une certaine froideur. Les livres qu'il écrivait étaient bien trop érudits, incompréhensibles, mais il s'exprimait avec clarté et concision. C'était un mathématicien doublé d'un philosophe, et il avait été ministre des Finances de la Roumanie jusqu'en 1948, date à laquelle il avait dû s'exiler et demander l'asile politique aux États-Unis. Il parlait si bien que ses cours étaient de véritables œuvres d'art. Je m'inscrivis à ses leçons de statistiques avancées, de théorie économique et de marxisme, et je n'eus que de très bonnes notes.

Chargé de travaux dirigés sous son contrôle, j'appris à respecter des modèles précis qui me montraient que certains plans concrets peuvent nous aider à comprendre et à construire l'avenir.

J'appris également que les choses ne sont jamais aussi compliquées qu'on l'imagine. On a trop souvent tendance à chercher des solutions complexes à des problèmes simples, ou à masquer son ignorance par des explications compliquées destinées à impressionner la galerie.

VI

MARIAGE ET GUERRE DE LIBÉRATION
(1967-1971)

En 1971, je m'apprêtais à rentrer au Bangladesh. J'avais épousé Vera Forostenko l'année précédente.

Lorsque j'étais parti pour les États-Unis avec ma bourse Fulbright, je n'avais nullement l'intention d'épouser une Américaine. J'entendais, le moment venu, me marier comme tout le monde l'avait fait dans mon entourage. Le mariage serait arrangé par mes aînés. Pour un Occidental, cela peut paraître une pratique surannée, mais c'est ainsi que le veut la tradition au Bangladesh, et je n'ai jamais remis en cause le bien-fondé des mariages arrangés.

En outre, je n'avais aucune expérience des femmes, et j'étais toujours aussi timide en leur présence. D'une façon générale, nous sommes très prudes, très conservateurs, au Bangladesh, et particulièrement dans le district de Chittagong, qui est l'une des régions les plus pieuses du pays. Jusqu'au mariage, j'étais un parfait innocent sur le chapitre des sentiments, et dans ma famille nous ne parlions jamais ouvertement de choses intimes.

Un jour de 1967, je lisais à la bibliothèque Vanderbilt, lorsqu'une jolie brune aux cheveux mi-longs et aux yeux bleus m'aborda et me demanda de quel pays j'étais.

— Du Pakistan, lui répondis-je, assez nerveusement.

Elle s'appelait Vera Forostenko. Elle préparait une

maîtrise de littérature russe. Elle était jeune, sympathique, spontanée, curieuse de savoir qui j'étais et quelle était ma vie au Pakistan oriental.

Vera était née en Union soviétique, mais elle et sa famille avaient émigré aux États-Unis juste après la guerre. Ils s'étaient installés à Trenton (New Jersey).

Nous nous vîmes dès lors régulièrement sur le campus. Un an plus tard, Vera quitta Nashville pour se rendre à Memphis, où elle devait enseigner à l'université.

Je ne prévoyais pas de rester aux États-Unis. Malgré mon amour de l'Amérique, je m'y sentais souvent comme en prison ; ma vraie vie était ailleurs, dans mon pays, où je voulais me rendre utile.

Même si je n'avais pas la moindre idée de ce que je ferais en rentrant au Bangladesh, je m'étais toujours obscurément senti investi d'une mission. Aux États-Unis, j'avais l'impression de perdre mon temps, de végéter, uniquement pour obtenir de bonnes notes dénuées de toute utilité pratique. Je purgeais en quelque sorte ma peine de prison avant de rentrer au pays.

Vu le prix du voyage, je ne retournai pas au Bangladesh pour les vacances. Pendant l'été, j'enseignai à l'université de Boulder (Colorado). J'étais d'autant plus impatient de rentrer chez moi que j'étais resté très longtemps absent.

Beaucoup de mes amis, en revanche, cherchaient par tous les moyens à faire proroger leurs visas pour rester aux États-Unis.

Invité chez une famille de la bonne société locale, je fus pour la première fois confronté au racisme.

— Des chercheurs ont constaté que le QI des Noirs est inférieur à celui des Blancs, me dit la maîtresse de maison.

Je la toisai et lui lançai :

— Que diriez-vous si je vous affirmais que le QI des femmes est moindre que celui des hommes ?

— Dois-je prendre cela pour une insulte ?

— Non, mais le problème avec ce genre d'études,

c'est que les questions posées sont soit idiotes, soit insi-
dieuses.

— Vous pensez que les chercheurs sont racistes ?

— Je n'en sais rien. Toujours est-il qu'ils pourraient
tout aussi bien prouver que le QI est plus élevé au nord
qu'au sud. Ou que la criminalité est plus importante chez
les hommes de plus de 1,50 mètre que chez les autres.

Curieusement, en dépit de ce racisme, je me sentais
à l'aise aux États-Unis. Ici, même les agents des services
de l'immigration vous traitent d'égal à égal. Tous les Américains (sauf les Amérindiens) ont été à un moment
donné des immigrés. Par conséquent, même s'ils vous
haïssent ou n'aiment pas votre couleur de peau, il ne leur
viendrait jamais à l'idée de vous dénier le droit d'être là,
contrairement à ce qui se passe en Europe.

En 1969, Vera quitta le Tennessee pour s'installer au
New Jersey.

Je prévoyais déjà de rentrer au Bangladesh.

— Je veux qu'on se marie et qu'on parte y vivre
ensemble, me dit Vera.

Mais j'étais têtu, presque autant qu'elle.

— Enfin, tu ne te rends pas compte... C'est un pays
tropical. Une autre culture. Les femmes n'y sont pas traitées comme ici.

— Je saurai m'adapter...

Elle continuait à m'écrire et à m'appeler pour en discuter. Chaque fois, elle trouvait un nouvel argument à
m'opposer. Je finis par me rendre à ses raisons.

Nous nous mariâmes en 1970, et nous installâmes à
Murfreesboro, à 65 kilomètres au sud de Nashville. J'enseignais alors dans cette ville, à la Middle State Tennessee University.

Mon PH-D achevé, la guerre de Libération du Bangladesh débutait. Nos projets de retour furent reportés,
et je militai sur place pour l'indépendance de mon pays.

VII

UNIVERSITÉ DE CHITTAGONG
1972-1976

Je rentrai des États-Unis en 1972, des rêves et des idéaux plein la tête, convaincu que le rationalisme occidental apporterait la solution de tous nos problèmes. J'étais désormais plus à l'aise avec les usages du monde occidental, avec la consommation ; je regardais la télévision des heures durant, tout en résolvant des équations complexes.

J'étais persuadé que si le Pakistan oriental pouvait garder ses ressources au lieu d'être une colonie du Pakistan occidental, notre situation s'améliorerait rapidement.

À mon arrivée, je fus frappé par le courage et la détermination de la population au milieu des ruines de la guerre. Les gens étaient en butte à des difficultés de toutes sortes, qu'ils affrontaient vaillamment. Mais au fil des mois, il fallut déchanter. Le pays tardait à trouver des solutions et les choses allaient de mal en pis.

Dès mon retour, je fus nommé à la Commission d'aménagement du gouvernement, avec un titre ronflant, mais je n'avais rien à faire de la journée, si ce n'est lire le journal. J'étais docteur en économie, j'arrivais des États-Unis, le pays était en mal de développement économique, et pourtant je n'avais rien à faire.

Après m'en être plaint à plusieurs reprises auprès du chef de la Commission d'aménagement, je donnai ma démission et devins chef du département d'économie à l'université de Chittagong.

*

Le campus de l'université est situé à une trentaine de kilomètres à l'est de Chittagong, sur 7,5 hectares de collines incultes. Certaines de ces collines avaient été arasées pour accueillir de grands bâtiments modernes en brique rouge, destinés au président de l'université, au chef du bureau des inscriptions et à un ou deux professeurs. Chacun de ces bâtiments occupait le sommet d'une colline. Sur un petit morceau de terrain plat, au pied des collines, se trouvaient les bâtiments réservés à l'enseignement, les dortoirs et les logements des enseignants.

Construit au milieu des années soixante et conçu par le plus grand architecte du Bangladesh, ce campus offrait tout le confort d'une construction moderne. Des bâtiments très impressionnants, fort agréables à l'œil, mais pas du tout fonctionnels. Lorsque je commençai à y travailler, j'eus tôt fait de m'apercevoir combien les aménagements intérieurs étaient peu pratiques.

Par exemple, le chef du département disposait d'un gigantesque bureau, mais aucun n'avait été prévu pour les enseignants. L'une des premières choses que je fis en entrant dans ce poste fut de transformer le bureau du chef de département en salle des professeurs. Pour ma part, j'installai mon bureau dans une petite pièce. Cette décision ne fit que des mécontents. Ils voulaient tous que le chef occupe un grand bureau, même si ses subordonnés n'avaient nulle part où s'asseoir.

C'était une période difficile à l'université. Les enseignants boycottaient la correction des examens, les étudiants ayant copié leurs réponses sur les manuels et les uns sur les autres, au mépris des règles les plus élémentaires. Les enseignants insistaient pour que les étudiants repassent leurs examens, les étudiants ne l'entendaient pas de cette oreille. Ils faisaient valoir que, à peine rentrés de la guerre de Libération (qui s'était terminée le 16 décembre de l'année précédente), ils étaient déjà bien bons d'avoir accepté de passer les examens.

Beaucoup d'étudiants faisaient partie du *Mukti Bahini* (l'Armée de Libération) et ils avaient participé à la guerre. Toujours armés, ils menaçaient les professeurs de représailles sanglantes si les résultats des examens n'étaient pas annoncés dans les meilleurs délais.

Je fis office de médiateur entre les étudiants et les enseignants.

J'habitais en ville chez mes parents. Mon père me laissait utiliser sa voiture pour me rendre au campus. En chemin, je voyais des étudiants et des enseignants qui attendaient l'autobus de l'université. Tous les jours, j'en accompagnais quelques-uns en voiture.

J'essayais de comprendre quel était le problème et comment je pourrais améliorer les choses.

Faute d'hébergement sur place, la plupart des étudiants et des enseignants arrivaient le matin et repartaient par le bus de 14 heures, de sorte que l'après-midi et la nuit, l'université était pratiquement désertée. C'était une honte pour notre pays qu'une telle richesse nationale fût à ce point sous-exploitée... Je réunis un groupe d'étudiants pour enquêter sur ce problème.

Notre rapport d'enquête fut imprimé sous le titre : *Problème du transport à l'université de Chittagong*, les résultats et les conclusions immédiatement publiés dans les journaux nationaux, qui reprirent la formule que j'avais utilisée pour désigner le campus, à savoir : « l'université à temps partiel ». La nouvelle fit du bruit. Je fus interviewé par de nombreux journalistes. Aucun professeur ou directeur d'établissement n'avait jamais osé dire une chose pareille.

Le ministre de l'Éducation prit contact avec moi et me demanda d'établir un nouveau rapport. Malheureusement, tout cela resta lettre morte. Et le problème de l'université à temps partiel demeure, vingt ans après, malgré

la mise en place d'une liaison ferroviaire entre la ville et
le campus.

*

Chaque jour, je traversais en voiture le village de
Jobra. Près du campus, il y avait des champs en friche.
Je demandai à mon collègue Latifee pour quelle raison
on ne mettait pas ces terres en valeur pour des cultures
d'hiver, et proposai que nous nous rendions tous deux
au village pour parler aux gens et élucider ce mystère.

Nous devions rapidement trouver l'explication : il n'y
avait pas d'eau pour l'irrigation.

Que faire ? Il était honteux que le champ situé autour
du campus soit ainsi laissé en friche. Si l'université est le
dépositaire du savoir, pourquoi ne pas en faire profiter
les populations voisines et donner ainsi la preuve de l'utilité de ce savoir ? Une université ne devrait pas être une
tour d'ivoire où des intellectuels se laissent griser par la
connaissance, sans rien en partager avec le monde qui
les entoure.

*

Au bout d'un mois ou deux, à ma grande satisfaction,
on m'attribua une maison sur le campus : cela me rappro-
cherait des membres de la communauté et me permettrait de passer davantage de temps sur place. De la
classe, le matin, je voyais le flot de petits enfants,
d'hommes et de bêtes traversant le campus pour gravir
les collines. Au coucher du soleil, chacun redescendait,
chargé de petit bois, ou transportant un de ces arbres
qui poussent sur la colline.

Je pensais que la communauté universitaire pourrait
planter des arbres sur ces collines incultes et y faire
pousser de nombreux produits de la forêt, susceptibles
d'être vendus. Voilà, une source de revenus pour l'université et une source d'emplois pour les villageois.

J'étais fermement convaincu que l'université devait contribuer à améliorer le sort des villageois locaux. Et c'était au département d'économie de montrer la voie en la matière.

Je voulais comprendre le village. Pour l'essentiel, en ce qui concerne les villages bangladais, nous autres enseignants étions réduits aux conjectures. Nous ne disposions d'aucune information concrète. Il fallait que nous entreprenions une étude approfondie sur Jobra. Je lançai donc un projet d'enquête sur le village, avec l'aide de mes étudiants.

Nous voulions savoir : combien de familles du village possédaient des terres arables, de quelle surface disposait chaque famille, quelles cultures étaient pratiquées, comment vivaient les paysans sans terre, qui étaient les pauvres, quelles compétences avaient les gens et ce qui les empêchait d'améliorer leur sort, combien de familles pouvaient cultiver suffisamment pour vivre toute l'année et combien ne le pouvaient pas, pendant combien de mois ils pouvaient assurer leur autosuffisance alimentaire ? dix mois ? huit mois ? six mois ? moins de six mois ? Etc.

J'essayais de comprendre le Bangladesh en comprenant Jobra. Jobra devint mon Bangladesh. C'était le Bangladesh que je pouvais sentir, toucher. Je pouvais vérifier tout ce que je voulais, et je pouvais aussi essayer de faire bouger un peu les choses.

*

Les analyses sur les causes de la pauvreté portaient pour une large part sur la question de savoir pourquoi certains pays étaient pauvres, au lieu de se demander pourquoi certaines franges d'une population donnée vivaient en dessous du seuil de pauvreté. Ceux des économistes qui étaient soucieux de justice sociale soulignaient l'absence de « droits » des pauvres. En temps de famine, malgré d'abondantes réserves de céréales, les

pauvres n'avaient pas accès à la nourriture. En un siècle
où l'humanité connaissait les progrès scientifiques et
techniques les plus spectaculaires et où l'homme marchait sur la lune, comment pouvait-il encore y avoir des
famines ? Dans ce contexte, de telles souffrances
humaines étaient moralement injustifiables.

Ce que je ne savais pas encore à propos de la faim,
et que j'allais découvrir dans les vingt années qui suivirent, je le dirais en ces termes à Des Moines (Iowa), en
1994, lorsque l'on me remit le Prix mondial de l'alimentation :

> *De brillants théoriciens de l'économie ne jugent*
> *pas utile de consacrer du temps à étudier des pro-*
> *blèmes tels que la pauvreté et la famine. Ils veulent*
> *nous faire croire que ces problèmes se résoudront*
> *d'eux-mêmes, quand la vague de la prospérité écono-*
> *mique aura déferlé sur les nations. Ces mêmes écono-*
> *mistes, qui mettent tout leur talent à analyser les*
> *processus de développement et de prospérité, ne jettent*
> *même pas un regard distrait sur la pauvreté et la faim,*
> *processus jugés secondaires.*
>
> *Je suis convaincu que si le monde fait figurer*
> *parmi ses priorités la lutte contre la pauvreté, nous*
> *pourrons construire un univers dont nous serons légiti-*
> *mement fiers, au lieu d'en avoir honte, comme c'est le*
> *cas aujourd'hui.*

La famine de 1974 s'éternisait, et plus elle s'aggra-
vait, plus grande était mon agitation.

Excédé, n'en pouvant plus, j'allai trouver le président
de mon université.

Abul Fazal était une éminente figure nationale, un
homme d'une grande expérience, sociologue et roman-
cier, considéré par beaucoup comme la conscience de la
nation. Il m'accueillit poliment.

— Que puis-je faire pour vous, Yunus ? me demanda-
t-il.

Les pales d'un ventilateur tournoyaient lentement au-dessus de nos têtes. On entendait vrombir les moustiques. Un garçon apporta du thé.

— La faim fait des ravages, et tout le monde a peur de le dire.

Le vieil Abul Fazal fit oui de la tête et reprit :

— Que proposez-vous ?

— Vous êtes un homme très respecté. Si je m'adresse à vous, c'est parce que personne n'ose s'élever contre ce qui se passe.

— Que voulez-vous que je fasse ?

— Une déclaration à la presse.

— Quelle en serait la teneur ?

— Ce serait un appel à la nation et à ses dirigeants pour que tout soit mis en œuvre en vue d'arrêter la famine. Je suis persuadé que tous les enseignants du campus seraient prêts à apposer leur signature au bas de votre lettre.

— Vous croyez que cela peut faire bouger les choses ?

— Oui, cela contribuera à mobiliser l'opinion nationale.

— Bien.

Il prit une gorgée de café et ajouta :

— Yunus, vous allez écrire cette déclaration, et je la signerai.

Je lui souris et repris :

— C'est vous l'écrivain ; personne mieux que vous ne saura la rédiger.

— Non, non, Yunus, c'est vous qui allez le faire. Le sujet vous tient à cœur. Vous saurez trouver les mots qu'il faut.

— Mais je ne suis que professeur d'économie ! Et ce document devrait devenir un cri de ralliement, un appel à l'action...

Plus je lui répétais qu'il était l'homme de la situation, propre à secouer le pays de sa torpeur, plus il m'encourageait à écrire moi-même la déclaration. Il insista tant et si bien que, de guerre lasse, je finis par lui promettre de faire une tentative.

Ce soir-là, je rédigeai un texte à la main, puis j'en remis le brouillon à Abul Fazal. Il prit tout son temps pour le lire.

Lorsqu'il eut fini, Abul Fazal tendit la main pour prendre son stylo et me demanda :

— Où dois-je signer ?

J'étais stupéfait.

— Mais enfin, j'y vais peut-être un peu fort, vous pourriez changer des choses, lancer d'autres idées !

— Non, non, c'est parfait, conclut-il.

Et il signa aussitôt.

Il ne me restait plus qu'à parapher moi-même le document, à en faire des copies et à le communiquer aux autres membres de la faculté.

Bon nombre d'enseignants formulèrent des objections à l'égard de tel ou tel mot, mais le président ayant apposé sa signature, cette lettre portait la marque de son prestige. Tous les professeurs de l'université de Chittagong finirent donc par signer. Nous transmîmes le document à la presse, et le lendemain il faisait la une de tous les grands quotidiens.

Cette publication déclencha des réactions en chaîne. Une série d'appels analogues furent lancés par d'autres universités et organismes publics qui ne s'étaient jamais élevés contre la famine.

À partir de ce jour, je me consacrai au désapprentissage de la théorie pour tirer, à la place, les leçons du monde réel. Pour cela, il me suffisait de sortir de la salle de classe : le monde réel était partout.

VIII

AGRICULTURE :
L'EXPÉRIENCE DE LA FERME
DES TROIS TIERS
1974-1976

La famine de 1974 m'a amené à concentrer tous mes efforts sur l'agriculture.

Avec un territoire de 14 millions d'hectares et l'une des densités de population les plus élevées au monde, le Bangladesh devait augmenter sa production agricole. Nous disposions d'une surface cultivable de 8,5 millions d'hectares. Pendant la saison des pluies, nous produisions principalement du riz et du jute, mais nous disposions d'un potentiel d'amélioration de notre production grâce au développement de l'irrigation et à une meilleure gestion de l'eau pendant la saison sèche d'hiver. Les spécialistes estimaient que les rendements existants ne représentaient que 16 % de notre potentiel agricole.

Je décidai d'aider les habitants du village de Jobra à produire davantage. Mais comment faire pour produire davantage de nourriture ? Fallait-il produire plus à chaque récolte, augmenter le nombre de récoltes pour chaque parcelle ? Je n'étais pas ingénieur agronome. Je me mis d'abord en devoir de trouver le moyen de produire plus à chaque récolte.

Je convoquai mes étudiants et leur expliquai à quel

point il était essentiel de remplacer la variété locale de riz à faible rendement par une variété à haut rendement mise au point aux Philippines. Les paysans ne nous prirent pas au sérieux, mais nous étions déterminés. Nous offrîmes gratuitement nos services pour aider à planter le riz à haut rendement. Étudiants et enseignants d'université devinrent agriculteurs bénévoles. Tout le village et le campus de l'université nous regardèrent replanter le riz dans la boue jusqu'aux genoux. Avait-on jamais vu un professeur d'université planter du riz avec des paysans ? C'était une nouveauté.

Mes étudiants et moi montrâmes aux paysans l'importance de laisser entre chaque pousse un intervalle régulier et de planter en ligne droite pour optimiser la production et le rendement. Ils commencèrent par se moquer de nous, et de nombreux étudiants désapprouvaient mon approche pragmatique, mais la production s'en trouva quadruplée.

Je continuai à m'interroger sur la façon dont l'université pourrait jouer un rôle dans la communauté. Mes intérêts et mon souci pour l'agriculture locale étaient exclusivement d'ordre pratique. Dans une perspective empiriste, j'étais désireux d'apprendre grâce à mes propres erreurs et à celles des autres.

J'essayai de rassembler le monde universitaire et le village dans le cadre d'un projet baptisé « Projet de développement rural de l'université de Chittagong » (CURDP). Entre autres résultats, le CURDP permit d'abaisser les barrières qui, traditionnellement, caractérisent au Bangladesh les relations entre un professeur d'université et ses étudiants.

J'abandonnai alors presque tout enseignement classique et je conçus de nombreux programmes CURDP, y compris un projet d'alphabétisation de masse. J'encourageai mes étudiants à se rendre avec moi dans le village et à voir comment la vie quotidienne pouvait y être améliorée.

*

Au cours de l'hiver 1975, je me consacrai au problème de l'irrigation afin d'obtenir une récolte supplémentaire en hiver.

Partout où j'allais, je constatai avec surprise que le moindre mètre carré de terrain était exploité, y compris des marais qui ne semblaient pas fertiles, mais qui produisaient du riz et du poisson. Pourtant, il n'y avait qu'une ou deux récoltes par an. Pourquoi ne pas procéder à une récolte d'hiver ?

Chaque jour, je passais devant un puits profond, abandonné au milieu de champs non cultivés. C'était la saison sèche, pendant laquelle le puits aurait dû irriguer la terre pour obtenir une nouvelle récolte. Mais le puits était là, tout neuf et inutilisé.

Lorsque je demandai pourquoi, j'appris que les paysans étaient en colère : en effet, pendant la saison sèche précédente, ils n'avaient pu se mettre d'accord sur le paiement de la taxe à acquitter pour utiliser l'eau. Ils avaient dû se contenter de riz amer. Depuis lors, les paysans ne voulaient plus entendre parler du puits d'irrigation... Quel gaspillage d'eau et de capitaux !

J'étais scandalisé de voir que, dans un pays où la famine venait de faire tant de victimes, un puits profond de cent mètres, capable d'irriguer vingt-cinq hectares, était laissé à l'abandon.

De toutes les techniques d'irrigation existant à l'époque, les puits profonds nécessitaient le plus gros investissement et ils bénéficiaient de financements généreux du gouvernement et de donateurs divers. En revanche, la promotion des puits à fonctionnement manuel, moins chers et particulièrement adaptés aux foyers les plus déshérités, n'avait jamais fait l'objet de projets gouvernementaux.

D'un coût d'utilisation élevé, les puits d'irrigation profonds se sont révélés tout à fait inefficaces : gaspillage et corruption étaient inévitables à cause du besoin de carburant, de lubrifiants et de pièces détachées. Aussi, loin d'être une exception, la difficulté rencontrée à Jobra, était-elle un problème répandu dans le pays, et qui semblait faire partie intégrante du système.

Près de la moitié des puits profonds forés à coups de millions de dollars étaient hors d'usage. Les équipements livrés à la rouille dans des stations de pompage abandonnées démontraient que cette initiative de transfert de technologie était tout bonnement inadaptée aux besoins des paysans. Un scandale de plus, un nouvel échec dans le cadre d'un choix de développement peu judicieux.

J'eus alors l'idée de créer un nouveau type de coopérative agricole que je décidai d'appeler la Ferme des trois tiers *Nabajug* (Ère nouvelle).

Je convoquai une assemblée des paysans locaux. Je leur proposai une expérience dans laquelle les propriétaires terriens mettraient leurs terres à disposition pendant la saison sèche, les métayers offriraient leur main-d'œuvre, et où je prendrais en charge toutes les autres dépenses, y compris le coût du carburant nécessaire au fonctionnement de la pompe, les semences pour les récoltes à haut rendement, les engrais, les pesticides et le savoir-faire technique. Chacune des trois parties (fermier, métayer et moi-même) recevrait un tiers de la récolte.

Les villageois considérèrent tout d'abord ma proposition avec suspicion. Tant de mauvaise volonté et de méfiance s'étaient accumulées entre les responsables du fonctionnement du puits et les paysans, qu'ils n'étaient disposés à écouter personne, pas plus moi qu'un autre. Leur objection était que rien ne leur prouvait que mon projet marcherait, et qu'il pouvait constituer une énorme perte de temps. Certains arguèrent que m'accorder un tiers de la récolte était excessif et qu'un cinquième serait suffisant ! Même mon offre de supporter toutes les pertes et de répartir entre eux les bénéfices éventuels ne suscita pas leur adhésion. Lors de cette première réunion, ils rejetèrent mes propositions.

Au cours d'une seconde réunion, une semaine plus tard, je parvins à les convaincre qu'ils n'avaient rien à perdre. Ils recevraient l'eau pour irriguer, l'engrais, les semences et les pesticides sans aucune avance de fonds. Tout ce qu'ils avaient à faire était de s'engager à me donner un tiers de leur récolte. Pour les métayers pauvres, c'était une excellente idée. Les paysans riches n'acceptèrent qu'avec réticence de tenter l'expérience. Tout le village commença à se livrer dans l'effervescence à des conjectures sur l'issue du projet.

Ce fut une période éprouvante. Je restais éveillé la nuit, angoissé à l'idée que quelque chose tourne mal. Mais j'étais aussi impatient de voir le résultat, et j'étais sûr que, si tout était convenablement mis en œuvre, ce serait un succès. J'étais convaincu d'avoir trouvé la solution au problème de la gestion de l'irrigation, mais ce n'était pas joué d'avance.

Tous les jeudis soir, nous rendions visite aux paysans et tenions une assemblée officielle avec les quatre étudiants que j'avais nommés « chefs de groupe », ainsi que mon équipe de treize conseillers. Nous discutions et réexaminions les problèmes d'engrais, d'irrigation, de technologie, de stockage de transport et de commercialisation.

Cela représentait pour nous tous une phase d'apprentissage. La première année s'acheva sur un succès énorme. Tous les paysans étaient ravis. Ils n'avaient pas eu un sou à débourser et les récoltes avaient été abondantes. Quant à moi, j'avais perdu 13 000 *taka*, parce que les paysans m'avaient escroqué sur ma part. J'avais malgré tout le sentiment d'avoir gagné : nous avions obtenu des récoltes à des endroits où jamais rien n'avait poussé jusque-là au cours de la saison sèche.

Rien n'est plus beau, plus luxuriant et verdoyant qu'un champ de riz au moment de la récolte. Nous étions habitués à voir cette scène durant la très importante récolte de la mousson, qui régit la vie rurale, mais à présent, nous y assistions également pendant la saison sèche.

Avec quel zèle nos paysans bengalis sèment le riz ! Ils éparpillent les graines à la main et le riz nouveau pousse en un rien de temps. Puis vient la tâche méticuleuse et éreintante qui consiste à replanter les pousses. Grâce à leur pratique, tout cela est plus facile pour les paysans que pour nous, universitaires.

Notre expérience de Ferme des trois tiers reçut le *Rashtrapati Puroshkar* (prix du Président) en 1978.

Toutefois, le succès même de notre expérience mit en lumière un problème qui n'avait pas retenu mon attention jusqu'alors.

Une fois que le riz était récolté, il fallait de la main-d'œuvre pour le séparer de la paille sèche. Cette tâche ingrate et ennuyeuse était, comme on pouvait s'y attendre, dévolue aux journaliers les plus mal payés, en l'occurrence des femmes pauvres qui, autrement, auraient été réduites à mendier. Elles arrivaient tôt le matin comme des bêtes de somme.

J'avais du mal à supporter cette scène : quelque vingt-cinq à trente femmes battant le paddy produit dans l'exploitation. Elles étaient pieds nus, debout, prenant appui sur le mur auquel elles faisaient face avec la paume des mains. Elles faisaient un mouvement continu de torsion avec les pieds, pour les envelopper de paille de riz et forcer le paddy à se détacher, et cela sans interruption, du matin au soir. Leur salaire dépendait de la quantité de paddy qu'elles séparaient en une journée de travail. Elles recevaient un seizième du paddy qu'elles séparaient. Cela équivalait généralement à quatre kilos de paddy par jour, soit l'équivalent de 2,50 francs.

Ces femmes rivalisaient pour trouver, contre le mur, une place qui leur rendrait la tâche moins pénible. Elles se précipitaient pour arriver les premières. La compétition était telle que beaucoup s'installaient sur leur lieu de travail quand il faisait encore nuit... pour s'apercevoir que d'autres les avaient précédées.

Quelles conditions de vie terribles : gagner 2,50 francs en utilisant le poids de son corps et le mouvement de ses pieds nus pendant dix heures par jour !

Il m'apparut clairement que, dans ma Ferme des trois tiers, plus le paysan était riche, plus il faisait de profits. En revanche plus l'individu est pauvre et sa propriété réduite, plus sa part des bénéfices est mince. Les plus mal payées étaient les femmes qui effectuaient le battage du paddy. C'était pour moi une source d'extrême découragement.

Je cherchais des moyens de renverser le processus, afin que le maximum de bénéfices aille vers les pauvres, mais aucun ne paraissait très convaincant.

Je découvris enfin que pour la même quantité de travail, une femme pouvait gagner quatre fois plus que le salaire qu'elle recevait à condition de pouvoir acheter elle-même le paddy et le traiter.

« Pourquoi votre système des trois tiers devrait-il nous intéresser ? me demanda une femme. Après quelques semaines de battage, nous sommes sans emploi et cela ne nous a rien apporté. »

Ces femmes, dont beaucoup étaient veuves, divorcées ou abandonnées avec des enfants à nourrir, étaient trop pauvres même pour être métayers. Elles n'avaient ni terres ni biens et ne pouvaient entretenir aucun espoir.

C'est ainsi que j'en vins à me consacrer aux plus pauvres parmi les pauvres.

Dans le jargon du développement international, on s'est mis à utiliser le terme « petit paysan » comme synonyme de pauvre et laissé à l'abandon, de sorte que les programmes de développement rural sont toujours consacrés aux paysans propriétaires. Je contestai cette optique pour deux raisons.

Tout d'abord, la catégorisation des individus dépourvus de terres ou presque comme « paysans » nous amène presque inconsciemment à adopter une attitude discriminatoire fondée sur le sexe. Dès lors qu'une partie de la population porte l'étiquette de « paysans », nous nous consacrons presque exclusivement aux problèmes de la gent masculine. On oublie tout bonnement l'existence de l'autre moitié de la population, les femmes. Et lorsqu'on les prend effectivement en compte, c'est toujours en tant qu'auxiliaires subalternes des membres prédominants et masculins du foyer. Cela met en péril tous les programmes de développement.

Deuxièmement, dans les zones rurales, les individus sans terre et ceux que j'appelle les « presque sans terre » (qui possèdent moins de 0,2 hectare) représentent le gros de la main-d'œuvre agricole. Et pourtant, leurs activités ne constituent qu'un cinquième de la totalité du temps de travail qu'ils pourraient fournir.

En d'autres termes, 80 % du temps potentiellement productif dont ils disposent est consacré à d'autres activités, ou à l'oisiveté, mais pas à l'agriculture, qui n'occupe qu'une infime partie de leur vie et ne peut servir à les catégoriser. Non seulement c'est un raisonnement erroné, mais cela concentre notre attention sur un seul aspect de leur vie, l'agriculture, et nous empêche de leur proposer d'autres sources de revenus et d'emploi.

Pour toutes ces raisons, il m'est apparu important de commencer à différencier les personnes véritablement pauvres des paysans.

À cette époque, les bureaucrates et les sociologues ne prenaient pas le temps de définir clairement qui était réellement « pauvre ». Et pourtant chaque sociologue peut avoir une conception différente de la pauvreté en fonction des circonstances et du but poursuivi. Une « personne pauvre » peut signifier un « homme portant une chemise déchirée » dans un cas et, dans un autre cas, cela peut vouloir dire un « homme avec une chemise sale ». Dans la liste ci-dessous, qui est pauvre et qui ne l'est pas ?

Une personne sans emploi ?
Une personne analphabète ?
Une personne sans terre ?

Une personne sans abri ?
Une personne qui ne produit pas assez pour nourrir sa famille toute l'année ?
Une personne qui possède moins de dix hectares ?
Une personne qui habite une maison dont le toit de chaume laisse passer la pluie ?
Une personne qui souffre de malnutrition ?
Une personne qui n'envoie pas ses enfants à l'école ?
Un vendeur des rues ?

Un tel flou conceptuel a grandement mis en péril nos tentatives pour remédier à la pauvreté, et ce manque de précision dans les définitions peut mener à des situations étranges. Les « pauvres » représentent un groupe beaucoup plus important que les petits ou moyens paysans. Tout d'abord, cette catégorisation exclut les femmes et les enfants. Au Bangladesh, la moitié de la population totale est plus pauvre que le paysan moyen.

J'ai donc trouvé utile d'avoir recours à trois définitions de la pauvreté, de la moins englobante à la plus englobante. Par exemple :

P1 — pauvres « endurcis » / absolus, les 20 % inférieurs
P2 — les 30 % inférieurs
P3 — les 50 % inférieurs.

À l'intérieur de chaque catégorie de pauvres, j'opère souvent une sous-classification sur la base de la région, du métier, de la religion, de l'origine ethnique, du sexe, de l'âge, etc. Se fonder sur le métier ou la région pour définir les pauvres n'est pas aussi précis conceptuellement que de les définir selon un critère établi sur les possessions ou les revenus et qui permet d'élaborer une matrice de pauvreté multidimensionnelle. De plus, la stratégie et le contenu de nos programmes dépendaient du public visé.

Bien sûr, ces catégories sont différentes dans des pays où le niveau de vie général est plus élevé : chaque pays devrait avoir sa propre définition de la pauvreté (posséder 10 hectares de terre vous place du côté des riches dans un pays, du côté des pauvres dans un autre). Il serait utile que les organisations internationales intègrent dans leurs analyses les critères d'identification de la pauvreté spécifiques à chaque pays plutôt que d'imposer des normes internationales.

Cette volonté de définir qui est pauvre et qui, parmi les pauvres, a le plus besoin d'aide ne relève pas d'une recherche de perfection théorique ou d'une manie de couper les cheveux en quatre, mais d'un souci d'efficacité pratique. En l'absence de lignes de démarcation claires, tous ceux qui travaillent dans ce domaine et tentent d'alléger les pires souffrances franchissent sans même s'en rendre compte la frontière qui sépare les pauvres des non-pauvres.

À l'instar des repères de navigation sur des mers inconnues, les définitions se doivent d'être précises et dépourvues d'ambiguïté. Toute définition floue posera autant de problèmes que l'absence de définition.

Dans la catégorie des pauvres, j'inclurais sans hésiter les femmes qui battaient le riz en 1975 dans notre Ferme des trois tiers, ainsi que Sufia Begum qui fabriquait des tabourets en bambou, et Bajlul, qui possédait un petit négoce et devait emprunter à 10 % d'intérêts par mois, ou parfois par semaine. Et toutes celles qui, comme elles, gagnent à peine leur vie en faisant des paniers, des tapis de jute, des *patis* (nattes pour dormir) et sont souvent réduites à la mendicité.

Aucune elles ne disposait du moindre moyen d'améliorer sa situation économique.

*

En me familiarisant avec l'agriculture et l'irrigation, l'expérience de Jobra a été déterminante dans mon intérêt pour les déshérités sans terre.

J'affirmai alors que partout où les non-pauvres sont tant soit peu intégrés dans les programmes de lutte contre la pauvreté, les vrais pauvres se retrouvent vite écartés.

Comme le montre la loi de Gresham (qui veut que lorsque deux éléments différents se voient arbitrairement rassemblés et attribuer la même valeur, celui qui est le plus « précieux » sera le plus convoité), il est sage de garder à l'esprit que, dans le domaine du développement, si un projet réunit des pauvres et des non-pauvres, les non-pauvres excluront les pauvres et les moins pauvres excluront les plus pauvres. Cette logique pourrait bien se perpétuer, à moins que des mesures protectrices ne soient prises dès le début.

Et ce qui risque d'arriver, c'est que les non-pauvres récoltent tous les avantages au nom des plus pauvres.

IX

ÉCHAPPER À LA PRISON
DU NANTISSEMENT

Lorsque je me rendis compte que mon action auprès des paysans n'avait pas atteint les plus déshérités, je m'attelai au problème de ceux qui ne disposaient ni de terres ni de biens et qui vivaient et travaillaient à deux pas de mon université.

Un paysan lié à sa terre aura tendance à être plus conservateur, plus étroit d'esprit et plus replié sur lui-même que les paysans sans terre, qui sont souvent plus entreprenants, plus mobiles, plus réceptifs aux idées nouvelles. N'étant pas liés à la terre, ils ne sont pas contraints par le mode de vie traditionnel, et la misère dans laquelle ils vivent les pousse à se battre.

*

L'histoire de Sufia Begum me donna à réfléchir. Il était incroyable de voir une personne condamnée à une vie d'asservissement parce qu'elle ne parvenait pas à se procurer le franc nécessaire à la poursuite de ses activités.

Je voulais découvrir un meilleur arrangement, un système institutionnel pour aider les gens à trouver de l'argent en cas de besoin. Comment faire ? Je pensai aux banques. Elles peuvent fournir de l'argent. Après tout, c'est à cela qu'elles servent.

La Banque gouvernementale Janata est l'une des plus importantes du pays. L'agence de Jobra se trouve juste à la sortie de l'université, sur la gauche, parmi une série de minuscules boutiques, d'étals et de restaurants tenus par des habitants du village qui offrent aux étudiants aussi bien des noix de bétel et des repas entiers que du papier et des stylos. C'est le point de ralliement des conducteurs de pousse-pousse.

L'agence occupe une seule pièce carrée. Les deux fenêtres donnant sur la rue sont munies de barreaux. Les murs sont vert foncé, mais la peinture à deux sous s'en va par plaques. Le guichet se trouve sur la droite en entrant. Le reste de la pièce est meublé de tables et de chaises en bois. Le directeur est assis au fond à gauche, sous un ventilateur de plafond. Je me dirige vers son bureau. Il me salue poliment et m'offre un siège.

— Que puis-je pour vous ?

Le garçon de bureau nous apporte du thé et des biscuits. J'explique le but de ma visite.

— La dernière fois que je vous ai emprunté de l'argent, c'était pour financer le projet des trois tiers. Aujourd'hui, j'ai une nouvelle proposition à vous soumettre. Je voudrais que vous prêtiez aux pauvres de Jobra. Les sommes nécessaires sont infimes. Je l'ai déjà fait moi-même. J'ai prêté environ 160 francs à quarante-deux personnes. Mais beaucoup d'autres déshérités ont besoin d'argent. Ils en ont besoin pour poursuivre leur travail, pour acheter des matières premières et des fournitures.

— Quelles sortes de fournitures ?

Le directeur a l'air interloqué, comme si je lui exposais les règles d'un nouveau jeu qu'il ne comprend pas tout à fait. Il me laisse m'exprimer par respect pour mon statut de responsable de département à l'université, mais je vois bien qu'il est perdu.

— Eh bien ! certains d'entre eux fabriquent des tabourets en bambou, d'autres tissent des nattes ou conduisent des pousse-pousse... S'ils pouvaient emprunter à une banque aux taux commerciaux, ils pourraient vendre leurs produits légalement sur le marché et faire un bénéfice suffisant pour vivre correctement.

— Je n'en doute pas.

— En l'état actuel des choses, ils sont condamnés au travail forcé pour le restant de leurs jours, et ils ne parviendront jamais à se dégager du joug des grossistes *paikari* qui leur consentent actuellement des prêts à des taux usuraires.

— Oui, je connais le problème des prêteurs.

— Je suis venu vous voir aujourd'hui parce que j'aimerais que vous prêtiez de l'argent à ces gens.

Le directeur en reste coi, puis il se met à rire.

— Je ne peux pas.

— Et pourquoi ?

— Voyons, bafouille-t-il, ne sachant par quelle objection commencer, tout d'abord le peu d'argent dont vous dites qu'ils ont besoin ne couvre même pas les frais de dossiers qu'ils devront remplir, et la banque ne va pas perdre son temps pour des sommes aussi dérisoires.

— Dérisoires ? Pour les pauvres, elles sont très importantes.

— Ces gens sont illettrés ; ils ne peuvent même pas remplir nos formulaires.

— Dans un pays où 75 % des gens ne savent ni lire ni écrire, l'obligation de remplir des formulaires est ridicule.

— Toutes les banques du pays suivent cette règle.

— C'est très révélateur, non ?

— Même lorsqu'un client veut déposer de l'argent sur son compte, nous lui demandons de noter par écrit la somme déposée.

— Pourquoi ?

— Comment ça, pourquoi ?

— Je veux dire : comment se fait-il qu'une banque ne puisse pas se contenter de prendre l'argent et de faire un reçu ? Pourquoi est-ce au client, et pas au banquier, de le faire ?

— Mais comment peut-on faire fonctionner une banque avec des gens qui ne savent ni lire ni écrire ?

— Très simple : la banque établit un reçu pour la somme d'argent en liquide qu'elle reçoit.

— Et que se passe-t-il lorsque quelqu'un veut retirer de l'argent ?

— Je ne sais pas... Cela ne doit pas être bien compliqué. L'emprunteur revient avec son reçu de dépôt qu'il présente au guichet et l'employé lui rend son argent. La comptabilité, c'est l'affaire de la banque.

Le directeur secoue la tête, accablé.

— Il me semble que votre système bancaire est construit sur le principe de discrimination des analphabètes.

— Monsieur le professeur, la banque, ce n'est pas aussi simple que vous le pensez.

— Peut-être bien, mais je suis sûr que ce n'est pas aussi compliqué que vous voulez nous le faire croire.

— Écoutez, la vérité, c'est que l'emprunteur, dans n'importe quelle banque, n'importe où dans le monde, doit remplir des papiers.

— Soit. Mais je peux charger quelques-uns de mes étudiants de remplir les formulaires à leur place ; cela ne devrait pas poser de problème.

— Vous ne comprenez pas : nous ne pouvons absolument pas accorder de prêts aux déshérités.

— Et pourquoi ?

J'essaie de rester poli. Notre conversation a quelque chose d'irréel. Le directeur sourit comme s'il voulait montrer qu'il comprend que je me paie sa tête. L'entretien est comique, ou plutôt absurde, mais je le fixe avec le plus grand sérieux.

— Ils n'offrent pas de garantie, lâche enfin le directeur, se demandant si je suis réellement stupide ou si je fais semblant, mais pensant ainsi mettre fin à notre discussion.

— Pourquoi avez-vous besoin d'une garantie, du

moment que vous récupérez votre argent ? C'est ce qui vous importe.

— Oui, nous voulons récupérer notre argent, mais nous voulons également un nantissement ; c'est notre garantie.

— C'est complètement absurde. Les plus pauvres d'entre les pauvres travaillent douze heures par jour. Ils doivent vendre leurs produits et se procurer un revenu pour pouvoir manger. Ils n'ont pas de raison de ne pas vous rembourser, surtout s'ils veulent un autre prêt qui leur permettra de tenir un jour de plus ! C'est la meilleure garantie que vous ayez : leur vie !

— Vous êtes un idéaliste, monsieur, soupire le directeur. Vous passez trop de temps dans les livres.

— Mais si vous êtes sûr que le prêt sera remboursé, en quoi avez-vous besoin de garantie ?

— C'est la règle ici.

— Alors, seuls ceux qui disposent d'une garantie peuvent emprunter ?

— Oui.

— C'est une règle stupide qui fait qu'on ne prête qu'aux riches.

— Ce n'est pas moi qui édicte les règles, mais la banque.

— Eh bien ! je pense que les règles devraient être changées.

— De toute façon, nous ne prêtons pas d'argent ici.

— Ah non ?

— Non. Nous nous contentons de recevoir les dépôts des professeurs et de l'université.

— Les banques ne fonctionnent-elles pas principalement grâce aux activités de prêt ?

— Seulement l'agence centrale. Nous, nous encaissons les dépôts de l'université et de ses salariés. Le prêt accordé à votre Ferme des trois tiers était une exception approuvée par les services centraux.

— Vous voulez dire que si je venais vous voir pour

vous emprunter de l'argent, vous n'accéderiez pas à ma demande ?

— Exactement, dit-il en riant.

De toute évidence, le directeur ne s'est pas autant amusé depuis longtemps.

— Donc, lorsque j'enseigne à mes étudiants que les banques prêtent de l'argent, ce n'est pas vrai ?

— En fait, il vous faut passer par les services centraux pour un prêt, et je ne sais pas quelle décision ils prendraient.

— Apparemment, c'est à vos supérieurs que je dois m'adresser.

— Oui, ce serait une bonne idée.

Tandis que je finis mon thé et me prépare à partir, le directeur de l'agence me dit :

— Je sais que vous n'abandonnerez pas. Mais, d'après ce que je sais du système bancaire, je peux vous affirmer que ce projet ne verra jamais le jour.

*

Deux jours plus tard, je passe voir le directeur régional de la Banque Janata, M. Howladar, à son bureau de Chittagong.

Je lui explique ce dont j'ai besoin, et notre conversation ressemble prodigieusement à celle que j'ai eue avec le directeur de l'agence de Jobra. En dehors des arguments que j'ai déjà entendus, je découvre encore quelques particularités du système bancaire qui sont incompatibles avec ma proposition.

Dans les années qui ont suivi, j'ai appris beaucoup sur les conceptions que les gens ont des pauvres.

Voici une liste de tous les clichés et mythes sur les pauvres qui m'ont été infligés de la part de personnes qui n'ont jamais travaillé ou vécu avec des pauvres mais en parlent avec autorité :

— *Les pauvres doivent suivre une formation avant de pouvoir entreprendre une activité génératrice de revenus ;*

— *Le crédit, à lui seul, ne sert à rien, il doit s'accompagner de projets de formation, de marketing, de transport, de technologie et d'éducation ;*

— *Les pauvres ne savent pas économiser ; les pauvres ont l'habitude de consommer tout ce qui leur tombe sous la main parce que leurs besoins de consommation sont pressants ;*

— *Les pauvres ne savent pas travailler en équipe ;*

— *La pauvreté chronique a un effet désastreux sur l'esprit et les aspirations des pauvres. Comme pour un oiseau qui, ayant passé sa vie enfermé, refuserait de s'envoler si l'on ouvrait sa cage ;*

— *Les femmes pauvres n'ont aucune compétence, il est donc inutile de concevoir des programmes qui leur soient destinés ;*

— *Les pauvres sont trop affamés et désespérés pour prendre des décisions rationnelles ;*

— *Les pauvres ont une vision étriquée de la vie et ne s'intéressent nullement à ce qui pourrait les aider à en changer ;*

— *La religion et la tradition ont tellement d'influence sur les pauvres (surtout les femmes) qu'ils ne peuvent évoluer d'un iota ;*

— *La structure de pouvoir dans le monde rural est trop forte et trop solidement implantée pour permettre le succès d'un tel projet ;*

— *Le crédit pour les pauvres est contre-révolutionnaire. Il étouffe l'esprit révolutionnaire chez les pauvres et les incite à accepter le statu quo ;*

— *Le crédit est une façon astucieuse de pousser les pauvres à se liguer contre les riches afin de mettre à bas l'ordre établi ;*

— *Les femmes ne pourront pas conserver leur emprunt ou leur revenu, les maris les tortureront à mort, si besoin est, pour leur extorquer leur argent ;*

— *Les pauvres préfèrent servir leurs maîtres que s'occuper de leur sort ;*

— *Le crédit pour les pauvres n'est absolument pas productif. Il fait peser le lourd fardeau des dettes sur les épaules fragiles des pauvres qui ne pourront pas les rembourser. Ils s'appauvriront encore en essayant (ou en étant forcés) de rembourser leurs prêts ;*

— *Encourager les pauvres à s'installer à leur compte occasionnera une pénurie de main-d'œuvre salariée. En conséquence, les salaires s'envoleront, ce qui augmentera les coûts de production, créera de l'inflation et sera dommageable pour la productivité agricole ;*

— *L'extension du crédit aux femmes bouleversera le rôle traditionnel de la femme dans la famille ainsi que sa relation avec son mari ;*

— *Il se peut que le crédit dépanne de façon temporaire, mais il n'aura aucun effet sur le long terme, il ne fera rien pour promouvoir une restructuration équitable de la société.*

Je pourrais poursuivre à l'infini la liste de ces mythes et semi-vérités qu'on entend aujourd'hui dans le monde entier.

Certains de ces arguments s'appuient sur des éléments de justification, d'autres sont simplement tirés par les cheveux, mais tous dépassent leur propos. Nombre d'entre eux s'appliquent aux riches aussi bien qu'aux pauvres, que ce soit dans l'agriculture, le commerce ou l'industrie. Le bien-fondé de ces critiques dépend de la façon dont est mis en œuvre le programme de prêt, ainsi que des procédures d'attribution du crédit et des modalités de remboursement.

Pourtant, certains de ces mythes (comme l'obligation de garantie) sont acceptés sans discussion. Les sociétés se sont dotées d'institutions et de règles de conduite fondées sur ces mythes qui deviennent des barrières, des obstacles pour une partie importante de la population, tandis qu'ils assurent des privilèges injustifiés à l'autre partie.

*

Au cours de notre conversation à Chittagong, au bureau régional de la Banque Janata, M. Howladar me dit :

— Les gouvernements sont faits pour aider les plus démunis. Maintenant, si vous trouvez une personne aisée dans le village qui accepte de servir de caution à l'emprunteur, je pense que la banque pourrait accorder un prêt sans garantie.

Je réfléchis. L'idée est évidemment tentante, mais les inconvénients me semblent insurmontables.

— Je ne peux pas faire ça. Comment empêcher le garant de profiter de la personne dont il garantit le prêt ? Il pourrait en arriver à traiter l'emprunteur comme un esclave.

Silence. Les discussions que j'ai eues ces derniers

jours avec les banquiers me font clairement comprendre que je ne m'oppose pas seulement à la Banque Janata, mais au système bancaire dans son ensemble.

— Je pourrais me porter garant, non ?

— Vous ?

— Oui. Acceptez-vous que je sois caution pour tous les prêts ?

Le directeur régional sourit.

— Quelle somme cela représente-t-il ?

Pour me donner une marge d'erreur et une possibilité de développement, je réponds :

— Tout au plus 10 000 *taka* (environ 1 800 francs), je suppose.

— Bien.

Il tripote les papiers qui se trouvent sur son bureau et hoche la tête. Derrière lui, je vois des piles poussiéreuses de formulaires reliés. Le classement vertical consiste à empiler d'énormes classeurs bleu pâle dont certains forment des colonnes chancelantes qui s'élèvent jusqu'aux fenêtres.

Les ventilateurs de plafond créent une brise qui emporte toute feuille non retenue par un presse-papier. Sur le bureau, les documents s'agitent au gré du courant d'air permanent, mais ils sont solidement ancrés, attendant sa décision.

— Bon. Nous acceptons que vous serviez de garant à concurrence de cette somme, mais ne vous avisez pas de demander plus.

— Affaire conclue.

Nous nous serrons la main. Puis j'ajoute :

— Mais si l'un des emprunteurs ne rembourse pas, je n'interviendrai pas pour honorer les paiements dus.

Le directeur régional me regarde avec inquiétude, se demandant pourquoi je rends les choses si difficiles.

— En tant que garant, nous pourrions vous forcer à payer.

— Comment ?

— En vous intentant un procès.

— D'accord. J'aimerais voir ça.

Il me regarde comme si j'étais fou, mais c'est exactement ce que je veux, semer la panique dans cet injuste système de fous. Je veux être le grain de sable qui empêche la machine infernale de fonctionner. Je suis peut-être garant, mais je ne garantirai pas.

— Professeur Yunus, vous savez très bien que jamais nous ne poursuivrons en justice un chef de département qui se porte personnellement garant pour un mendiant qui emprunte de l'argent. L'argent récupéré ne nous dédommagerait pas de la mauvaise image que cela donnerait de nous. De toute façon, le prêt porte sur des sommes tellement infimes qu'il ne couvrirait ni les frais de justice ni même le coût des démarches administratives nécessaires pour récupérer l'argent.

— La banque, c'est vous. Faites donc une analyse des coûts et des rendements. Mais je ne paierai pas en cas de défaillance des débiteurs.

— Vous vous évertuez à me rendre les choses difficiles, professeur Yunus...

— Je suis désolé, mais la banque rend les choses difficiles pour beaucoup de monde, surtout pour ceux qui n'ont rien.

— J'essaie de vous aider.

— Je comprends, et je ne vous mets pas en cause. Ce sont les règlements de la banque que je critique.

— Je vais présenter votre proposition à l'agence centrale de Dhaka ; on verra bien ce qu'ils diront.

— Je pensais qu'en tant que directeur régional, vous étiez habilité à prendre la décision...

— En effet, mais cette affaire est trop peu orthodoxe pour que je la traite seul. J'ai besoin d'une autorisation de mes supérieurs.

Le projet de prêt ne fut accepté qu'après six mois d'échange de courriers. Finalement, en décembre 1976, je réussis à obtenir un prêt de la Banque Janata, que je pus distribuer aux pauvres de Jobra.

Au cours de l'année 1977, je dus signer toutes les demandes de prêts sans exception. Même lorsque j'étais en voyage en Europe ou en Amérique, la banque me réclamait par courrier ou par câble la signature requise pour ne pas avoir à traiter directement avec les emprunteurs. J'étais le garant. Et pour la banque, j'étais le seul qui comptait. Les pauvres qui utilisaient leur capital, ils ne voulaient pas s'embarrasser d'eux. En fait, ils ne voulaient avoir aucun contact avec eux. Aussi fis-je en sorte d'épargner aux véritables emprunteurs, ceux que j'appelais les « intouchables bancaires », l'indignité et l'humiliation de devoir se rendre à la banque.

J'étais en train de découvrir le principe de base du monde de la banque, à savoir :

« Plus vous possédez,
plus il est facile d'obtenir. »

Et réciproquement :

« Si vous n'avez rien,
vous n'obtenez rien. »

Sans s'en rendre compte, peut-être, les banques ont créé une caste d'insolvables, d'« intouchables ». Pourquoi est-ce que les banquiers tiennent tant à la garantie ? Pourquoi est-ce si nécessaire ? Pourquoi les concepteurs du système bancaire ont-ils choisi d'instaurer un *apartheid* financier ? Je suppose que les idées et les concepts se transmettent de génération en génération sans être remis en question.

C'est par nécessité que nous avons, à la Banque Grameen, dépoussiéré cette règle élémentaire de la banque. Je n'étais pas sûr d'avoir raison. Je ne savais pas du tout où j'allais. J'avançais à l'aveuglette et j'apprenais chemin faisant, empiriquement. Notre action devint une lutte destinée à montrer que les intouchables sont solvables.

À ma grande surprise, je m'aperçus que le rembour-

sement des prêts sans nantissement fonctionne beaucoup mieux que lorsque la garantie est importante. De
fait, plus de 98 % de nos prêts sont remboursés, parce
que les pauvres savent que c'est leur seule chance
d'échapper à la pauvreté et qu'ils n'ont pas de position
de repli. S'ils sont exclus de ce système de prêt, comment
survivront-ils ?

D'un autre côté, ceux qui sont plus aisés ne craignent
pas la loi, car ils savent l'utiliser à leur profit. Ceux qui
sont tout en bas de l'échelle ont peur de tout ; ils ont à
cœur de réussir parce qu'ils le doivent. Ils n'ont pas le
choix.

*

Donc, les pauvres sont exclus de partout, ils sont
entourés de barrières et d'obstacles.

La pauvreté n'est pas un étalage de données statistiques destiné à nous accabler.

La pauvreté n'est pas un camp de concentration où
les gens sont enfermés et oubliés jusqu'à leur mort.

La pauvreté, c'est comme être entouré de hautes
murailles.

Grameen n'est pas, et ne doit jamais devenir, un colis
envoyé dans cette prison pour égayer un jour ou deux
l'existence des détenus. Grameen — et ses émules dans
le monde entier — aide les gens à mobiliser leur volonté
et leur force pour fournir l'effort nécessaire à abattre les
murs qui les entourent.

Pour moi, décapiter le système du prêt sur gages
était simple : il suffisait d'introduire le crédit bancaire
institutionnel. Dans le domaine du crédit, pourquoi ne
pas mettre les deux systèmes en concurrence dans une
logique d'économie de marché ?

En l'absence d'établissement chargé de répondre
aux besoins des pauvres, c'est par défaut que le marché
du crédit était échu aux prêteurs sur gages qui avaient

accaparé cette activité lucrative. Elle représentait un excellent moyen de transport sur la route, en sens unique et encombrée, qui mène à la pauvreté.

Ce mouvement vers la pauvreté aurait pu être ralenti et le double sens rétabli si les établissements financiers avaient joué le rôle qui est censé être le leur.

*

Voici l'histoire d'Ammajan Amina. Elle illustre toutes les catastrophes qui peuvent s'abattre sur une seule et même famille. Il n'est pas besoin d'un désastre à l'échelle nationale pour détruire la vie d'une personne.

Sur les six enfants qu'elle avait eus, Ammajan en avait perdu quatre. Seules deux filles avaient survécu. Son mari, beaucoup plus âgé qu'elle, était très malade de l'estomac. Les dernières années avant sa mort, il se plaignait de douleurs constantes et dilapidait en soins divers presque tous les biens de la famille.

Après sa mort, tout ce qui restait à Amina était sa maison. Elle avait quarante ans, ce qui est vieux au Bangladesh où l'espérance de vie est de cinquante-trois ans pour les hommes et de cinquante-huit pour les femmes. Elle était illettrée et n'avait jamais gagné sa vie. Par-dessus le marché, ses beaux-parents tentèrent de les chasser de la maison, elle et ses enfants.

Elle refusa de partir. « C'était la demeure de mon mari, dit-elle. J'habite ici depuis vingt ans. Au nom de quoi devrais-je partir ? »

Elle essaya de vendre, au porte-à-porte, du tissu, puis des gâteaux *pita* et des biscuits qu'elle confectionnait. Mais un jour, en rentrant, elle constata que son beau-frère avait vendu son toit de tôle et que l'acheteur était en train de l'emporter.

Elle porta son grief devant le chef du village, mais il refusa de l'écouter. Elle prit ses enfants et trouva temporairement refuge chez une voisine. La saison des pluies arriva, elle avait froid et faim et elle était trop pauvre pour fabriquer et vendre de la nourriture. Tout ce qu'elle avait servait à nourrir ses enfants.

Ammajan avait sa fierté, et c'est pour cela qu'elle ne mendiait pas dans son propre village mais dans les villages avoisinants. Comme elle n'avait plus de toit pour protéger sa maison, la mousson détruisit lentement les murs de torchis. Un jour, à son retour, elle trouva la maison effondrée et elle se mit à hurler : « Où est ma fille ? Où est mon bébé ? »

Elle trouva son aînée morte sous les ruines.

Lorsque Nurjahan la rencontra au cours de sa première journée de travail, Ammajan Amina portait son seul enfant survivant, un tout jeune bébé, dans les bras ; elle avait faim, elle était accablée et désespérée, et Nurjahan n'eut aucun mal à éveiller son intérêt pour Grameen.

Ammajan, qui rejoignit Grameen en 1977, sollicita des prêts jusqu'à la fin de ses jours. Grâce à l'argent, elle put fabriquer des paniers de bambou. Elle acheta également une génisse qui lui fournit un veau, un an et demi plus tard, ainsi que du lait qu'elle vendit afin d'obtenir des bénéfices et de rembourser son prêt. La fille d'Ammajan fait aussi partie des membres de Grameen.

Cette histoire donna à Nurjahan la certitude que son travail à la banque servait vraiment à quelque chose.

Elle consigna cet épisode par écrit et l'intitula *Le Livre d'Ammajan*, parce qu'elle pensait qu'il représentait une étude de cas susceptible d'augmenter la motivation du personnel.

Nous pouvons raconter deux millions d'histoires similaires.

DEUXIÈME PARTIE

La phase expérimentale
1976-1979

X

POURQUOI PRÊTER AUX FEMMES PLUTÔT QU'AUX HOMMES ?

Au Bangladesh, les banques traditionnelles sont sexistes : elles ne veulent pas prêter d'argent aux femmes.

— Tu ne vois donc pas nos « agences pour dames » disséminées dans toute la ville ? rétorquent mes amis banquiers. Elles sont exclusivement destinées aux femmes.

— C'est vrai, mais je vois surtout le but recherché. Vous voulez obtenir leurs dépôts. C'est la raison pour laquelle vous avez créé pour elles des agences spéciales. Mais que se passe-t-il lorsque l'une de ces femmes veut vous emprunter de l'argent ?

Dans mon pays, si une femme — même une femme riche — veut emprunter de l'argent à la banque, la personne qui gère son compte lui demandera invariablement :

— En avez-vous parlé à votre mari ?

Si elle répond que oui, son conseiller financier poursuivra :

— Est-ce qu'il est d'accord ?

Et si elle répond par l'affirmative, il ajoutera :

— Bien. Pouvez-vous revenir avec votre mari pour que nous en parlions avec lui ?

Naturellement, il ne viendrait jamais à l'idée d'aucun

banquier de demander à un emprunteur potentiel mâle si son épouse est au courant de ses projets, et s'il veut bien revenir avec elle pour discuter de la proposition. Ce serait même franchement insultant !

Ce n'est donc pas un hasard si, avant Grameen, les femmes représentaient moins de 1 % de tous les emprunteurs. Pour moi, il était clair que l'ensemble du système bancaire était sexiste. Je tenais donc à ce que, dans le cadre de notre projet expérimental, au moins 50 % de nos emprunteurs soient des femmes.

*

Une fois que nous eûmes atteint un nombre de femmes assez important, les premiers résultats commencèrent à se faire sentir.

Par ailleurs, nous découvrîmes une nouvelle raison de nous concentrer sur les emprunteuses. Il ne s'agissait plus seulement de donner aux femmes la place qui leur revenait, mais bien davantage de les considérer comme des acteurs privilégiés du développement.

Plus j'avançais dans mon projet, plus j'acquérais la certitude que le crédit, lorsqu'il passait par les femmes, amenait plus rapidement des changements que lorsqu'il passait par les hommes.

Relativement parlant, la faim et la pauvreté sont plus une affaire de femmes qu'une affaire d'hommes. Les femmes sont plus directement touchées que les hommes par la faim et la pauvreté. Si l'un des membres de la famille doit souffrir de la faim, il est tacitement admis que ce doit être la mère. C'est elle qui fait l'expérience traumatisante de ne pas pouvoir allaiter son enfant durant les jours de famine et de pénurie.

Être pauvre au Bangladesh est dur pour tout le monde, mais ce l'est davantage encore quand on est une femme. Et lorsque les femmes se voient offrir une possibilité de s'en sortir, si modeste soit-elle, elles s'avèrent plus combatives que les hommes.

Être pauvre dans notre société place la femme dans une situation d'insécurité permanente. Incertitude qui pèse sur son avenir, car à tout moment son mari peut la chasser de la maison familiale. Pour divorcer, il n'a qu'à prononcer trois fois la formule : « Je te répudie. » La femme pauvre ne sait ni lire ni écrire, et en général on ne l'a jamais laissée sortir de chez elle pour gagner de l'argent, même si elle en a exprimé le souhait. Chez ses beaux-parents, elle est également en situation précaire, pour la même raison qu'elle l'était chez ses propres parents : ils n'attendent qu'une chose, c'est qu'elle s'en aille, pour avoir une bouche de moins à nourrir.

Si elle est divorcée et qu'elle retourne vivre chez ses parents, elle est montrée du doigt comme la honte de la famille. Ainsi, dès qu'on lui en donne la moindre possibilité, une femme pauvre dans notre société veut assurer sa sécurité matérielle.

Dans la pratique, nous avons constaté que les femmes qui vivent dans la misère s'adaptent mieux et plus vite que les hommes au processus d'autoassistance. De même, elles sont plus attentives, cherchent mieux à assurer l'avenir de leurs enfants et font montre d'une plus grande constance dans le travail.

L'argent, quand il est utilisé par une femme dans un ménage, profite davantage à l'ensemble de la famille que lorsqu'il est utilisé par un homme.

Par ailleurs, l'homme possède une tout autre hiérarchie des valeurs que la femme, et les enfants ne constituent pas pour lui une priorité absolue. Lorsqu'un père misérable commence à accroître son revenu, il s'occupe d'abord de lui-même. Dans ces conditions, pourquoi Grameen ferait-elle confiance aux hommes ?

Lorsqu'une mère misérable commence à gagner un peu d'argent, c'est d'abord à ses enfants qu'elle destine ses revenus. Ensuite, vient la maison : elle achète quelques ustensiles, refait la toiture et améliore les conditions de vie de la famille. L'une de nos emprunteuses était tellement contente qu'elle tira par la manche un journaliste pour lui montrer le lit *à une place* qu'elle avait pu acheter pour elle et sa famille.

Si parmi les objectifs du développement figurent l'amélioration des conditions de vie, la résorption de la pauvreté, l'accès à un emploi digne de ce nom et la réduction des inégalités, alors il est naturel de commencer par les femmes. Économiquement et socialement défavorisées, victimes du sous-emploi, elles forment la majorité des pauvres. Et dans la mesure où elles sont plus proches des enfants, les femmes incarnent pour nous l'avenir du Bangladesh.

Les études que nous avons menées à Grameen, comparant l'utilisation de leurs prêts par les hommes et par les femmes, sont parfaitement concluantes sur ce point.

Ainsi, progressivement, nous nous sommes concentrés sur l'octroi de prêts aux mères de famille. Tout d'abord, nous nous sommes heurtés à une formidable résistance de la part des maris. Puis à celle des mollahs, enfin à celle de certaines professions libérales, et même de responsables politiques.

Les maris voulaient généralement que les prêts leur soient destinés. Les mollahs et les usuriers y voyaient aussi une remise en cause de leur autorité dans le village.

Je m'attendais à rencontrer de telles résistances. Mais je fus surpris d'entendre des fonctionnaires et des membres de professions libérales, tous gens fort instruits, contester le bien-fondé de notre démarche.

— Cela n'a aucun sens de prêter aux femmes, alors que tant d'hommes sont sans emploi et privés de revenus, disaient les uns.

— Pourquoi prêter de l'argent aux femmes ? Elles le donneront de toute façon à leurs maris. Vous ne faites que renforcer l'exploitation des femmes, renchérissaient les autres.

Or, nous savions par expérience qu'en laissant aux femmes la possibilité de donner l'argent à leurs maris, en leur permettant de tenir les cordons de la bourse, on les encourageait à occuper la place qui leur revient de droit dans la cellule familiale.

De nombreux responsables politiques voyaient eux aussi notre démarche d'un mauvais œil. Un dirigeant de notre Banque centrale m'envoya même une lettre dans laquelle il écrivait : « Nous constatons qu'un fort pourcentage de vos emprunteurs sont des femmes. Veuillez nous envoyer dans les meilleurs délais une explication par écrit. »

Nous étions pour ainsi dire mis en demeure de nous justifier. Je répondis en ces termes : « Je serais enchanté de vous exposer les raisons qui ont présidé à notre choix. Mais auparavant, j'aimerais savoir s'il est arrivé à la Banque centrale d'envoyer un courrier à une autre banque pour lui demander d'expliquer pourquoi ils avaient un pourcentage si élevé d'emprunteurs hommes. »

Ma lettre resta naturellement sans réponse, mais ils n'insistèrent pas non plus pour que je m'« explique ».

Mes voyages autour du monde m'ont appris que ce problème n'est pas l'apanage du Bangladesh. En matière de planification du développement, les femmes sont rarement considérées comme des agents économiques. Je ne comprends pas bien pourquoi.

Dans les pays où le *purdah* oblige les femmes à rester cloîtrées chez elles, leur valeur économique pour l'homme est très faible. Au contraire, à cause de la dot que doit payer la famille, la femme représente une charge.

D'autre part, des études indépendantes portant sur des cas de femmes battues par leurs maris, et comparant la façon dont elles étaient traitées avant et après être devenues membres de Grameen, font apparaître des conclusions très encourageantes.

XI

LE MUR DU PURDAH

Comment amener des femmes à effectuer un prêt dans un pays où aucune femme n'a jamais emprunté d'argent dans une banque ?

Si j'avais affiché un panneau disant :

MESDAMES, CE MESSAGE VOUS CONCERNE :
BIENVENUE DANS NOTRE BANQUE
POUR UN PROGRAMME SPÉCIAL DE PRÊTS
RÉSERVÉS AUX FEMMES !

ce panneau accrocheur m'aurait permis de toucher un très large public, il aurait constitué une bonne publicité gratuite, mais il aurait eu fort peu de chances d'être lu par les femmes ; d'une part, 85 % des femmes de la campagne ne savent pas lire, et d'autre part elles ne peuvent pas sortir de chez elles sans l'autorisation de leurs maris.

J'avais toutes les peines du monde à capter l'intérêt des femmes. Au bout d'un certain temps, puisqu'elles ne venaient pas emprunter, nous décidâmes d'aller les trouver nous-mêmes. Pour cela, nous dûmes mettre au point toute une série de ruses et de techniques.

À cause des règles du *purdah* (littéralement : « rideau », « voile »), nous n'osions pas entrer dans la maison d'une femme.

Le terme *purdah* recouvre un ensemble de pratiques

liées à l'obligation faite par le Coran de protéger la vertu des femmes. Dans son interprétation la plus conservatrice, les femmes ne doivent être vues d'aucun homme, hormis leurs plus proches parents masculins. Souvent, elles ne sortent même pas de chez elles pour rendre visite aux voisins.

Dans des villages comme Jobra, le *purdah* est teinté de croyances antérieures à l'islam. Ces croyances sont perpétuées par les pseudo-mollahs locaux, qui enseignent dans les écoles primaires religieuses ou *maktabs*, et interprètent l'islam pour les gens du village. Considérés par les villageois illettrés comme des références du point de vue religieux, ils sont souvent peu instruits en la matière et leurs enseignements ne sont pas toujours ceux du Coran.

Mais même là où le *purdah* n'est pas strictement observé, les coutumes, la famille, la tradition et la bienséance font que les relations entre hommes et femmes au Bangladesh sont extrêmement cérémonieuses.

Dans les villages, lorsque j'essayais de rencontrer les femmes, je n'osais jamais frapper à leur porte. Au contraire, je demeurais dans un endroit dégagé entre plusieurs maisons, afin que tout le monde puisse voir ce que je faisais. Et j'attendais. Je voulais surtout qu'ils constatent que je respectais leur vie privée et leurs règles de bienséance.

Je ne demandais jamais de chaise, je n'exigeais pas la moindre marque de respect. Les villageois sont habitués à faire des courbettes devant les personnes censées incarner l'autorité, et je ne voulais pas qu'il y ait la moindre distance de ce genre entre la banque et ses emprunteurs. Je restais devant leur porte et je bavardais avec la plus grande simplicité possible, expliquant ce que nous essayions de faire.

Je plaisantais volontiers, l'humour étant toujours un bon moyen de faire passer un message.

J'expliquais à mes collaborateurs qu'ils devaient faire preuve de gentillesse envers les enfants, non seulement parce que c'est naturel, mais aussi parce que c'est un moyen simple et rapide de gagner le cœur d'une mère. Je conseillais également de ne porter ni vêtements chers ni saris coûteux.

Je me faisais habituellement accompagner par une fille du village, ou par l'une de mes étudiantes. Cet intermédiaire entrait dans la maison, me présentait et parlait en mon nom, commençait à évoquer la possibilité d'un emprunt. Ma messagère me rapportant toutes les questions que les femmes souhaitaient me poser, j'y répondais et la fille retournait dans la maison. Parfois, elle faisait ainsi la navette pendant plus d'une heure, sans que je parvienne à convaincre ces femmes cachées de demander un prêt à Grameen.

Au bout d'une heure environ, je repartais ; mais je revenais à la charge le lendemain, l'intermédiaire reprenait ses allées et venues. Nous perdions un temps considérable à faire répéter à la jeune fille tout ce que je disais et les questions que posaient les femmes du village. Souvent notre messager ne comprenait pas tout ce que je voulais dire, ni tous les problèmes soulevés par les femmes. Et une fois de plus, celles-ci m'invitaient à prendre congé, en me demandant de ne plus revenir. Parfois les maris, irrités, me prenaient à partie. J'imagine que le fait d'avoir affaire à un chef de département universitaire respecté les rassurait, mais ils exigeaient toujours que nos prêts leur soient consentis directement, sans passer par leurs femmes.

Un jour que j'étais assis entre les maisons d'un village, le temps se couvrit et il se mit à pleuvoir. Comme on était en période de mousson, la pluie fut vite torrentielle. Les femmes de la maison nous firent apporter un parapluie afin que je puisse m'abriter. Pour ma part, j'étais relativement peu mouillé, mais les femmes prirent en pitié la jeune fille, qui se retrouvait trempée chaque fois qu'elle faisait la navette entre la maison et moi.

— Que le professeur s'abrite à côté, dit l'une d'elles. Il n'y a personne. Comme ça, la fille ne se mouillera plus.

C'était la première fois qu'on m'invitait à entrer dans une maison.

Il s'agissait d'une maison rurale typique : une petite chambre sans électricité, un sol en terre battue, ni chaise ni table. Je m'assis sur le lit, seul dans l'obscurité, et j'attendis. Dans l'air flottaient d'agréables odeurs de cuisine qui m'étaient familières. Cette maison était séparée de celle d'à côté par une cloison en bambou et des meubles de rangement, et chaque fois que mon intermédiaire retrouvait les femmes dans la maison attenante, j'entendais des bribes de ce qui se disait, les voix me parvenant étouffées. Et lorsque la jeune fille revenait et me rapportait ce qu'on lui avait dit, les femmes d'à côté se pressaient contre la cloison en bambou pour entendre mes réponses. Cette façon de communiquer était loin d'être idéale, mais cela valait toujours mieux que de rester dehors sous la pluie.

Au bout d'une vingtaine de minutes, les femmes de l'autre côté de la cloison commencèrent à me parler directement — ou plutôt à crier — sans passer par l'intermédiaire, me lançant leurs commentaires et leurs questions dans le dialecte de Chittagong. À mesure que mes yeux s'habituaient à l'obscurité, je distinguais des silhouettes humaines qui me fixaient à travers les interstices de la cloison. Ma bonne connaissance du dialecte de Chittagong fut évidemment un atout.

Elles posaient souvent les mêmes questions que les hommes :

— Pourquoi devons-nous former un groupe ?

— Pourquoi ne pas m'accorder tout de suite un prêt personnel ?

Vingt-cinq femmes au moins m'épiaient à travers la cloison. On avait mis à cuire du riz atap, j'en reconnaissais l'odeur. Au Bangladesh, nous mangeons du riz tous les jours. Certains spécialistes affirment que nous cultivions autrefois dix mille variétés de riz, mais beaucoup d'entre elles ont aujourd'hui disparu. Les Occidentaux ne font pas vraiment la différence entre le riz Uncle Ben's emballé sous vide et le riz patna importé. Mais nous autres, Bengalis, nourris au riz depuis des générations, nous avons nos préférences. Le balam, variété de riz blanchi à très long grain, particulièrement savoureux, est celui que je préfère.

À force de s'appuyer contre la cloison, les femmes finirent par en faire s'effondrer une partie, et elles se retrouvèrent bientôt assises avec moi dans la pièce, à me parler directement. Certaines se voilaient le visage, d'autres pouffaient et n'osaient pas me regarder en face, mais nous n'avions plus besoin d'intermédiaire. C'était la première fois que je parlais directement à un groupe de femmes de Jobra.

— Ce que vous dites nous fait peur, monsieur, dit une femme en se dissimulant le visage dans un coin de son sari.

— L'argent, c'est mon mari qui s'en occupe, fit une autre, me tournant le dos afin que je ne voie pas son visage.

— Prêtez l'argent à mon mari, c'est lui qui s'en occupe, je n'en ai jamais eu entre les mains. Je ne veux pas y toucher, expliqua une troisième.

— Je ne saurais pas quoi faire avec cet argent, poursuivit une autre encore, qui était assise près de moi mais évitait mon regard.

— Nous avons eu déjà assez de mal à payer la dot, professeur, nous ne voulons pas encore avoir des ennuis avec nos maris, assura une vieille femme.

On voyait bien là les effets désastreux de la pauvreté. Perpétuellement humiliés à l'extérieur, les maris n'avaient d'autorité que sur leurs femmes, véritables souffre-douleur qu'ils pouvaient injurier, battre, traiter comme des animaux, avant de demander le divorce. Je savais que les sévices conjugaux étaient un problème réel, et aucune de ces femmes ne voulait se mêler de questions d'argent, domaine traditionnellement réservé aux hommes.

Le gouvernement promulguait bien des lois visant à

protéger les femmes, mais encore aujourd'hui leur application se heurte aux traditions. Et la plupart des femmes, dans le monde rural, se montrent toujours terriblement anxieuses dès qu'on aborde des problèmes d'argent.

J'essayai autant que possible de dissiper leurs craintes.

— Pourquoi ne pas emprunter ? Cela vous aiderait à démarrer une activité.

— Non, non, non, nous ne voulons pas de votre argent.

— Mais enfin, si vous vous en servez pour investir, vous pourrez gagner de l'argent et améliorer l'ordinaire de vos enfants, les envoyer à l'école.

— Non. Quand ma mère est morte, le dernier conseil qu'elle m'a donné, c'est de ne jamais emprunter à personne.

— Votre mère avait mille fois raison, elle vous a bien conseillée. Mais si elle était encore là aujourd'hui, elle vous dirait de participer à Grameen. De son temps, il n'y avait que des usuriers qui prenaient 10 % par mois, ou même par semaine ! Mais si votre mère nous avait connus, elle vous aurait certainement conseillé de faire appel à nous...

— Pourquoi est-ce que vous n'en parlez pas à mon mari ? L'argent, c'est son affaire.

J'avais entendu ce genre d'arguments si souvent que j'avais des réponses toutes prêtes, mais ces femmes n'en étaient pas moins difficiles à convaincre. Elles n'avaient jamais eu affaire à une institution, elles avaient peur de tout et il leur était extrêmement difficile de surmonter cette peur.

À la fin de chaque journée, mes étudiants devaient me faire un compte-rendu. Souvent, ils présentaient les noms d'emprunteurs potentiels, notés à la hâte sur un paquet de cigarettes. Nous échangions des histoires, des noms, nous faisions des projets pour le jour suivant.

*

Un jour, une femme nommée Marium, divorcée, mère de trois enfants, voulut emprunter 1 000 *taka* (24 dollars). Elle vendait du tissu au porte-à-porte, et je n'étais pas convaincu qu'il faille lui prêter autant d'argent pour démarrer. Je craignais qu'elle n'ait du mal à rembourser et que nous n'ayons tout le village à dos si les choses tournaient mal. Nous nous efforcions de la convaincre qu'il valait mieux démarrer doucement, avec un prêt de 500 *taka* (12 dollars), puis augmenter petit à petit.

Mon assistante entrait dans la maison, puis revenait dans la cour, où je l'attendais. À la fin, n'en pouvant plus, j'entrai à mon tour pour tenter de débloquer la situation. La douzaine de femmes qui se trouvaient à l'intérieur se couvrirent le visage de leurs saris et tournèrent la tête à ma vue, mais une vieille femme vint vers moi, portant un tabouret sur lequel elle m'invita à m'asseoir. Je commençai à leur expliquer que lorsqu'on veut tester un nouvelle culture, on commence par semer une graine. Puis la plante pousse, on sème à nouveau et on obtient finalement une riche moisson. Les femmes se tournèrent alors vers moi et nous parlâmes face à face, même si elles continuaient à se voiler le visage.

On n'avança guère, ce jour-là, et il en fut de même tous les jours qui suivirent.

Nous parcourûmes le village tout le temps de la mousson, et tout au long du mois d'Ashar, où les gens mangent de succulents légumes comme le *kalmi*, le *pui shak* ou le *kachu shak*, une sorte de longue asperge qui, lorsqu'on la fait bouillir, acquiert une saveur et une consistance très délicates. Les légumes de la mousson ont toujours beaucoup de goût. Mon plat végétarien favori est le succulent *kachu shak*, qui se prépare en parfumant le *shak* bouilli de feuilles de laurier, de cumin moulu, de chili et de curcuma.

Durant toute la saison sèche, également, nous revînmes visiter les mêmes maisons.

*

Voici l'une des deux millions de vies dont nous avons pu infléchir le cours.

Hajeera Begum est née en 1959, à Kirati Kapasi, dans le Monohardi, sous-district de Dhaka. Son père, ouvrier agricole, ne pouvait pas élever ses six filles, et il la maria à un aveugle, pour la simple raison que cet homme ne réclamait pas de dot. Hajeera et son mari survécurent avec le peu qu'elle gagnait en faisant des ménages, mais elle ne parvenait pas à nourrir correctement ses trois enfants. Elle demanda donc à son mari l'autorisation d'entrer dans Grameen, mais il avait entendu dire que c'était une organisation ayant pour but la mort de l'islam et il menaça sa femme de divorcer si elle s'y affiliait.

Sans rien dire à personne, Hajeera se rendit dans un village voisin pour participer à des séances d'information où les employés de Grameen expliquaient les principes de la banque.

La première fois que les membres du groupe passèrent l'examen oral visant à tester leur connaissance des règles de Grameen, Hajeera était si anxieuse qu'elle ne put pas répondre aux questions : « Toute ma vie, on m'a répété que je n'étais bonne à rien, expliqua-t-elle. Mes parents me disaient que je faisais leur malheur, parce que j'étais une femme et que ma famille ne pourrait pas payer ma dot. J'ai souvent entendu ma mère dire qu'elle aurait dû me tuer à la naissance. Je ne croyais pas mériter un prêt ; je ne pensais pas être capable de rembourser. »

Sans le soutien des autres membres du groupe, elle aurait renoncé. Lorsqu'elle reçut un prêt de 2 000 *taka* (50 dollars), les larmes ruisselèrent sur ses joues. Son groupe la convainquit d'utiliser le prêt pour acheter un veau à engraisser et du paddy à décortiquer. Quand son père lui amena le veau, son mari fut tellement enthousiasmé qu'il en oublia ses menaces de divorce.

Un an plus tard, Hajeera avait remboursé son premier prêt et en avait pris un autre pour louer un terrain où elle avait planté soixante bananiers. Avec le reste de l'argent, elle avait acheté un deuxième veau.

Aujourd'hui, elle possède un champ de riz avec hypothèque, ainsi que des chèvres, des canards et des poulets.

« Nous faisons maintenant trois repas par jour, dit Hajeera, et mes enfants mangent à leur faim. Nous pouvons même nous offrir de la viande une fois par semaine. J'ai l'intention d'envoyer mes trois enfants à l'école et au collège, et même à l'université, pour qu'ils ne soient pas aussi malheureux que je l'ai été. Vous voulez savoir ce que je pense de Grameen ? Grameen est comme ma mère. Non, Grameen n'est pas *comme* ma mère : *c'est* ma mère. Elle m'a donné une nouvelle vie. »

XII

ÊTRE UNE FEMME ET TRAVAILLER POUR GRAMEEN

Début 1977, à travers les expériences de Nurjahan et de Jannat, les deux premières femmes que nous avions recrutées, je me suis rendu compte que nos collaboratrices n'avaient pas la partie facile. Tout, dans notre culture, conspirait contre le travail des femmes sur le terrain.

Notre combat en faveur des femmes, trop souvent maltraitées et victimes du sexisme, ne devait donc pas concerner seulement nos emprunteuses, mais également nos propres collaboratrices.

Les femmes qui travaillaient pour nous devaient marcher seules à travers le village. Beaucoup de parents trouvaient cela indécent. Et ceux qui auraient toléré que leur fille travaille dans un bureau ne jugeaient pas convenable qu'elle soit en déplacement toute la journée.

Au départ, et à l'exception de mes propres étudiantes, nos salariées étaient recrutées sur place, car nous voulions qu'elles vivent chez elles tout en travaillant pour nous. (On évitait ainsi toutes sortes de problèmes, et en particulier on ne donnait aucune prise à la rumeur.)

Dans un premier temps, lorsqu'un agent féminin de la banque entamait ses visites chez les emprunteurs, il n'était pas rare qu'elle entraîne une foule de curieux dans son sillage. Lorsque son périple la conduisait à plus de trois kilomètres à la ronde, elle s'attirait les vitupérations de gens pour qui une femme ne saurait être ailleurs qu'à son foyer.

Le plus souvent, nous recrutons nos collaboratrices à une période bien précise de leur vie : leurs études terminées, soit elles attendent le mariage, soit elles sont déjà mariées et leur mari ne trouve pas de travail. Généralement, lorsqu'une femme célibataire trouve du travail, la pression familiale en faveur du mariage se fait moins forte. En outre, avoir un emploi augmente considérablement les chances de trouver un mari. Aux yeux de sa famille, la femme cesse alors d'être un fardeau pour devenir une richesse.

*

Nos employés doivent parcourir de longues distances. Or, au Bangladesh, une femme ne peut pas rouler à bicyclette, cela ne se fait pas. Aujourd'hui encore, la plupart de nos stagiaires femmes ne sont jamais montées sur un vélo.

Qu'à cela ne tienne. Nous avons acheté des vélos tout-terrain, nous avons organisé des formations et essayé de faire de nos filles des cyclistes averties. Mais, dans certains endroits, les gens du cru poussaient les hauts cris et se jetaient sur les coupables pour les désarçonner. Une femme peut conduire un charrette à bœufs, un minitaxi, un cyclopousse ou même une moto. Mais pour les conservateurs religieux, il était impensable qu'une femme fasse du vélo.

Vingt ans plus tard, alors que 94 % de nos emprunteurs sont des femmes, et malgré tous les changements sociaux dont nous avons été les artisans, on est toujours confronté à ce type de problèmes.

Autre handicap : nous avons du mal à garder nos collaboratrices. Dans la plupart des cas, si une femme qui travaille se marie, sa belle-famille la pousse à quitter son emploi. Il n'est pas question qu'une fille aille flétrir sa réputation en battant la campagne. Et comment se défendrait-elle en cas d'agression ?

Dès la naissance de leur premier enfant, nos collaboratrices subissent des pressions de la part de leur belle-famille. Après le deuxième et le troisième enfant, il leur devient presque impossible d'y résister. C'est la raison pour laquelle presque toutes optent pour la formule de retraite anticipée proposée par Grameen, qui leur permet de quitter leur emploi au bout de dix ans avec 50 % des prestations.

*

L'histoire de Nurjahan Begum illustre bien ces pressions auxquelles sont soumises nos jeunes collaboratrices.

Nurjahan était étudiante de troisième cycle à l'université de Chittagong lorsque nous avons lancé le projet Grameen. Elle avait vingt-trois ans et préparait une maîtrise de littérature. Issue d'une famille conservatrice de la classe moyenne, elle avait perdu son père à l'âge de onze ans, et sa mère voulait qu'elle se marie et ait des enfants. Mais lorsqu'elle entra en maîtrise, Nurjahan se révolta : elle était la première femme de son village à atteindre un tel niveau d'études, et elle se vit proposer un emploi par une organisation non gouvernementale (ONG). Elle supplia sa mère :

— Je t'en prie, laisse-moi utiliser mes connaissances.

Nurjahan supplia et supplia encore, mais sa mère ne voulait rien entendre. Au Bangladesh, les filles de bonne famille ne sont pas censées travailler. Nurjahan essaya alors de convaincre son frère. Celui-ci était prêt à la laisser travailler pour une ONG, mais il avait peur du qu'en-dira-t-on dans le village, et Nurjahan dut encore faire patienter son futur employeur. L'ONG repoussa trois fois la date d'embauche, mais finalement elle ne put plus attendre davantage, et la jeune femme perdit sa place.

Nurjahan passa ensuite un entretien chez Grameen, et nous lui fîmes une proposition. Cette fois, elle dit à sa mère :

— Tu m'as autorisée à vivre sur le campus, dans la résidence universitaire, eh bien ! maintenant, ça va être la même chose. Je vais vivre dans une résidence réservée aux femmes, dans un dortoir pour filles, tu ne peux pas m'en empêcher.

— Quel genre de travail vas-tu faire ? demanda sa mère.

— Je vais travailler dans une banque.

Les frères de Nurjahan déployèrent des trésors de persuasion et sa mère finit par céder.

Ils pensaient qu'il s'agissait d'un travail de bureau, avec téléphone et secrétaire, et Nurjahan se garda bien de leur dire qu'elle passerait en fait ses journées à parcourir les villages les plus pauvres, à parler à des mendiants et à des femmes misérables. S'ils l'avaient appris, ils auraient été horrifiés et l'auraient obligée à démissionner.

Elle entra donc à Grameen en octobre 1977. Le premier jour, je lui demandai de réaliser une étude de cas sur Ammajan Amina, une femme du village de Jobra qui n'avait aucun moyen de subsistance. Je lui confiai ce travail pour trois raisons.

Premièrement, j'estime que la meilleure façon de motiver un nouveau collaborateur, c'est de l'amener à se rendre compte par lui-même des difficultés auxquelles sont confrontés les pauvres dans leur vie quotidienne.

Deuxièmement, je voulais la voir à l'œuvre. Il n'est pas facile de travailler avec les pauvres. Nurjahan était titulaire d'une maîtrise, mais ce n'est pas suffisant pour travailler dans une banque des pauvres : il y faut une véritable motivation. Pour qu'un collaborateur inspire confiance et insuffle du courage à un emprunteur, il doit faire preuve de rares qualités : grand instinct de survie, sens de la communication, psychologie. Travailler pour Grameen, c'est consacrer beaucoup de son temps à l'emprunteur, le regarder vivre, travailler, voir ses enfants pleurer, grandir, étudier, se développer, etc.

Troisièmement, je demande toujours à nos collaborateurs de ne pas se focaliser sur le produit proposé (le crédit), mais de s'intéresser d'abord aux *personnes* à qui ils ont affaire. Ils doivent apprendre à considérer leurs clients comme des êtres humains à part entière.

— Va voir Ammajan Amina, dis-je à Nurjahan. Essaie de comprendre sa vision des choses. Le premier jour, vas-y sans stylo ni papier, afin de la mettre en confiance.

Ce qu'elle fit, en compagnie de mon collègue Assad.

Ammajan Amina lui demanda :

— C'est votre mari ?

— Non, répondit Nurjahan, c'est juste un collègue.

— Pourquoi venez-nous nous voir avec un homme qui n'est pas votre mari ? insista Ammajan Amina.

C'était contraire au *purdah*, et elle en concevait des soupçons à l'égard de Nurjahan.

Mais peu à peu, jour après jour, Nurjahan finit par gagner sa confiance. Rédiger une telle étude de cas fait partie de la formation que doivent suivre tous les nouveaux employés de la banque.

Un jour, le beau-frère de Nurjahan vint lui donner des nouvelles de sa famille. Lorsqu'il arriva dans nos locaux (nous n'avions à l'époque qu'un seul bureau), il constata qu'ils consistaient en une simple cabane couverte de tôle ondulée, sans téléphone, sans toilettes et sans eau. Il en fut choqué car ce n'était pas du tout l'idée qu'il se faisait d'une banque commerciale.

Le responsable d'agence, Assad, lui dit que Nurjahan se trouvait dans les champs. Il partit à sa recherche et, à sa grande surprise, la trouva assise sous un arbre en train de discuter avec des habitantes du village. Nurjahan était tellement gênée qu'elle lui mentit et dit : « C'est exceptionnel, ne t'inquiète pas. S'il te plaît, ne dis pas à ma mère où j'étais. »

Naturellement, il s'empressa de le répéter, et la mère le prit très mal. Comme la plupart des gens croyants et pratiquants au Bangladesh, elle pensait que sa fille devait rester cloîtrée à la maison pour respecter la coutume du *purdah*. La mère de Nurjahan ne sortait jamais, pas même pour aller voir ses enfants ; c'étaient toujours eux qui lui rendaient visite. Elle ne pouvait donc pas imaginer que sa fille allait et venait librement pour son travail, ni qu'un tel emploi pouvait convenir à une femme respectable.

Nurjahan avoua la vérité à sa mère. Comme celle-ci avait toujours, de son côté, essayé d'aider les pauvres, elle lui pardonna. Aujourd'hui, son soutien nous est totalement acquis.

Je demandai un jour à Nurjahan de se rendre dans la ville de Comilla avec deux jeunes employées de la banque afin de présenter Grameen à l'occasion d'un festival culturel. Je ne m'étais pas assuré qu'un homme les accompagnerait, car le trajet entre Chittagong et Comilla n'est ni long ni dangereux. Ce n'était pas un manque d'égards de ma part, mais je tenais à ce que mes employés se débrouillent tout seuls. Rien ne donne plus d'assurance à une jeune personne que la capacité de faire face aux difficultés, et j'estimais que le stéréotype de la femme incapable d'effectuer seule un court voyage était une de ces idées reçues que Grameen se devait de combattre.

Or, Nurjahan était furieuse que je n'aie pas confié à un homme la charge de s'occuper d'elle et de tous les détails du voyage, et elle téléphona à l'un de ses collègues masculins pour lui demander de l'accompagner. Il était occupé, et elle, qui n'avait jamais voyagé seule, pria donc Allah de lui donner force et courage. Au bout du compte, elle fit une excellente prestation que tout le monde apprécia.

À présent, Nurjahan va où bon lui semble sans le moindre problème. Elle est l'un des trois directeurs généraux de la Banque Grameen, responsable de notre service de formation, et elle aide des centaines de futurs employés de la banque à acquérir leur indépendance.

XIII

LA STRUCTURATION DE NOTRE SYSTÈME DE PRESTATIONS : COMMENT DEVENIR MEMBRE ?

Nous ne savions absolument pas comment gérer une banque pour les pauvres ; il nous fallut tout apprendre.

En janvier 1977, à nos débuts, j'observai la façon dont d'autres menaient leurs établissements de prêts et je tirai les leçons de leurs erreurs.

Les banques traditionnelles et les coopératives de crédit demandaient toujours des remboursements en une seule traite. L'obligation d'effectuer un seul versement à la fin de la période de prêt n'encourage pas l'emprunteur à se séparer d'une grosse somme d'argent. Il essaie de repousser le délai au maximum, augmentant par là même le montant du prêt. En fin de compte, il décide parfois de ne pas payer du tout !

Je décidai de faire exactement le contraire : les versements seraient si infimes que l'emprunteur ne se rendrait même pas compte de la sortie d'argent. C'était une façon de surmonter le blocage psychologique que représente le fait de « se séparer de tant d'argent ». Je décidai d'opter pour un système de versements quotidiens. Le contrôle en serait plus facile et je pourrais savoir immédiatement qui honorait ses paiements et qui était en retard.

Je me dis également que cela développerait une certaine discipline chez des gens qui n'avaient jamais emprunté d'argent de leur vie et leur montrerait qu'ils pouvaient y arriver.

Pour faciliter la comptabilité, je décidai de réclamer le remboursement total de la dette en un an. De cette façon, un prêt de 365 *taka* pourrait être remboursé en versant un *taka* par jour pendant une année.

C'est une somme qui déclenche l'hilarité, tant elle est dérisoire, mais je n'oubliais pas cette magnifique histoire qui illustre l'importance des bénéfices réguliers et progressifs : Un prisonnier condamné à mort est amené devant le roi pour exprimer son dernier vœu. Il désigne l'échiquier qui se trouve à la droite du trône et dit : « Tout ce que je veux, c'est que vous placiez, à mon intention, un simple grain de riz sur l'une des cases de cet échiquier et que vous doubliez le nombre de grains à chaque case. »

« Accordé », répondit le roi, sans se rendre compte de la puissance de la progression géométrique. Peu après, le prisonnier se retrouvait en possession du royaume tout entier.

*

Nous mîmes peu à peu sur pied notre propre système de prestations et de recouvrement et, bien sûr, nous commîmes de nombreuses erreurs. Nous dûmes procéder à maints changements et adaptations.

Nous découvrîmes d'abord que la constitution d'un groupe était essentielle au succès de notre entreprise. Pris individuellement, les pauvres se sentent exposés à toutes sortes de dangers. L'appartenance à un groupe leur donne une sensation de sécurité. L'individu isolé a tendance à être imprévisible et irrésolu. Dans un groupe, il bénéficie du soutien et de l'émulation de tous, son comportement en devient plus régulier et il est plus fiable en matière d'emprunt.

L'émulation exercée par le groupe, plus ou moins

discrète, sert de garde-fou à ses différents membres dans la perspective plus large du programme de crédit.

Le sentiment de compétition qui s'instaure dans le groupe comme entre les différents groupes incite chacun à faire de son mieux. Il est difficile de contrôler les emprunteurs individuels ; c'est beaucoup plus facile s'ils font partie d'un groupe. Aussi, confier la tâche de contrôle initial au groupe diminue le travail des employés de la banque et le groupe y gagne en autonomie.

Tout demandeur de prêt est chargé de constituer un groupe de personnes extérieures à sa famille, mais ayant les mêmes aspirations et le même statut économique et social.

Les demandes de prêts individuels doivent être approuvées par le groupe qui, dès lors, endosse une certaine responsabilité. En cas de difficulté, les membres du groupe s'entraident.

Les prêts sont consentis aux individus eux-mêmes. Bien que les responsabilités soient réparties au sein du groupe, chaque emprunteur est techniquement responsable de son propre prêt.

Nous jugions également préférable que le groupe se constitue de lui-même plutôt qu'avec notre aide. La solidarité y serait plus forte s'il était le résultat de négociations indépendantes.

Il n'est pas facile de former un groupe. La démarche à suivre pour l'emprunteur potentiel est d'aller trouver une deuxième personne (extérieure à sa famille) afin de lui expliquer comment fonctionne la banque et de la convaincre d'adhérer au projet.

Si la Banque Grameen vient juste de s'implanter dans le village, la tâche est loin d'être aisée. En général, la première personne est obligée de contacter plusieurs proches qui seront d'abord terrifiés, trouveront toutes les excuses possibles pour refuser, n'obtiendront pas l'autorisation de leur mari — si ce sont des femmes — ou refuseront simplement l'idée de devoir de l'argent. Mais, finalement, quelqu'un aura entendu parler des services rendus par Grameen à d'autres foyers et dira : « D'accord, je vais réfléchir, reviens demain. »

Ensuite, ils entreprendront de trouver un troisième membre puis un quatrième et un cinquième. Lorsque le groupe sera enfin constitué, il n'est pas impossible que l'un des cinq membres revienne et dise : « Non, mon mari a changé d'avis, il ne veut plus. » Le groupe se retrouve alors réduit à quatre, trois, ou même un seul membre — et il faut tout recommencer à zéro.

Tout emprunteur potentiel doit suivre une formation qui lui permet de comprendre comment nous fonctionnons.

La nuit qui précède leur entrée dans Grameen, certaines personnes sont si inquiètes qu'elles prient Allah et lui demandent de les aider ; elles promettent d'allumer un cierge sur la tombe de tel ou tel saint. Certaines sont tellement angoissées que leurs nerfs finissent par lâcher, et parfois, la veille de l'examen d'entrée, l'un des futurs membres vient trouver les autres pour leur dire : « Non, je n'y arriverai pas, je me retire. » Les quatre autres membres doivent alors solliciter de Grameen un délai qui leur permet de chercher une cinquième personne pour compléter le groupe.

Le jour venu, les cinq membres du groupe passent séparément un test. La plupart d'entre eux ne sachant ni lire ni écrire, il n'y a pas d'examen écrit, mais il leur faut faire la preuve qu'ils savent de quoi ils parlent.

Si un emprunteur potentiel ne répond pas de façon satisfaisante, l'employé de la banque demande au groupe de se remettre au travail. Les autres membres du groupe disent alors à celui ou celle qui a entraîné l'échec : « Bon sang, même ça, tu ne peux pas le réussir ! Tu as tout gâché pour toi et pour nous. »

Ce processus de sélection nous donne l'assurance que seuls les plus désespérés et les plus endurants parviendront à intégrer Grameen.

Certains de nos détracteurs prétendent que nos clients de la campagne sont trop soumis. Or, c'est précisément pour éviter cette soumission que nous rendons les choses difficiles. Nous voulons que nos membres aient à surmonter difficultés et tracasseries, de façon à ce que seuls les plus déterminés se tournent vers nous.

D'autres détracteurs pensent que cette sélection nous donne un avantage que nous n'aurions pas en acceptant tous les pauvres indépendamment de leurs qualités personnelles. Je ne suis pas d'accord. En tant que pionnier, il faut plus de courage et d'ambition. Dès lors que les pauvres ont fait la preuve de leurs capacités grâce au microcrédit, il sera plus facile pour leurs voisins de nous rejoindre. Les nouveaux venus n'auront pas l'impression de s'aventurer dans l'inconnu.

Le premier prêt accordé, nous n'étendons d'abord le crédit qu'à deux autres membres du groupe. S'ils remboursent régulièrement pendant les six semaines suivantes, deux autres membres peuvent emprunter. Le responsable du groupe est le dernier emprunteur des cinq.

Lorsque la personne qui n'avait jamais emprunté rembourse sa première traite, son bonheur est immense car elle s'est montrée capable de gagner suffisamment d'argent pour payer ses dettes. Puis viennent les deuxième et troisième traites. C'est une expérience extraordinaire pour elle. Elle découvre l'étendue de ses propres capacités et elle déborde de joie, une joie palpable et contagieuse, qui touche tous ceux qui la rencontrent. Elle se rend compte qu'elle vaut mieux que ce que tout le monde croyait, et qu'elle possède en elle des ressources insoupçonnées.

Le prêt Grameen, ce n'est pas seulement de l'argent, c'est une sorte de passeport pour la connaissance et l'exploration de soi. L'emprunteur commence à explorer ses potentialités et à prendre la mesure de sa créativité cachée.

*

Nous décidâmes également de réserver des fonds pour avoir une solution de secours en cas d'urgence pour les emprunteurs.

5 % du montant de chaque prêt étaient automatiquement versés sur ce que nous avons appelé le Fonds mutuel. Les membres d'un groupe devaient en outre déposer deux *taka* sur ce fonds.

Si l'un des membres manquait à ses engagements, aucun autre ne pouvait obtenir de crédit. En pratique, lorsqu'une personne avait des difficultés à rembourser, les membres du groupe s'arrangeaient pour honorer les paiements auprès de la banque.

Pour développer les conduites de groupe et améliorer les techniques d'entraide, nous avons créé des « centres » regroupant jusqu'à huit groupes. À date fixe, ils se réunissent au village en présence d'un employé de la banque, généralement le matin, pour ne pas les gêner dans leur travail. Lors de ces réunions hebdomadaires, les membres effectuent leurs remboursements, déposent de l'argent sur des comptes d'épargne, discutent de nouvelles demandes de prêts ou de tout autre sujet les concernant.

Si le groupe a des ennuis avec un membre ne pouvant rembourser son prêt, le centre peut aider à trouver une solution.

L'échange d'argent et la négociation de prêts s'accomplissent dans la transparence. Cela diminue le danger de corruption et augmente, pour les membres, les occasions de prendre des responsabilités. Chaque groupe élit un président et un secrétaire. Le centre élit un directeur et un directeur adjoint. Leur mandat est d'un an et ils ne sont pas rééligibles.

Autonomiser le groupe, réduire le travail de l'employé de la banque et réaliser des programmes d'épargne sont trois points essentiels.

L'existence d'un Fonds mutuel fournit aux membres une expérience de gestion financière.

XIV

LE SYSTÈME DE REMBOURSEMENT : LE MONDE À L'ENVERS

Grameen a toujours visé la plus grande simplicité de fonctionnement. Aujourd'hui, nous en sommes arrivés au système de remboursement suivant, qui est si simple que nos emprunteurs le comprennent immédiatement :

— *prêts sur un an ;*
— *traites hebdomadaires d'un montant fixe ;*
— *le remboursement prend effet une semaine après l'attribution du prêt ;*
— *taux d'intérêt de 20 % ;*
— *le remboursement s'élève à 2 % par semaine pendant cinquante semaines ;*
— *les intérêts représentent la somme de 2* taka *par semaine pour un prêt de 1 000* taka.

Si nous voulions réussir, nous devions faire confiance à nos clients.

Dès le tout premier jour, nous convînmes qu'il n'y avait pas de place pour la police dans notre système.

Nous n'utilisons jamais l'appareil judiciaire pour récupérer notre argent. Nous partons du principe que nous savons nous y prendre. Si ce n'était pas le cas, il nous faudrait songer à abandonner la banque et à choisir une autre branche. Nous n'avons jamais recours ni à des avocats ni à aucune personne étrangère à la banque.

De même, il n'existe pas d'acte juridique entre le prêteur et l'emprunteur. Nous établissons des relations avec des êtres humains, et pas avec des papiers. Le lien repose sur la confiance. Grameen réussit ou échoue selon la force de la relation personnelle avec les emprunteurs. Nous faisons confiance aux gens, et ils nous font confiance en retour.

Le fondement du principe de crédit, c'est la confiance. Et pourtant, dans le système bancaire traditionnel, c'est la méfiance mutuelle qui est de rigueur.

De nos jours, les banques ont tendance à soupçonner tout emprunteur de vouloir se sauver avec leur argent, et elles le contrôlent par le biais de toutes sortes de formulaires juridiques que les avocats étudient scrupuleusement.

Pour Grameen, en revanche, le présupposé de départ est que les emprunteurs sont honnêtes. On pourra nous reprocher d'être naïfs, mais cela nous épargne la corvée de remplir toutes sortes de documents. Et dans 99 % des cas, notre confiance est récompensée.

Les mauvais payeurs ne représentent pas plus d'un pour cent de nos clients. Et même dans ces cas-là, Grameen n'en conclut pas qu'un emprunteur qui ne paie pas est une personne malhonnête. Nous pensons plutôt que sa situation personnelle était si difficile qu'il n'a pas pu rembourser son minuscule prêt. Dans ces conditions, pourquoi se fatiguer à courir après des avocats ? 0,5 % de prêts non remboursés, ce sont les risques inhérents à notre métier.

Pour ce qui est du système de remboursement, j'ai toujours tenu à préserver la plus grande simplicité.

Un jour, j'allai rendre visite au marchand de *pan* (feuille de bétel) dans sa minuscule échoppe au cœur du village de Jobra. Petit, avec une dentition de cheval, souvent mal rasé, vivant dans son magasin nuit et jour, il connaissait presque tout le monde dans le village. Et bien sûr, tout le monde le connaissait. Il accepta avec enthousiasme ma proposition d'assumer le rôle de collecteur des paiements. Il ne demanda pas à être rémunéré pour cette tâche.

Nous dîmes aux emprunteurs :

— Lorsque vous traversez la route ou que vous vaquez à vos occupations habituelles, donnez votre paiement quotidien au marchand de *pan*. C'est facile, vous le voyez tous les jours.

L'expérience fit long feu. Très vite, les emprunteurs déclarèrent avoir remboursé leur traite quotidienne et le marchand de *pan* disait que ce n'était pas vrai.

— Vous ne vous souvenez pas, disait un emprunteur, je suis passé à midi, je vous ai acheté du *pan*. Je vous ai donné cinq *taka* et lorsque vous m'avez rendu la monnaie, je vous ai dit de garder le montant de ma traite...

— Non, vous ne m'avez pas donné cinq *taka*.

— Mais si, je me rappelle très bien.

— Vous m'avez payé avec un billet et je vous ai rendu toute la monnaie.

C'étaient des discussions sans fin. Mon Dieu, ça n'a pas de sens ! pensai-je. Il faut simplifier tout cela. J'achetai un carnet. À gauche, j'inscrivis les noms des emprunteurs et au milieu, je fis trois colonnes où devaient apparaître les montants versés à chaque traite ainsi que les dates de versement :

Nom de l'emprunteur   Montant des traites   Dates : 1 — 2 — 3 — 4

Je fis en sorte que le système soit assez simple pour que le marchand de *pan* n'ait qu'à cocher la bonne colonne à chaque paiement.

Mais au bout de quelques jours, ce système aussi échoua : les emprunteurs prétendaient que le marchand avait oublié de cocher leur nom ou qu'il avait coché la mauvaise personne.

Nous nous rendîmes compte assez vite que cette méthode simplifiée était pire que l'absence de méthode. Il fallait faire quelque chose pour le système de comptabilité, mais quoi ? Je n'en savais rien.

Nous résolûmes finalement d'abandonner ce système de remboursement quotidien pour adopter la solution du paiement hebdomadaire.

Aujourd'hui encore, quelque vingt ans plus tard, nos prêts sont toujours remboursés de la même façon, par versements hebdomadaires.

*

Notre taux de remboursement s'est toujours maintenu à un niveau élevé, et c'est en général ce que les gens trouvent le plus incroyable dans notre aventure.

Au Bangladesh, les riches qui empruntent de l'argent aux banques ont pour habitude de ne pas les rembourser. Cette parodie grotesque qui tient lieu de système bancaire ne cesse de m'étonner. Des fonds publics sont injectés dans le système par l'intermédiaire des banques gouvernementales et profitent à ceux qui ne rembourseront jamais leurs prêts.

Au Bangladesh, à l'arrivée au pouvoir de tout nouveau gouvernement, les gens espèrent que la première mesure prise sera l'amnistie des débiteurs défaillants. Les hommes politiques le promettent d'ailleurs durant leur campagne : « Si vous votez pour nous, nous effacerons vos dettes. » Et si un parti le promet, l'autre doit faire la même chose. Ainsi, les emprunteurs ont la certitude que, quelle que soit l'issue du vote, ils n'auront pas à payer. Les emprunteurs vivent toujours dans l'attente d'élections nationales.

Lorsque nous n'avions encore que dix ou quinze emprunteurs, il était facile de collecter les traites tous les jours. Mais au fur et à mesure, le système se compliqua.

Nous tentâmes donc l'expérience de recouvrement heb-domadaire, chaque traite représentant 2 % du capital.

Psychologiquement parlant, rien n'est plus impor-tant que d'entretenir la confiance : si vous avez réussi à payer vos traites hebdomadaires pendant trois mois de suite, vous vous sentez encouragé à finir de payer, étant donné qu'un quart de la somme est déjà remboursé et qu'il ne vous reste plus que les trois quarts à verser. À mi-chemin, c'est le bonheur : plus que la moitié ! En un an, capital et intérêts sont entièrement remboursés. Nos débiteurs ne rechignent pas à payer de petites sommes car ils ne se rendent même pas compte de la dépense. Bien au contraire, elle les rassure.

En revanche, si l'emprunteur s'apprête à ne pas s'ac-quitter de ses dettes, nous pouvons nous en apercevoir immédiatement. Pas besoin d'attendre qu'il disparaisse ou ne soit plus en état de redresser sa situation écono-mique.

Le système de remboursement de Grameen a donc été conçu non seulement pour aider les emprunteurs et renforcer leur détermination, mais aussi pour augmenter nos chances de récupérer nos fonds.

En 1978, nous nous attelâmes à la tâche de rédiger un *Bidhimala*, ou règlement. De temps en temps, nous l'amendons ou le corrigeons mais, aujourd'hui encore, il nous sert de guide.

Dès le tout début, nous instaurâmes un système d'ateliers annuels regroupant les responsables de centre pour chaque agence. Pendant une semaine, ils étaient censés passer en revue leurs problèmes et leurs avan-cées, apprendre des autres, repérer les difficultés et ten-ter de les résoudre.

La deuxième année, nous organisâmes une rencontre nationale d'un certain nombre de responsables de centre pour élargir les échanges.

Le premier atelier national eut lieu en 1980, à Tangail. À l'issue de la réunion, nous décidâmes de mettre par écrit les décisions qui avaient été prises et chacun des participants repartit avec cette liste.

Pour nous, ce n'était qu'un compte-rendu de réunion, mais bien vite, on nous en réclama de nombreux exemplaires.

Le deuxième atelier national, en 1982, termina ses travaux par la rédaction d'une liste de « Dix Résolutions » qui jouit d'une grande popularité dans tous les centres Grameen.

En 1984 à Joydevpur, lors de la réunion de cent responsables de centre, les « Dix Résolutions » devinrent les « Seize Résolutions ».

Nous étions loin d'en imaginer l'impact. Aujourd'hui, dans n'importe quelle agence, c'est avec fierté qu'un membre récite les résolutions, explique aux visiteurs lesquelles ont été réellement appliquées dans sa vie et combien il se sent coupable de ne pas les avoir toutes prises en compte.

À présent, durant les ateliers nationaux, nous recommandons aux responsables de ne pas augmenter le nombre de points. Mieux vaut s'en tenir aux seize existants que d'en ajouter de nouveaux.

En tout cas, ils ont donné une raison d'être et un but aux membres de Grameen en s'intégrant à leur vie.

Voici la liste des « Seize Résolutions » :

1. Nous respecterons et appliquerons les quatre principes de la Banque Grameen : discipline, unité, courage et travail assidu, dans tous les domaines de notre vie.
2. Nous apporterons la prospérité à nos familles.
3. Nous ne vivrons pas dans une demeure délabrée. Nous entretiendrons nos maisons et aspirerons à en bâtir de nouvelles le plus tôt possible.
4. Nous cultiverons des légumes toute l'année. Nous en ferons grande consommation et vendrons le surplus.

5. Pendant la période de plantation, nous planterons autant de pousses que possible.
6. Nous ferons en sorte d'avoir peu d'enfants. Nous limiterons nos dépenses. Nous ferons attention à notre santé.
7. Nous donnerons une éducation à nos enfants et nous donnerons les moyens de pouvoir subvenir à cette éducation.
8. Nous veillerons à la propreté de nos enfants et de l'environnement.
9. Nous construirons et utiliserons des fosses d'aisance.
10. Nous boirons l'eau des puits sains. S'il n'y en a pas, nous ferons bouillir l'eau ou la désinfecterons avec de l'alun.
11. Nous n'exigerons aucune dot pour nos fils comme nous n'en donnerons aucune à nos filles. Les dots seront proscrites de nos centres. Nous nous opposerons au mariage de jeunes enfants.
12. Nous ne commettrons aucune injustice comme nous nous opposerons à ce que les autres en commettent.
13. Nous procéderons collectivement à des investissements plus élevés pour obtenir des revenus plus importants.
14. Nous serons toujours prêts à venir en aide aux autres. Si quelqu'un a des difficultés, nous l'aiderons.
15. Si nous venons à apprendre que, dans un centre, la discipline est bafouée, nous nous y rendrons pour la rétablir.
16. Nous introduirons les exercices physiques dans tous les centres. Nous participerons collectivement à toutes les rencontres organisées.

Les différentes agences de Grameen ont également leurs propres règles correspondant à des problèmes locaux.

*

Au tout début, Grameen était comme une grande famille. En 1996, après vingt ans d'existence, nous comptons plus de 20 000 employés et nous avons un peu perdu cette impression de proximité et d'affinité. Nous avons actuellement plus de 1 076 agences dans tout le pays. Chaque semaine, le personnel va rendre visite aux deux millions de membres à domicile.

Tous les mois, les minuscules prêts que nous accordons représentent plus de 230 millions de francs en monnaie du Bangladesh. Dans le même temps, près de la même somme nous est remboursée.

Certains d'entre nous ont la nostalgie du bon vieux temps, mais l'expansion est la rançon du succès.

Au demeurant, et malgré nos très nombreux membres, nous représentons bien peu de chose au regard de tout ce qu'il reste à faire au Bangladesh et dans le monde entier.

XV

GRAMEEN FACE AUX BANQUES
CLASSIQUES

Lorsqu'on me demande aujourd'hui : « Comment vous sont venues toutes ces idées novatrices ? Vous n'êtes pas banquier de formation, comment avez-vous fait ? », je réponds :

— Nous avons regardé comment fonctionnaient les autres banques, et nous avons fait le contraire.

En général, cela fait rire ; c'est pourtant la pure vérité.

Les banques traditionnelles demandent à leurs clients de venir dans leurs bureaux. Pour un pauvre — illettré de surcroît —, un bureau a quelque chose de terrifiant, de menaçant. Il instaure une distance supplémentaire. Nous avons donc décidé d'aller nous-mêmes trouver nos clients. Tout le système bancaire de Grameen part de l'idée que ce n'est pas aux gens d'aller vers la banque, mais à la banque d'aller vers les gens, principe que nous avons adopté d'entrée de jeu.

Ce n'est pas seulement une astuce promotionnelle, mais bien un élément déterminant de notre politique commerciale. Si vous visitez une agence de la Banque Grameen au Bangladesh, vous ne verrez jamais de queue à un comptoir. Vous y verrez peut-être quelques personnes en train de travailler, mais au début, nous affichions dans tous nos bureaux cette mise en garde :

La présence au bureau de tout membre du person-
nel sera considérée comme une violation des règles de
la Banque Grameen.

Certaines de nos jeunes recrues s'écriaient :
— Mais alors, où est-on censés être ?
— Où vous voulez. Dormez au pied d'un arbre,
bavardez dans un étal à thé, mais qu'on ne vous voie pas
au bureau.
— Mais enfin, le personnel doit bien aller au bureau
pour garder l'argent et tenir les comptes ! s'indignaient
certains.
— Alors, affichez vos horaires d'ouverture, répon-
dions-nous. Pendant ces heures, nous passerons
l'éponge. Mais si vous y restez plus longtemps, vous
serez sanctionnés. Vous n'êtes pas payés pour être assis
derrière un bureau, mais pour être avec les gens.

Nous différons des banques commerciales classiques sur presque tous les points. Par exemple, une
banque commerciale traditionnelle étudie les bilans et
fonde ses décisions sur des critères tels que les ratios
d'endettement, la rentabilité, la valeur actuelle nette ou
les plans de remboursement.

Pour une banque commerciale, les trois questions
fondamentales sont : 1/ le marché, l'offre et la demande ;
2/ le produit ; 3/ les gens. Les employés quittent rarement
les bureaux et passent leurs journées à étudier des
chiffres et des taux, des analyses de coûts et des rapports, autant d'instruments qui leur permettent d'évaluer
la solvabilité de leurs clients et de leur demander des
justificatifs de garanties.
Rien de tout cela à Grameen, c'est d'ailleurs interdit.
Nos clients n'ont pas à montrer patte blanche ; ils doivent
uniquement faire preuve... de leur pauvreté.

Les banquiers commerciaux, responsables uniquement devant les actionnaires, sont censés maximiser les bénéfices, dans les limites fixées par les pouvoirs publics et les services chargés de la réglementation.

Nous sommes également responsables devant nos actionnaires. Mais à l'exception de 8 % de nos actions détenues par le gouvernement, nos actionnaires sont nos emprunteurs. À cet égard, nous ressemblons davantage à une *banque mutuelle*[1] en France ou une société d'investissement et de crédit immobiliers au Royaume-Uni.

Pour une banque commerciale, la réussite se mesure à l'aune des bénéfices et des dividendes. Nous aussi veillons à garantir un bon rendement à nos emprunteurs-actionnaires, mais il s'agit souvent de prestations en nature, sous forme, notamment, de logements et d'amélioration du niveau de vie. Nous espérons un jour verser à nos emprunteurs des dividendes en espèces. Mais ce dividende en nature, qui améliore leur vie quotidienne, est beaucoup plus important. Nous pouvons également les faire bénéficier de réductions de nos taux d'intérêt.

Le système bancaire classique, à l'instar de tous les autres secteurs de l'économie, n'a aucune vocation sociale. D'une manière générale, les banques commerciales soutiennent des programmes de développement communautaire, des projets d'animation, parfois à l'échelle des quartiers, visant à promouvoir les activités culturelles ou artistiques, mais cela s'inscrit souvent dans une campagne de communication bien plus vaste. Le but de ces opérations n'est pas tant d'agir sur la collectivité que d'améliorer l'image de la banque et, par là même, d'attirer davantage de clients.

À Grameen, la promotion sociale, la nécessité de satisfaire les besoins des gens et d'assurer leur bien-être constituent notre principale ambition. Tous les moyens que nous

---

1. En français dans le texte. (N.d.T.)

mettons en œuvre sont subordonnés à ce souci d'améliorer le sort de nos emprunteurs et de leurs familles.

Plus que les créances douteuses ou les taux de remboursement, que nous devons évidemment comptabiliser dans nos livres, ce qui nous importe, c'est de savoir si nous sommes parvenus à améliorer les conditions de vie de nos emprunteurs.

Les banques occidentales recrutent volontiers des diplômés frais émoulus des universités ou des écoles de commerce, pour les envoyer aussitôt suivre leurs propres stages de formation.

Seule une très petite partie des formations assurées chez Grameen sont des formations théoriques. Chez nous, les meilleures formations se font sur le terrain.

Dans le rapport annuel d'une banque commerciale de type occidental, les prêts se répartissent généralement en un certain nombre de domaines : logement, prêts à la consommation, prêts commerciaux, etc.

Un rapport annuel de Grameen ne dresse qu'une liste très réduite d'activités économiques, souvent méconnues, mais qui représentent pour nos emprunteurs une véritable source de revenus.

Grameen ne se soucie pas de connaître l'activité économique que ses emprunteurs ont l'intention d'entreprendre. Les prêts offrent une grande diversité. Nos rapports annuels recensent plus de cinq cents types d'activités, qui vont de la reliure à la réparation de pneus en passant par la production de cosmétiques, de jouets, de parfums, de moustiquaires, de bougies, de chaussures, de cornichons, de pain, de dessus-de-lit, de bateaux, d'horloges, de parapluies, de rafraîchissements, d'épices, d'huile de moutarde [1], de pétards, etc.

---

1. Extraite de la graine de moutarde, elle sert essentiellement à fabriquer du savon. (N.d.T.)

Une banque commerciale de type occidental fait procéder à une vérification de ses livres et de ses rapports annuels, afin de s'assurer qu'il n'y a pas eu d'irrégularités, les autorités bancaires nationales et les actionnaires pouvant dès lors accepter la validité du résultat comptable.

Chez Grameen, nous faisons de même, mais nous attachons autant d'importance, sinon plus, aux études indépendantes menées par des experts. Celles-ci nous indiquent notamment qu'en l'espace de cinq ans, près de la moitié des emprunteurs de Grameen arrivent à se hisser au-dessus du seuil de pauvreté, tandis qu'un quart sont près d'y parvenir.

Une banque commerciale demande toujours, avant d'accorder un prêt, si l'emprunteur dispose d'une caution. Puis, une fois le prêt octroyé, elle oubliera complètement l'emprunteur. Il faudra un défaut de paiement pour que le banquier se rappelle à son bon souvenir.

Grameen, par des visites hebdomadaires et mensuelles, vérifie régulièrement l'état de santé financière de ses emprunteurs pour s'assurer qu'ils pourront rembourser le prêt et que toute leur famille en bénéficie.

Les banques commerciales réalisent des graphiques montrant la capacité d'endettement du client en fonction de son revenu annuel.

Nous adaptons le prêt aux ambitions de l'emprunteur et à l'activité économique qu'il prévoit d'entreprendre.

Les emprunteurs des banques commerciales vivent tous au-dessus du seuil de pauvreté.

À cet égard, nous voudrions bien devenir comme les banques commerciales. Nous n'avons pas d'autre ambition que de voir nos emprunteurs s'élever au-dessus du seuil de pauvreté. Ce qui suppose, pour Grameen — du moins dans le contexte national, et en milieu rural — de répondre aux critères suivants :

> — *la famille doit disposer d'une maison étanche ;*
> — *de sanitaires bien entretenus ;*
> — *d'eau de boisson propre ;*
> — *elle doit être en mesure de rembourser 300 taka (8 dollars) par semaine ;*
> — *tous les enfants d'âge scolaire doivent être scolarisés ;*
> — *toute la famille doit faire trois repas par jour ;*
> — *et subir des examens médicaux réguliers.*

Une banque commerciale occidentale ne se préoccupera guère des conséquences sociales de ses prêts sur la collectivité, sauf si, pour le projet envisagé, elle est légalement tenue de procéder à une étude d'impact.

Chez Grameen, nous consacrons beaucoup de temps à nous assurer que nos emprunteurs sont mieux lotis que le reste de la population sous l'angle de la mortalité infantile, de l'utilisation des contraceptifs, des conditions sanitaires et de la qualité de la vie. Des prêts au logement spéciaux ont ainsi permis à 325 000 familles d'accéder à une habitation solide et étanche, tandis que 150 000 autres ont pu se construire une maison grâce aux revenus de leurs activités financées par nous.

Les banques commerciales occidentales ne font rien pour promouvoir le changement social, et même si elles le voulaient, elles ne le pourraient pas : leurs statuts le leur interdisent.

Chez Grameen, nous cherchons à favoriser non seulement des changements économiques, mais plus encore des changements sociaux. Nous voulons que les femmes de citoyens de seconde zone, entièrement dépendantes de leurs maris, battues, répudiées pour un oui ou pour un non, laissées sans un sou, deviennent des personnes responsables, capables de décider de leur sort et de celui de leurs enfants.

*

Jusqu'ici, j'ai comparé Grameen aux banques commerciales des pays occidentaux, où le taux de remboursement des prêts de Grameen est à peu près l'équivalent de celui des meilleures banques.

Mais, dans les pays en développement, les banques commerciales nationalisées affichent des taux de remboursement nettement inférieurs. Par exemple, celui de la Banque agricole du Bangladesh s'établit à 30 % environ, et celui de la Banque de développement industriel est de l'ordre de 10 %.

Je déclarai un jour à un ami, président de la Banque de développement industriel du Bangladesh, établissement public :

— Décidément, vous n'avez rien d'une banque.

— Qu'est-ce que tu veux dire ?

— Le taux de remboursement de vos emprunteurs est de moins de 10 % depuis douze ans... Comment un banquier digne de ce nom peut-il continuer à débloquer des millions de dollars de prêts à de riches clients qui ne remboursent pour ainsi dire jamais ?

— Eh bien ! les temps sont durs, beaucoup de nouvelles entreprises ont fait faillite. Il n'est pas facile de faire démarrer l'industrie dans un pays comme le nôtre...

— Vous devriez retirer l'enseigne « Banque de développement industriel du Bangladesh », pour mettre à la place : « Organisation de charité pour les riches ».

Il rit, mais je poursuivis :

— Ça ne te gêne pas un peu de distribuer l'argent aux riches par grosses liasses, en sachant pertinemment qu'ils ne rembourseront jamais ?

— Si, un peu, admit-il.

Je hochai la tête, et ajoutai :

— Les banquiers ne cessent de me répéter que les

garanties sont indispensables, mais visiblement cela ne protège pas l'investissement des banques. Cela ne fait qu'en interdire l'accès aux pauvres, et c'est la raison pour laquelle les banques commerciales et nationales sont par nature anti-pauvres.

J'ouvris un journal et lui montrai la liste récemment publiée des nantis qui n'avaient pas remboursé leurs emprunts. Toutes les plus grandes familles étaient là. Il acquiesça d'un signe de tête.

— Tu veux que je te dise comment je m'occuperais de la Banque de développement industriel si on m'en confiait la direction ?

— Tu ferais appel à des avocats pour engager des poursuites judiciaires qui dureraient des années et qui, pour des vices de forme, n'auraient aucune chance d'aboutir, railla-t-il.

— Pas du tout. Je simplifierais toute la procédure. Je prendrais des monceaux d'argent, j'en remplirais un hélicoptère et je survolerais tout le pays en jetant cet argent par brassées. Et le lendemain j'annoncerais dans la presse et sur les ondes, à grand renfort de publicité, que cette manne venait de la Banque de développement industriel. Ceux qui auraient ramassé quelques billets seraient priés d'honorer les échéances de remboursement et de payer les intérêts. Et j'ajouterais : « Nous espérons vivement que vous en ferez bon usage. »

Il éclata de rire, mais je parlais très sérieusement.

— Je te parie qu'en utilisant ma méthode de distribution et de récupération, les taux de remboursement dépasseraient largement 10 %. Et vous, vous économiseriez le coût d'évaluation préalable des prêts, les salaires du personnel, des ingénieurs, des techniciens, des chargés de prêts, des avocats. Vous n'auriez pas de dossiers à constituer et pratiquement pas de frais généraux — juste le prix de l'hélicoptère et des publicités.

Cette proposition ironique illustre bien la différence d'attitude des institutions envers les riches et les pauvres. Au lieu de rembourser leurs dettes, les riches au Bangladesh pleurnichent :

— Nos industries sont au plus mal, il faut leur apporter un sang neuf. Prêtez-nous encore de l'argent !

Ces mauvais payeurs sont allés jusqu'à former une association chargée de défendre leurs droits et leurs intérêts...

Et comme les mauvais payeurs sont leurs amis, leurs parents, leurs partisans politiques, leurs bailleurs de fonds — bref, l'épine dorsale de la société —, ceux qui nous gouvernent ne vont certainement pas jeter tout ce beau monde en prison — ce qu'ils n'hésiteraient pas à faire s'ils étaient pauvres et sans appuis.

XVI

GRAMEEN, FILIALE EXPÉRIMENTALE DE LA BANQUE AGRICOLE (1977-1979)

En octobre 1977, lors d'un voyage à Dhaka, je rencontrai tout à fait par hasard celui qui allait donner l'impulsion décisive à notre expérience de crédit pour les pauvres de Jobra.

J'étais dans les bureaux de l'une de nos plus grandes banques nationales (je me trouvais là pour des raisons personnelles, qui n'avaient rien à voir avec Grameen) lorsque je tombai nez à nez sur une connaissance, le président-directeur général de la Banque Krishi, banque agricole du Bangladesh (BKB). Une pure coïncidence, comme il en arrive si souvent dans la vie, et qui allait relancer notre minuscule projet expérimental.

M. Anisuzzuman était un homme extrêmement bavard, très ouvert. Dès qu'il me vit, il se lança dans une longue diatribe contre tous ces universitaires (moi compris) qui ne faisaient rien pour leur pays et préféraient se retrancher dans leurs tours d'ivoire. Je l'écoutais sans dire un mot. Malgré sa virulence, je ne pouvais que l'approuver.

— Vous autres, intellectuels, n'êtes qu'un ramassis de traîtres ; vous manquez à vos devoirs envers la société. Quant au système bancaire de ce pays, n'en parlons pas. Il est pourri jusqu'à la moelle. Tous les ans, à la banque BKB, des millions de *taka* disparaissent sans laisser de trace. Je suis bien placé pour le savoir, j'en suis le président. Personne n'a de comptes à rendre à personne. Et vous autres, universitaires aux mains blanches, avec vos bonnes planques, vous êtes toujours à voyager, à prendre du bon temps. Vous êtes une bande d'incapables, et je pèse mes mots ! Je suis absolument écœuré par ce que je vois dans cette société. C'est chacun pour soi. Personne ne se soucie des pauvres, alors qu'ils sombrent toujours plus avant dans la pauvreté. Quant à ma banque agricole, elle ne vaut pas plus cher que tout le reste. J'ai honte pour mon pays, il n'a que les problèmes qu'il mérite.

M. Anisuzzuman poursuivit inlassablement sur le même ton. C'est un gros homme plein d'énergie. Quand il eut fini de me dire à quel point j'étais un bon à rien, je hasardai :

— Eh bien ! cher ami, je suis ravi de vous l'entendre dire, car j'ai justement une proposition à vous faire.

Je lui expliquai ce que je faisais à titre expérimental aux abords de mon université, et comment j'y employais bénévolement mes étudiants.

— Ils donnent de leur temps, et j'utilise le budget de mes travaux pratiques pour payer les frais. Les prêts sont remboursés, la situation de nos emprunteurs s'améliore de jour en jour, mais un problème demeure : il faudrait que j'arrive à rémunérer mes étudiants, ne serait-ce qu'un peu. Tout ce projet ne tient qu'à un fil. Il est temps que nous obtenions un soutien institutionnel.

Il écouta mon récit avec attention, puis à mesure que je parlais je vis son visage rayonner d'enthousiasme.

— Quels sont vos problèmes avec la Banque Janata ?

— Ils insistent pour que nous garantissions chacun de ces microprêts. Je serai aux États-Unis dans quatre mois pour assister aux sessions de l'Assemblée générale des Nations unies, et j'y recevrai les dossiers de crédit à signer et à renvoyer. Vous imaginez comme ça va être simple !

Il hocha la tête.

— Dites-moi ce que je peux faire pour vous aider.

J'étais enchanté. La probabilité de rencontrer un banquier sensible à notre cause était infime, et pourtant...

— La Banque Janata ne peut pas soulever d'objections, précisai-je, car nous n'avons eu aucun défaut de remboursement. Mais il faut compter entre deux et six mois pour traiter une demande de microprêt, chacune de ces demandes devant être approuvée par le siège de la banque à Dhaka. À chaque fois, il y a un détail nouveau à régler ; cela prend des mois pour suivre la voie hiérarchique jusqu'à Chittagong et retour. On ne peut pas fonctionner de cette manière.

M. Anisuzzuman balaya mes inquiétudes d'un geste.

— En effet, cela ne peut pas continuer comme ça. C'est absurde. Dites-moi donc ce que vous attendez de moi.

— De la Banque Krishi ?

— Oui.

— Eh bien ! commençai-je, réfléchissant à toute allure, j'aimerais que la Banque agricole mette sur pied une filiale à Jobra et me laisse en disposer à ma guise. J'en élaborerais les règles et les méthodes, et vous m'autoriseriez à émettre des prêts jusqu'à concurrence d'un million de *taka*. Je recruterais moi-même mon personnel. Donnez-moi un million de *taka*, accordez-moi un an, refermez le couvercle et laissez-moi travailler. Après un an, vous soulèverez le couvercle de la banque, comme vous feriez d'un plat que vous auriez mis à cuire, et vous verrez si je suis toujours vivant. Si vous êtes content de ce que j'ai fait, reprenez l'idée et appliquez-la à l'échelle nationale. Sinon, fermez la filiale et renoncez au projet. Considérez cela comme une simple expérience. Si personne ne rembourse les prêts, au pire vous aurez perdu un million de *taka*.

Dans mon esprit, toute l'entreprise n'était alors que

l'expérience d'un universitaire, qui devait être reprise par les banques une fois sa validité démontrée.

— Bien, dit M. Anisuzzuman. C'est tout ?

— Si vous me donnez tout ce que je vous demande, je n'ai plus rien à vous demander. Vous m'avez déjà nommé « président-directeur général » de cette filiale. Que demander de plus ?

— Vous êtes sûr ?

— Oui, c'est tout le soutien dont j'ai besoin. Comment vous remercier ?

— Attendez, ce n'est pas encore fait. Je dois maintenant mettre au pas la bureaucratie. Nous ne sommes pas au bout de nos peines.

M. Anisuzzuman prit le téléphone et demanda à sa secrétaire :

— Mettez-moi en contact avec le directeur du district de Chittagong.

Couvrant de sa main le micro du combiné, il me demanda :

— Quand rentrez-vous à Chittagong ?

— Demain après-midi.

— Par l'avion de l'après-midi ?

— Oui.

Lorsque M. Anisuzzuman obtint le directeur de district à l'autre bout du fil, il lui déclara :

— Mon ami le professeur Yunus rentre demain de Dhaka. Il sera à 17 heures sur le campus de l'université. Je veux que vous l'attendiez à sa résidence, et que vous vous mettiez à sa disposition. Vous exécuterez ses ordres comme si c'étaient les miens. Nous sommes bien d'accord ?

— Bien, monsieur.

— Vous avez des questions ? demanda M. Anisuzzuman.

— Non, monsieur.

— Parfait. Je compte sur vous pour que tout se passe bien. Je ne veux pas que le professeur Yunus vienne se plaindre dans mon bureau que vous n'avez pas obéi à ses ordres. C'est compris ?

Comme je sortais de son bureau, mesurant encore mal toutes les conséquences de cet entretien, je vis une fille qui balayait la rue. Elle était très maigre, pieds nus et portait un anneau dans une narine, comme ces milliers de femmes de ménage qu'on voit dans les rues de Dhaka. Encore faisait-elle partie de ces « privilégiées » qui ont un emploi. C'était pour des femmes comme elle, et pour toutes celles qui ne pourraient même jamais aspirer à ce travail, que je voulais mettre en place mon programme de crédit.

Le lendemain, à Chittagong, je rencontrai le directeur régional de la Banque agricole. Il m'attendait dans mon salon. L'homme était anxieux, naturellement, car il craignait que je prenne sa place.

Je lui racontai comment j'avais rencontré M. Anisuzzuman, ce que m'avait dit cet homme étonnant et combien il était enthousiasmé par le travail que nous réalisions à Jobra, mes étudiants et moi.

— Mais je suis parfaitement néophyte dans ce domaine. J'ai donc besoin que vous m'indiquiez comment faire.

Le directeur m'invita à rédiger un avant-projet. Comme je lui demandais de m'aider dans cette tâche, il me dit qu'il ferait venir chez moi plusieurs de ses collègues et qu'ils retranscriraient mes questions orales sous forme de demande écrite officielle.

Le lundi suivant, cinq personnes se présentèrent chez moi. Le directeur régional me bombarda de questions sur des points que je n'avais jamais envisagés. Combien voulais-je d'emprunteurs ? Combien aurais-je de salariés ? Quelle serait la grille de rémunération ? Combien me faudrait-il de coffres-forts ?

Puis ils rentrèrent à Chittagong. Quelques semaines plus tard, je recevais un courrier du directeur, un épais dossier, écrit dans un jargon bureaucratique pratiquement illisible, et qui ne reproduisait en rien notre entretien.

Je pris donc un stylo et notai à la hâte ce que j'avais l'intention de faire. C'était une proposition brève, directe, allant droit au but. La première chose que je changeai, ce fut le nom même de ma filiale. J'écrivis :

La Banque Krishi utilise le mot « Krishi » dans son titre, ce qui veut dire « agricole ». Or je ne tiens pas à ce que cette filiale s'occupe d'agriculture ou d'élevage. Les paysans ne sont pas la population la plus pauvre au Bangladesh. Au contraire, ceux qui possèdent des exploitations ou travaillent comme fermiers sont relativement privilégiés par rapport aux indigents qui n'ont rien à manger. Je veux que cette filiale s'adresse non seulement aux pauvres qui vivent de l'agriculture, mais aussi à ceux qui travaillent dans d'autres domaines, comme le commerce, la petite industrie, voire la vente au porte-à-porte. Je veux que ce soit une banque rurale, et pas seulement une banque destinée aux cultures et aux exploitations. J'ai donc choisi de l'appeler « Grameen ».

Grameen vient du mot *Gram* qui veut dire « village ». L'adjectif *Grameen* peut donc se traduire par « rural », ou « du village ». Dans ma proposition, je nommais la nouvelle filiale : « agence expérimentale Grameen ».

Plusieurs mois avaient passé, quand M. Anisuzzuman m'appela pour une réunion dans son bureau de Dhaka. Le voyage en train durait six heures. Lorsque j'arrivai, il me dit :

— J'ai dû soumettre votre proposition à mon Conseil d'administration, et il ressort que je ne suis pas habilité à lancer ce projet avec vous. Je ne peux pas vous déléguer mes pouvoirs bancaires, car vous êtes quelqu'un d'extérieur ; vous n'êtes pas salarié de la banque.

M. Anisuzzuman marqua une pause afin de formuler sa question :

— Yunus, vous voulez vraiment ouvrir une nouvelle filiale de notre banque, n'est-ce pas ?

— Non, pas du tout. Tout ce que je veux, c'est prêter de l'argent aux pauvres.

— Vous tenez à rester dans l'enseignement ?

— C'est-à-dire que... je ne sais rien faire d'autre, j'adore enseigner.

Soufflant la fumée de sa cigarette vers le plafond, il reprit :

— Sinon, vous pourriez abandonner votre poste à l'université et devenir salarié de notre banque. Je pourrais alors facilement faire de vous mon adjoint, et vous déléguer mes pouvoirs sans que personne trouve à y redire.

— Je n'ai aucune envie de devenir banquier, cela ne me dit rien. Je préfère rester professeur, voyez-vous. J'ai un département à diriger, des étudiants et des professeurs à superviser, des syndicats étudiants auxquels faire face. Ce travail de lutte contre la pauvreté, je le fais à mes heures perdues, en plus de mes autres activités. Je préférerais donc nommer un de mes étudiants à la tête de la filiale.

— Je trouverai une solution, ne vous inquiétez pas, reprit M. Anisuzzuman, regardant par la fenêtre, sur laquelle vinrent s'attarder quelques volutes de fumée.

Manifestement, il envisageait diverses possibilités.

— Et si, sur le papier, je ne vous confiais pas la direction de la filiale ? Officiellement, ce serait le directeur régional qui s'en occuperait, mais je lui dirais de se plier à tous vos desiderata.

— C'est à vous de voir, monsieur Anisuzzuman, je vous laisse juge.

— Il recevrait de vous toutes ses instructions. Et en cas de problème, il pourrait toujours venir me trouver pour que je décide de la conduite à tenir.

— Qu'en dira le Conseil d'administration ?

— Je m'en occupe. Cela étant, vous devriez présenter une liste des étudiants qui travaillent pour vous à

Jobra. L'un d'eux peut devenir directeur d'agence ; les autres seront très officiellement salariés par la banque.

— Je vous remercie. Ce sont de bons emplois.

— Et puis, ils n'auront pas à passer de concours pour y accéder...

Je souris à l'idée que mes associés Assad, Nurjahan et Jannat allaient enfin, pour la première fois de leur vie, avoir de vrais emplois rémunérés.

— Je pourrai l'appeler l'agence Grameen ?

M. Anisuzzuman fit un signe affirmatif.

— Entendu. L'agence expérimentale Grameen de la Banque agricole. Qu'en dites-vous ?

— C'est parfait.

Nous échangeâmes un sourire. Il se leva. De la rue, montait le brouhaha incessant de la circulation. Nous étions maintenant debout près de la fenêtre, l'œil attiré par ce spectacle familier de la ville : des mendiantes pieds nus, leurs bébés dans les bras, des enfants qui dorment sur le trottoir, des gamins difformes, atteints d'affreuses maladies qui ne nous choquent même plus. Pour vivre ici, il faut devenir presque aveugle à toute la souffrance humaine qui vous entoure.

— La pauvreté urbaine, c'est encore un autre problème, observa-t-il avec un profond soupir.

— Si nous parvenons à résorber la pauvreté dans les campagnes, cela réduira d'autant l'exode rural vers les villes.

Il acquiesca d'un lent signe de tête.

— Bonne chance, professeur.

Le hasard fait parfois bien les choses. Il suffit de rencontrer la bonne personne au bon moment pour que tout se mette en place. Quelques mois auparavant, mes projets pour les pauvres piétinaient, et voilà que j'avais rencontré l'homme de la situation et que notre petit projet universitaire changeait de dimension, pour devenir une banque expérimentale qui allait nous valoir une certaine notoriété sur le plan national.

XVII

AÏD EL-FITR
1977

En 1977, la première année de fonctionnement de notre banque rurale, je me rendis dans ma famille à Chittagong pour notre réunion annuelle.

Je fais toujours en sorte de passer les fêtes religieuses avec ma famille, surtout l'*aïd el-fitr*, qui célèbre, au bout d'un mois, la fin du jeûne du ramadan. Mon père et ma mère sont extrêmement pratiquants. Ils nous ont enseigné le respect de la tradition et ils tiennent beaucoup à notre présence lors des fêtes.

L'*aïd el-fitr* marque donc la fin du ramadan. Les bureaux sont fermés la veille et le lendemain de l'*aïd*, qui est sans conteste notre fête la plus gaie.

Elle dure trois jours, mais comme la plupart des familles bangladaises, nous prenons une semaine de congé pour la célébrer. C'est l'occasion de retrouver les parents que nous n'avons pas vus depuis longtemps et de s'informer de ce qui s'est passé pendant l'année écoulée.

Nous nous réunissons à *Niribili*, une maison que mon père a fait construire en 1959, dans ce qui était alors la nouvelle zone résidentielle de Chittagong, Pachlaish. Son nom signifie « Tranquillité ». C'était la première maison du quartier et elle a tellement de personnalité, elle contient tant de souvenirs que nous la considérons presque comme un membre de la famille.

Pendant plusieurs jours, mon père s'était promené dans la ville afin de repérer les édifices qui lui plaisaient le mieux. Il se prit de passion pour un grand immeuble moderne de quatre étages et il demanda à un dessinateur d'en reporter les plans. Puis il sollicita les services d'un architecte qu'il chargea de traduire ce plan en réalité.

Le résultat est plus proche du paquebot transatlantique que de l'immeuble. Un mur délimite le jardin, écrin vert de manguiers, de bananiers, de tecks, de goyaviers, de cocotiers et de grenadiers. *Niribili* possède de très vastes vérandas et énormément d'espace perdu. Les erreurs de construction sont innombrables : les pièces sont trop grandes, les couloirs trop importants et pas assez pratiques, et bien des choses pourraient y être améliorées, mais nous aimons cette maison. Aujourd'hui, mes frères occupent quatre appartements séparés, et mon père vit au rez-de-chaussée entouré de l'amour de la moitié de sa progéniture. C'est ainsi qu'il est heureux. La maison est une source de force et d'unité pour la famille.

Mes frères sont tous là, Salam, Ibrahim, Jahangir, Ayub, Azam et Moinu, avec leurs femmes, ainsi que mes sœurs, Momtaz et Tunu, et tous les enfants. Nous quittons *Niribili* pour Batua, village natal de mon père où il possède toujours des terres et qui a abrité la famille pendant presque toute la Seconde Guerre mondiale.

Mon père passe tout le ramadan à payer l'impôt religieux (*Jakat*) dont le Coran lui enjoint de s'acquitter. Comme le prescrit la *Charia*, il donne d'abord aux parents dans le besoin, puis aux voisins déshérités et enfin aux pauvres en général.

Le jour de l'*aïd*, nous nous levons tôt et faisons notre toilette. Tout le monde porte des vêtements neufs, achetés pour l'occasion.

À sept heures du matin, nous nous dirigeons vers l'*aïdgah* (un espace en plein air réservé à cet usage). Les femmes restent à la maison. Avec mes sept frères, je suis mon père, qui marche devant nous. Quel plaisir de se retrouver réunis ! Notre père est le plus pieux de nous tous et nous savons ce que cette fête représente pour lui.

Au milieu du champ, nous prions. Nous disons nos *namaz*. L'imam prononce son *Kutbah*, son sermon. Plusieurs milliers de personnes s'alignent derrière lui pour dire leurs prières. L'*Aïdgah* est un terrain de football non clos. Il n'y a pas la moindre possibilité de s'abriter du soleil, qui tape toujours très fort. Après la prière, nous nous embrassons et nous souhaitons *Aïd Moubarak* (« Joyeux aïd »). Tour à tour, mes frères et moi-même touchons les pieds de notre père en un geste de respect et de salutation.

Après quoi, nous nous rendons au cimetière et prions pour nos disparus. Nous prions pour que l'âme des morts repose en paix. C'est mon père qui dirige la prière, récitée en arabe.

De retour à la maison, vers 8 heures du matin, nous montrons la même marque de respect à notre mère et aux autres anciens. Nous payons également le *fitra*, impôt obligatoire qui équivaut à 1,25 kilogramme de blé destiné aux pauvres.

Suit une série de visites aux membres de la famille. Après un jeûne d'un mois, nous n'arrêtons pas de rire et de manger. La nourriture est essentiellement constituée de sucreries et de gâteaux, dont le plus apprécié est le *semai*, un plat de nouilles sucrées préparées selon différentes recettes.

Comme à chaque *aïd el-fitr*, ma mère lit le Coran à haute voix. Cela lui donne force et assurance. Elle est très croyante et avec l'évolution de sa maladie, elle s'est réfugiée dans la répétition de ces textes sacrés.

Mon père a renoncé à trouver une solution médicale à son mal. Des charlatans de toutes sortes se sont succédé à la maison et lui ont demandé des fortunes pour des médicaments miracles qui ne servaient à rien. Il a consulté des psychologues, des guérisseurs par la foi, des ostéopathes, des neurologues, des chirurgiens, des biologistes et des guérisseurs traditionnels, mais rien n'y a fait.

Nous aimons notre mère et l'entourons d'affection, mais pour Momtaz, Salam et moi (les trois aînés), qui l'avons connue dans sa jeunesse, alors qu'elle était pour la famille une source de force, de fierté et d'honneur, c'est un crève-cœur de la voir aussi amoindrie et nous avons du mal à l'accepter. Comme cela doit être dur pour mon père !

Il n'a jamais rien dit de mal au sujet de ma mère et ne s'est jamais plaint de son sort. Il est fort, loyal et affectueux, et nous nous inspirons tous de son exemple.

*

L'une de nos visites rituelles pour l'*aïd* est celle que nous rendons à notre sœur aînée, Momtaz. Nous attendons tous cette occasion avec impatience. C'est elle qui fait les meilleures confiseries.

Momtaz a un visage ovale et un regard chaleureux. Elle s'est mariée et a quitté la maison à l'âge de dix-sept ans, mais elle a toujours fait en sorte de nous surveiller et de nous protéger comme si elle était notre mère de substitution.

En cette journée de l'*aïd el-fitr* de 1977, tout autour de nous, mes frères et leurs enfants s'interpellent, les petits rigolent, mangent, s'amusent, hurlent et courent dans tous les sens. Momtaz prend mes mains dans les siennes. Comme elle est bonne ! Comme elle a été bienveillante et affectueuse envers nous tous ! Tandis que je la regarde dans les yeux, je me souviens de ce jour de 1950 où je me rendis en hâte, par le bus puis en pousse-pousse, jusque chez elle pour lui annoncer la naissance de mon frère Ayub. J'avais dix ans et, hors d'haleine, je rayonnais. Elle rit, puis me prit dans ses bras et appela aussitôt les voisins pour leur faire part de la bonne nouvelle. Nous mangeâmes et fêtâmes la naissance jusque tard dans la nuit, et le lendemain, elle prépara son sac et vint habiter chez nous pour aider ma mère à s'occuper du petit Ayub.

Je me rappelle un autre jour, en 1947, mon frère Ibrahim et moi étions allés dormir chez Momtaz. Je laissai Ibrahim tout seul et allai au cinéma. À mon retour, il était en larmes, le visage bouffi et cramoisi, hurlant que je l'avais trahi en partant sans lui, et il n'y avait pas moyen de le calmer. Il avait tout juste trois ans et nous dûmes le ramener à la maison en taxi.

Aujourd'hui, Momtaz a la tête couverte de son sari vert, elle tient mes mains dans les siennes et elle me dit :

— Tu te souviens, Yunus, en 1965, lorsque tu étais sur le point de partir pour l'Amérique, je t'ai demandé une faveur ?

— Oui.

— Celle de ne pas ramener une *Mem Sahib* américaine, parce que je ne connaissais pas l'anglais et que je ne pourrais pas lui parler.

— Oui.

— La vie est trop difficile ici pour une étrangère qui ne sait rien de notre culture. Ne sois pas en colère contre Vera. Je la comprends tout à fait. Elle t'aime beaucoup.

Les mots que j'avais prononcés douze ans auparavant me reviennent : « Momtaz, c'est toi qui décideras avec qui je me marierai. »

Elle avait répondu : « Non, je ne plaisante pas. Ton père en aurait le cœur brisé et aucune Américaine ne serait heureuse ici. » À l'époque, l'idée seule de tomber amoureux m'effrayait et je n'avais aucune intention de me marier. Je lui avais dit : « Momtaz, les pays étrangers ne manquent pas et ils regorgent de femmes. À toi de trouver celle qui me conviendra. »

Nous mangeons mes sucreries préférées, les délicieuses *kanchagolla*, une espèce de confiserie à base de lait, fabriquée à Natore. Je déguste le chutney de *posto*, ces minuscules graines de pavot blanches dont on a extrait toute trace d'opium. Il y a aussi de la pulpe de mangue mélangée à du *kheer*, une sorte de lait concentré très épais.

Mais mon esprit s'échappe sans cesse vers Vera et l'enfant que nous avons eu ensemble. Je mange du lait de yoghourt mixé avec du *chira* (du riz écrasé que l'on a fait gonfler dans de l'eau), des mangues et des bananes, une préparation exquise appelée *phaladar*. Bien que je ne jeûne pas vraiment pendant le ramadan, je mange moins, et la richesse de ces mets me pèse sur l'estomac.

*

Ce que j'essayais de dissimuler à ma famille était le fait que, dès la naissance de Monica, le 7 mars 1977, Vera avait tenu à se procurer des jouets américains, des bavoirs américains et des couches américaines. Peu de temps après, elle résolut de quitter le Bangladesh, car elle disait ne pas pouvoir y élever Monica en raison des dangers, de la saleté, des moustiques et des maladies.

Je me persuadai que cet arrangement était temporaire, tout en sachant que ce n'était pas vrai. J'étais désespéré, mais je ne trouvai aucune solution. Vera et moi nous aimions toujours, mais les difficultés que j'avais prévues avant notre mariage s'étaient révélées trop importantes.

Pendant des mois, je laissai le berceau de Monica, ses jouets et ses vêtements comme ils étaient, dans l'espoir que Vera et elle reviendraient. C'était un spectacle attristant, mais je ne pouvais me résoudre à me séparer de ces objets.

Je décidai d'aller voir Vera et Monica aux États-Unis.

Le projet de banque agricole n'avait pas encore été entériné ; les demandes de crédit auprès de Grameen devaient donc toujours transiter par la Banque Janata, et chaque microprêt m'était soumis pour que j'accepte de le garantir personnellement. Ce procédé prenait beaucoup de temps et était d'autant plus absurde que j'avais déclaré ne pas vouloir payer en cas de défaillance des emprunteurs, afin de précipiter la confrontation avec la banque.

Vera me supplia de venir vivre avec elle dans le New Jersey.

— Mais mon pays a besoin de moi, Vera.

— Moi aussi, j'ai besoin de toi !

Je ne pouvais pas répondre à son appel, il n'était pas question d'abandonner Grameen. Notre relation, qui avait duré dix ans, était arrivée à son terme. Mais même après le divorce, en décembre 1977, j'étais malheureux de savoir Vera et Monica si loin de moi. Je leur écrivais et les appelais aussi souvent que je le pouvais.

Si nous avions eu la même culture, je ne doute pas un instant que nous serions encore côte à côte, et heureux aujourd'hui.

Rétrospectivement, je me rends compte que Momtaz avait raison. Je n'aurais jamais dû épouser une Américaine. Mais on ne tombe pas amoureux sur commande ou par calcul. Je ne regrette rien. Je respecte Vera et j'ai de bons souvenirs des années passées avec elle. Je déplore simplement l'échec de notre relation.

Et ma fille Monica me manque terriblement.

TROISIÈME PARTIE

La création

XVIII

DES DÉBUTS SOUS LE SIGNE
DE LA PRUDENCE
(1978-1983)

Lorsque je rentrai de mes trois mois passés aux États-Unis, juste après mon divorce, je me jetai à corps perdu dans le travail. J'étais encore professeur à plein temps. Dans le cadre de la Banque agricole, notre filiale de Jobra avait recruté son personnel exclusivement parmi mes anciens étudiants. Nous pouvions progresser plus rapidement qu'avec la Banque Janata, et je n'avais plus besoin de garantir personnellement les prêts. Mais je n'en étais pas moins insatisfait : nous avions moins de cinq cents emprunteurs.

Quelques mois plus tard, je reçus une invitation à un séminaire sur le thème : « Financer les pauvres en milieu rural », organisé par la Banque centrale, sous l'égide de l'USAID[1]. Je devais présider l'une des séances, à laquelle assistaient divers experts de l'université d'Ohio.

Ceux-ci firent valoir que, pour prêter aux paysans, il importait de fixer des taux d'intérêt plus élevés. Ainsi, disaient-ils, on obtiendrait un meilleur taux de remboursement. Cela me paraissait absurde. Je protestai :

— Si vous prêtez aux paysans, ils emprunteront de toute façon, indépendamment du taux d'intérêt que vous

---

1. United States Agency for International Development.

pratiquez. Ils sont si désespérés qu'ils sont prêts à aller trouver un prêteur qui les menace de reprendre tous leurs biens.

Poursuivant sur le même ton, je cherchais noise à tous les intervenants dans cette grande salle de conférences. Ils me regardaient tous comme si j'étais fou.

— Pour ma part, avec les paysans, je pratiquerais un taux d'intérêt négatif. Je leurs prêterais 100 *taka*, et si l'un d'entre eux m'en rembourse 90 %, je lui ferais grâce du remboursement des 10 *taka* restants, car le vrai problème, lorsqu'on prête aux paysans, est d'obtenir le remboursement du principal, non celui des intérêts.

Je me montrais délibérément provocateur, parce que je voulais faire passer un message et susciter un débat à l'échelon national. Les experts faisaient valoir la nécessité de rendre difficile l'accès au crédit, afin de n'attirer que les emprunteurs solvables. Je prétendais au contraire qu'il fallait faciliter les choses aux gens afin de les inciter à rembourser.

Indiquant que nous avions obtenu le remboursement intégral des prêts dans le cadre du projet Grameen de Jobra, je mis ces experts au défi d'obtenir les mêmes résultats.

Un vieux banquier explosa :

— Professeur Yunus, votre projet de Jobra n'est que broutilles par rapport aux grandes banques que nous gérons. Nous ne nous sommes pas fait des cheveux blancs pour rien. Nous avons beaucoup d'expérience. Si vous voulez être crédible, opérez à l'échelle d'une région, et pas seulement d'un village.

Je promis de relever le défi. La plupart des banquiers ne me prenaient pas au sérieux. Ne tenant aucun compte de ma volonté d'élargissement du programme, ils étaient convaincus que celui-ci n'était pas viable à l'échelon national et ne voulaient pas en démordre.

Le gouverneur adjoint de la Banque centrale, M. Gongopadhaya, avait écouté toute la discussion en silence. Il me fit venir dans son bureau et me demanda si je parlais sérieusement quand je disais vouloir élargir mon projet.

— Oui, bien sûr.

— Vous pensez vraiment que l'expérience de Jobra est viable ?

— J'en suis absolument convaincu.

— De quoi auriez-vous besoin ?

Moi qui avais toujours accusé les banques commerciales du Bangladesh d'être anti-pauvres, anti-femmes, anti-illettrés, je n'oublierai jamais que c'est grâce à M. Gongopadhaya, de la Banque centrale, que Grameen a pu étendre ses activités.

Un mois plus tard, il m'invita à une réunion de tous les directeurs des banques nationales en vue d'examiner ma proposition. Elle fut accueillie avec l'indulgence et la condescendance qu'on réserve à un universitaire coupé des réalités. Lorsque M. Gongopadhaya demanda leur soutien aux directeurs, ils le lui accordèrent chaleureusement, mais ce n'étaient que des paroles en l'air pour plaire au gouverneur adjoint de la Banque centrale.

À les en croire, si nos emprunteurs remboursaient, c'était d'une part parce que j'étais un professeur d'université très respecté, et d'autre part parce que j'étais de Chittagong. Il allait falloir que je tente l'expérience dans une autre région.

J'essayai de leur expliquer que les pauvres n'avaient jamais mis les pieds dans mon université, qu'ils ne savaient ni lire ni écrire, et que par conséquent je n'exerçais sur eux aucune espèce d'ascendant professoral. Ils insistèrent néanmoins sur le fait que, si je voulais faire la preuve que le projet était transposable par n'importe quelle autre banque, je devais abandonner l'enseignement et devenir banquier dans une autre région.

Je leur répondis que j'étais prêt à prendre un congé exceptionnel de deux ans et que, dans un souci d'impartialité, je leur laisserais choisir une région où je n'étais pas connu et où je n'avais jamais enseigné.

Leur choix se porta sur la région de Tangail : elle

était relativement petite et proche de Dhaka, ce qui leur permettrait de juger facilement si le programme avait ou non un impact.

L'université de Chittagong m'accorda le congé demandé. Officiellement, le projet bancaire de Tangail débuta le 6 juin 1979.

Chaque banque nationale devait mettre à notre disposition au moins trois agences — plus celle de la Banque agricole que j'avais déjà créée à Jobra —, ce qui représentait en tout dix-neuf agences.

J'emmenai avec moi mes jeunes associés de Jobra : Assad, Dipal et Dayan.

*

La région de Tangail était au bord de la guerre civile. Des bandes armées appartenant à un mouvement marxiste clandestin, l'Armée du peuple (*Gono Bahini*), semaient la terreur. Ces hommes tuaient sans s'embarrasser de scrupules. Dans chaque village, on voyait un cadavre étendu au milieu de la rue, un corps pendu à un arbre ou encore abattu contre un mur. Craignant pour leur vie, la plupart des notables locaux avaient pris la fuite et s'étaient réfugiés chez des voisins ou en ville, dans des hôtels. La région était livrée à l'anarchie.

Que pouvions-nous faire, avec notre projet de banque naissant, contre tous ces massacres, alors même que nous craignions pour la sécurité des personnes que nous recrutions comme directeurs d'agence ou employés ? Lors de l'embauche, ils s'engageaient à aller vivre par leurs propres moyens dans des villages éloignés. C'était une situation épouvantable.

Pour un oui ou pour un non, des hommes braquaient leur arme et tiraient. Les campagnes étaient de véritables arsenaux, quantité d'armes et de munitions ayant été laissées là depuis la guerre de Libération. Pis encore, de nombreux jeunes que nous embauchions, anciens étudiants, étaient souvent eux-mêmes gauchistes, et pouvaient donc être gagnés à la cause des mouvements rebelles.

Nous étions au plus fort de la saison sèche. Pendant la journée, les routes étaient désertes, et les gens restaient à l'ombre, sous les arbres, attendant une pluie qui ne venait jamais, ou un soudain *kalbaisakhi* (orage d'été). Le moindre effort était épuisant. Les villages que nous traversions semblaient à l'agonie, et leurs habitants étaient si pauvres et si maigres que j'avais malgré tout le sentiment d'être venu au bon endroit. C'était là qu'il nous fallait agir.

La bureaucratie des banques n'appréciait guère notre présence, qui représentait pour elle une surcharge de travail. À maintes reprises, elle nous créa des difficultés. La situation finit par devenir si tendue qu'un de nos propres employés braqua son arme sur le directeur d'une banque commerciale locale dont nous dépendions et menaça de le tuer s'il ne donnait pas davantage de fonds pour les emprunteurs de Grameen. Nous renvoyâmes l'employé, mais il s'ensuivit une crise grave. Le directeur agressé demanda à rentrer à Dhaka, et plus personne dans cette banque ne voulut travailler avec nous.

Nous ne renonçâmes pas pour autant. Nous recrutâmes localement, parmi les pauvres. Nous essayions autant que possible de ne compter que sur nous-mêmes, car chaque fois que devions faire appel aux banques nationales, le travail ne se faisait pas.

Les rebelles étaient de très jeunes gens, ils avaient vingt ans tout au plus. Fondamentalement, c'étaient des garçons travailleurs, consciencieux, et nous étions prêts à leur donner leur chance dans la banque pourvu qu'ils déposent les armes. Les anciens *Gono Bahini* se révélèrent d'excellents employés de Grameen. Ils avaient voulu libérer le pays par les armes et la révolution, et désormais ils parcouraient à pied les mêmes villages et les mêmes routes pour proposer des prêts aux misérables. Tout ce qu'il leur fallait, c'était un idéal à embrasser, une cause pour laquelle se battre. Nous arrivions à canaliser leurs énergies vers quelque chose de bien plus constructif que le terrorisme. Entreprendre, ce n'est somme toute rien d'autre qu'utiliser son courage et son désespoir pour faire bouger les choses. Les *Gono Bahini* du Tangail étaient doués d'une grande combativité qui n'attendait que d'être employée à bon escient. Alors pourquoi ne pas leur donner une chance de faire quelque chose de constructif pour la société ?

Si j'ai tenu bon pendant ces premiers temps difficiles au Tangail, c'est parce que nous faisions un travail passionnant, mais c'est aussi et surtout grâce à la générosité des pauvres que nous rencontrions. Souvent, la nuit, un vieil homme sortait de sa maison au toit de chaume vétuste pour nous proposer du *pantabhat*[1], que nous avions toutes les peines du monde à refuser. Dès ses débuts, Grameen s'est fait une règle de ne jamais accepter ni nourriture ni cadeaux de la part d'un emprunteur ou d'un villageois.

Je sillonnais la région dans le minibus blanc Toyota que m'avait donné la Banque centrale. Cela me permettait de travailler à plein temps. Au début, nous fonctionnions avec un effectif minimal, composé des « anciens » de Jobra : Assad, Dipal, Dayan et moi-même, mais au bout d'un certain temps, les conditions de sécurité s'étant améliorées, nous fîmes venir d'anciennes collègues de Jobra : Nurjahan et Jannat.

D'une certaine façon, j'étais toujours enseignant, puisque j'avais avec moi un groupe d'excellents étudiants. Et je donnais également des cours aux emprunteurs, ainsi qu'à notre personnel.

J'emménageai provisoirement dans un bâtiment en

---

1. Le *pantabhat* est du riz restant de la veille, trempé dans l'eau et qui, sous l'effet de la chaleur, a fermenté pendant la nuit. Pour un pauvre, après une rude journée de travail, c'est un plat roboratif, surtout s'il est accompagné de chilis frits, d'oignons crus et de quelques restes de légumes. Lorsqu'on a faim et qu'il fait 30 degrés à l'ombre, c'est un régal. (Note de l'auteur.)

construction. Je vivais dans une seule pièce, avec les ouvriers qui travaillaient autour de moi. Le soir, pendant le ramadan, je mangeais le repas léger traditionnel, l'*if-taar* : du chira au sucre et à la noix de coco, des pois chiches avec deux ou trois chilis rouges, des tranches de mangue et des galettes de lentilles frites accompagnées de chilis verts et d'oignons.

Je n'avais pas de toilettes dans mon bureau. Pendant la journée, je devais aller déranger le voisin. Cette situation a duré toute une année. La nuit, je rentrais dans ma petite chambre au troisième étage.

La moindre de mes décisions devait être examinée lors de la réunion mensuelle de la Banque centrale du Bangladesh, à Dhaka, en présence de tous les directeurs régionaux des banques commerciales. C'était un processus particulièrement lent et laborieux.

La décision n° 37 (« *Donner une lampe-torche à chacun des employés de la banque afin qu'ils puissent marcher la nuit d'un village à l'autre* ») fut très mal accueillie. Nous passâmes deux heures à en discuter. Le problème n'était pas le coût des piles, mais la nécessité de préserver les traditions villageoises. Nos employés devaient donc utiliser de vieilles lanternes et des lampes à kérosène. Les banques finirent par se rallier à notre point de vue, mais non sans mal.

Certains spécialistes d'anthropologie sociale accusent Grameen de manipuler les structures traditionnelles et de changer la société. Mais pourquoi y voir quelque chose de négatif ? Certains processus sont irréversibles. Je suis résolument en faveur du changement. Le vieux doit laisser la place au neuf, c'est dans l'ordre des choses. Il ne saurait y avoir de changement sans rupture avec le passé.

Pour autant, je ne pense pas qu'il faille remettre en cause les traditions lorsqu'elles sont bénéfiques à la population.

En novembre 1979, nous commençâmes à consentir des prêts aux paysans sans terre du Tangail.

En mars 1980, j'épousai Afrozi, au cours d'une grande cérémonie à Dhaka, où furent invités certains des ministres que je connaissais et des banquiers avec qui je travaillais. J'avais rencontré Afrozi plusieurs années auparavant, chez des amis communs. Elle était professeur et chercheur en physique de pointe. Elle travaillait alors à l'université de Manchester, et comme moi elle était aussi à l'aise en Occident qu'en Orient.

Pendant quelques mois, Afrozi demeura en Angleterre pour achever son travail, tandis que je m'occupais de Grameen au Tangail. Quand elle vint enfin me rejoindre, nous nous installâmes au troisième étage de notre immeuble de bureaux. Depuis lors, nous vivons toujours près de nos bureaux, et la venue au monde de notre fille Deena, en 1986, n'a rien changé.

À chaque nouvelle implantation, Grameen doit procéder méthodiquement, sans précipitation : son succès en dépend. Non seulement, nous ne voulons pas heurter les personnes qui nourrissent à notre égard hostilité ou suspicion, mais nous estimons qu'il vaut mieux prendre le temps de faire les choses correctement, au lieu de commettre des erreurs en voulant aller trop vite.

Nous avons toujours eu pour principe de démarrer à petite échelle, avec discrétion.

Aucune agence ne devrait essayer de réunir plus de cent emprunteurs la première année.

Lorsqu'une agence perçoit le remboursement intégral des cent premiers prêts, elle peut commencer à envisager l'avenir avec un certain optimisme. (Il faut en général deux ans pour détecter d'éventuels défauts structurels dans un programme.)

Ainsi, lors de notre essaimage dans le Tangail, nous mîmes au point une méthode que nous devions réutiliser systématiquement par la suite.

Le directeur, généralement accompagné d'un adjoint

(un stagiaire qui se verra bientôt confier la création d'une nouvelle filiale), arrive dans un village où Grameen a décidé d'implanter une agence. Il est très important que ce directeur et son adjoint n'aient pas de bureau, pas de lieu d'hébergement et personne à contacter. Ils arrivent sans connaître personne, sans avoir été le moins du monde annoncés. Leur première mission consiste à se familiariser avec la région et à relever de façon détaillée tout ce qui la concerne.

Qui sont ces deux personnes arrivant avec si peu de bagages ? Les villageois les considèrent d'abord d'un air incrédule, croyant avoir affaire à des naïfs. Ils ne savent même pas où passer la nuit.

Si nous agissons ainsi, c'est pour nous démarquer le plus possible des personnages officiels qui arrivent dans un village dont les dirigeants locaux ont pris leurs dispositions pour les accueillir dignement. Ils sont sûrs de trouver à leur arrivée des plats délicieux servis chez les notables. Grameen se veut porteur de nouveaux idéaux et de nouvelles pratiques, et tient à le faire savoir d'emblée.

Ainsi, notre directeur et son adjoint doivent payer pour avoir une chambre, et ils ne sont pas autorisés à s'installer dans un cadre luxueux. Ils trouvent générale-ment un hébergement dans une maison abandonnée, une résidence scolaire ou des locaux municipaux. Ils doivent refuser les invitations à dîner des notables et leur expli-quer que c'est contraire au règlement de Grameen. Ils se préparent une nourriture si rudimentaire que certains villageois n'en voudraient pas.

Au début, personne ne croit qu'il s'agit effectivement là de cadres d'une banque. Comment se fait-il qu'ils n'aient ni bureau ni personnel ? Pourquoi se font-ils eux-mêmes la cuisine, comme des journaliers ?

Au bout de quelques jours, les habitants apprennent que ces deux étrangers qui viennent de s'installer dans le village sont titulaires de maîtrises. Les maîtres d'école locaux sont souvent les premiers à les apprécier à leur juste valeur. Aucun de ces enseignants n'a jamais accédé à l'université. Ils ont peine à croire qu'au terme d'un cursus universitaire, on vienne s'enterrer dans un village aussi misérable, parmi des gens si pauvres, sans grand fauteuil, ni grand bureau, et qu'on parcoure des kilomètres à pied toute la journée. D'ordinaire, les enseignants sont donc les premiers à soutenir la nouvelle agence.

À les voir, tout le monde a l'impression que non seulement nos jeunes diplômés sont venus vivre au village de leur plein gré, mais qu'en plus ils aiment leur travail. L'expérience prouve que les villageois remarquent toujours cet aspect de Grameen et qu'ils en conçoivent une véritable admiration pour les jeunes directeurs.

Les habitants essaient de se rappeler si un enfant du pays a jamais terminé l'université. S'ils connaissent un diplômé, c'est quelqu'un qui n'est jamais revenu. Il n'est pas rare de découvrir que la seule personne ayant une maîtrise dans un rayon de quinze kilomètres est le directeur de Grameen.

Dès que le directeur entre en action, les bruits les plus divers commencent à courir sur son compte — rumeurs souvent colportées par les milieux intéressés, comme les usuriers et les chefs religieux.

Le directeur et son adjoint parcourent quotidiennement plusieurs kilomètres à pied pour s'entretenir avec les villageois et répondre à leurs questions. Ils expliquent la marche à suivre pour former un groupe. Afin de favoriser les plus désavantagés, nous avons pour principe de n'accepter que les groupes de femmes installés loin de l'emplacement prévu pour l'agence. En mélangeant les pauvres et les non-pauvres, nous l'avons vu, on courrait à l'échec.

Tous les jours, les gens du village voient travailler le directeur de Grameen. Il ne ménage pas sa peine. Qu'il pleuve ou qu'il vente, il ne cesse de visiter les pauvres. Il n'essaie jamais de tourner les difficultés en nommant des villageois comme agents — ce que font habituellement les fonctionnaires et les banquiers commerciaux. Les habitants s'aperçoivent rapidement qu'il est très au fait des réalités locales.

Mais, en définitive, ce n'est pas par des discours, mais par son travail qu'il finit par gagner les gens à sa cause. Même si ses idées et ses méthodes n'emportent pas l'adhésion, il apparaît rapidement qu'il est là pour aider les pauvres, ou du moins qu'il n'est pas là pour ses intérêts personnels. Ainsi, il s'attire peu à peu la sympathie de la population, et les gens finissent par admettre qu'il veut vraiment améliorer le sort des plus démunis.

Lorsqu'un jeune homme se voit offrir la possibilité d'ouvrir une filiale, c'est l'occasion pour lui de se faire une réputation. Il se sent appelé à vivre une aventure. Sa formation l'a préparé à gravir cette montagne. Il veut maintenant s'attaquer aux sommets.

C'est au directeur et à lui seul de décider si son adjoint est à même de se lancer dans l'implantation d'une filiale ou s'il doit y renoncer. Lorsque sa décision est prise, il recommande l'emplacement de la nouvelle agence et dessine un plan de la zone. Il rédige un rapport sur l'histoire du village, sur sa culture, sur son économie et sur l'état de pauvreté dans la région.

Pour faire connaître Grameen, le directeur invite les autorités du village, les chefs religieux, les responsables politiques, etc. Un cadre de Grameen prend la parole et explique le fonctionnement de la banque dans les moindres détails, donnant aux villageois la possibilité soit d'accepter Grameen, avec toutes ses règles et méthodes, soit de l'inviter à quitter le village dans un délai spécifié. Jusqu'à présent, aucun village ne nous a jamais demandé de partir, mais en laissant aux gens cette option on leur indique qu'ils ne sont soumis à aucune espèce de contrainte.

*

Vers la fin de 1981, alors que notre expérience de deux ans dans le Tangail touchait à sa fin, la Banque centrale demanda aux directeurs régionaux de ses banques commerciales de procéder à une évaluation du travail de Grameen afin de décider de la suite à donner au projet. Leur réaction me plongea dans des abîmes de perplexité. Ils concluaient en substance : « Grameen fonctionne à merveille, mais son succès est dû au fait que le professeur Yunus et son personnel s'y investissent jour et nuit. Le professeur a travaillé jour après jour jusqu'à minuit. »

C'était le comble... Voilà qu'on allait me pénaliser pour un excès de travail !

« Grameen n'est pas une vraie banque, renchérit un autre banquier. Les gens qui travaillent pour Grameen sont un peu des scouts. Ils ne travaillent pas dans un bureau, ils font du porte-à-porte. Ils ne respectent pas les horaires des banques. »

Et un troisième d'ajouter :

« Grameen affiche des résultats que nous ne pourrions jamais obtenir. Ce n'est pas un modèle que nous pourrons transposer. Il est trop intimement lié à la personnalité de M. Yunus. Nous ne pouvons pas avoir un Yunus dans chaque agence. »

J'étais furieux.

Plutôt que d'admettre que nous avions mis au point une nouvelle structure bancaire, une idée nouvelle qui pouvait révolutionner le fonctionnement traditionnel des banques, ils essayaient à toute force d'attribuer nos succès à mes qualités personnelles et à celles de mon équipe. J'avais entendu le même son de cloche deux ans auparavant lorsque nous avions tenté l'expérience à petite échelle dans le village de Jobra.

En réalité, tout notre travail était un cauchemar pour les banquiers commerciaux. Nous avions affaire, en effet, à une clientèle intrinsèquement chère à gérer. Notre rapport annuel sur le Tangail recensait des centaines d'activités entamées par nos emprunteurs, allant du décorticage de riz à la fabrication de bâtonnets de glace, en passant par le commerce du cuivre, la réparation de radios, la fabrication d'huile de moutarde ou la culture du jaque[1] — toutes activités pour lesquelles nous devions dresser la liste des prêts déboursés et leurs montants.

Les banquiers classiques préfèrent prêter en une seule fois, à long terme, plusieurs millions de dollars à une entreprise. Pour une banque commerciale, le service d'une telle dette est bien plus facile — et moins coûteux — à gérer que celui de milliers de petits prêts à court terme. Nous, au contraire, plus nous avions de clients, plus nous étions heureux.

« D'accord, lançai-je, acceptant de relever le gant. Pourquoi ne pas étendre notre expérience sur une zone géographique très vaste ? Vous n'aurez qu'à choisir les endroits les pires et vous assurer qu'ils sont si éloignés les uns des autres que je ne pourrais matériellement pas être partout à la fois. Ainsi, ma personnalité ne pourra plus entrer en ligne de compte. »

Prenant une feuille de papier, je dessinai aussitôt un plan d'expansion sur cinq ans de l'expérience Grameen. Je leur promis également que cela ne coûterait pas un sou, car je trouverais un donateur international pour garantir leurs prêts.

Ils acceptèrent mon projet, parce que M. Gongopadhaya, le gouverneur adjoint de la Banque centrale — qui se trouvait aussi être notre bailleur de fonds —, était présent. S'ils voulaient vraiment prendre leurs décisions sur des bases solides, et eu égard à nos résultats au Tangail, ils n'avaient pas de raison de refuser ma proposition.

Depuis l'époque où j'enseignais à l'université de Chittagong, j'avais toujours pu compter sur le soutien d'une organisation internationale : la Fondation Ford. Des gens comme Lincoln Chen ou Bill Fuller avaient toujours su apporter à notre travail un soutien adapté.

En l'occurrence, la Fondation Ford étudiait notre expérience afin de nous apporter un financement qui

---

1. Fruit du jaquier. (N.D.T.)

allait nous permettre de surmonter les réticences des banquiers. Adrienne Germane, représentant résidant de la Fondation, fit venir deux banquiers américains pour évaluer nos activités. Mary Houghton et Ronald Grzynwinski, tous deux de la South Shore Bank de Chicago, vinrent nous visiter à Dhaka et sur le terrain, et ils furent très impressionnés par ce qu'ils virent de Grameen.

« Il me faut un fonds à la carte, expliquai-je à Adrienne à la fin de l'année 1981. Un fonds qui me servirait à faire face aux problèmes pouvant survenir au cours de mon travail. Je veux proposer aux banques commerciales qui se sont associées à notre projet d'expansion un fonds de garantie, pour qu'elles ne puissent pas se désister au motif que notre expansion serait trop risquée. »

Sur les recommandations de Ron et de Mary, la Fondation Ford accepta. Je leur demandai de réserver 800 000 dollars pour Grameen, leur assurant que, vu nos antécédents, nous n'aurions jamais besoin de ce fonds de garantie, dont la seule existence suffirait cependant à faire des miracles. Les choses se déroulèrent comme je l'avais prévu. Nous plaçâmes ce fonds sur un compte en banque londonien ; lors de son renouvellement, il nous avait rapporté 10 %, et nous n'y avons jamais touché.

Pour réduire le coût des capitaux, nous négociâmes un prêt de 3,4 millions de dollars auprès du Fonds international de développement agricole (FIDA), qui a son siège à Rome. Ce montant devait avoir pour contrepartie, sur une base de 50-50, un prêt de la Banque centrale destiné au programme d'expansion de Grameen dans cinq districts sur une période de trois ans.

Ainsi, à partir de 1982, nous lançâmes notre programme d'expansion, couvrant cinq districts très distants les uns des autres : Dhaka au centre du pays, Chittagong au sud-est, Rangpur au nord-est, Patuakhali au sud et Tangail au nord de Dhaka.

À la fin de 1981, le montant cumulé de nos prêts versés s'élevait à 13,4 millions de dollars. Au cours de la seule année 1982, nos versements augmentèrent encore de 10,5 millions de dollars.

XIX

FACE AUX ARCHAÏSMES

Lorsque les gens finissent par admettre que le micro-crédit combat efficacement la pauvreté au Bangladesh, l'un des commentaires qui reviennent le plus souvent est : « Incontestablement, vous avez bénéficié d'un contexte culturel particulier, celui du Bangladesh. »

Grotesque ! Grameen, au contraire, a dû batailler rudement pour instaurer au Bangladesh une contre-culture, et on nous considère souvent comme les instigateurs d'une véritable révolution sociale.

Non seulement le microcrédit heurte la culture dominante de notre pays, mais encore il va à l'encontre de nos pratiques les plus pernicieuses, comme l'institution de la dot, les mariages de mineurs ou les mauvais traitements infligés aux femmes.

*

Quand nous entrons dans de nouveaux villages, nous nous heurtons souvent à une forte hostilité de la part du clergé conservateur. Les chefs religieux terrorisent les villageois crédules, sans instruction, en leur représentant qu'une femme qui prend un crédit à Grameen empiète dangereusement sur les prérogatives masculines, et qu'à sa mort elle ne pourra pas se voir administrer les derniers sacrements. Perspective terrifiante. La femme se dit : « Non seulement je n'ai rien, mais le jour de ma mort, je serai privée de sépulture musulmane. Je ferais mieux de ne pas accepter cet argent. »

Même là où l'hostilité religieuse est la plus virulente, nous invitons nos employés à procéder pas à pas, à faire leur métier tranquillement, dans un coin du village. Et si seule une poignée de désespérées accepte l'argent que nous leur proposons, les autres femmes se rendront compte par elles-mêmes qu'il n'est rien arrivé d'épouvantable au premier groupe d'emprunteuses. Mais il faut tout recommencer à chaque nouveau village.

L'hostilité des chefs religieux donne naissance aux rumeurs les plus fantaisistes. Les exemples abondent. En 1987, Maharani Begum, trente-cinq ans, de la région côtière du Pathuakali, s'entendit dire que Grameen la convertirait au christianisme ; elle fut battue à maintes reprises par sa famille, qui voulait l'empêcher de nous rejoindre. Elle en rit aujourd'hui : « Ceux qui faisaient ces sinistres prédictions demandent maintenant à intégrer Grameen. » La mère et la grand-mère de Musammat Kuti Begum, vingt ans, de Faridpur, étaient domestiques à mi-temps, pour des salaires de misère. Elles rejoignirent Grameen bien qu'on leur eût prédit que la banque allait les vendre à un marchand d'esclaves du Moyen-Orient ! Mosammat Manikjan Bibi, trente-cinq ans, de Paipara, raconte : « Les prêteurs et les riches m'ont dit que si j'entrais dans Grameen, j'étais une mauvaise musulmane, que la Banque me jetterait au fond de l'océan, et que je ne reviendrais jamais. » Sakina Khatun, trente-huit ans, de Dariash Mirershorai, district de Chittagong, fut menacée de ne pas recevoir de sépulture musulmane si elle entrait à Grameen. Manzira Khatun, trente-huit ans, du district de Rajshahi, allait — si elle nous rejoignait — être torturée, après quoi nous lui tatouerions un numéro sur le bras et la livrerions à la prostitution.

Parmi les mensonges qui circulent sur le compte de notre banque, voici les plus courants :

Grameen...

va vous convertir au christianisme ;
va vous voler votre maison et vos biens ;
cache un réseau de traite des femmes ;
enlève les emprunteuses et on ne les revoit plus
jamais ;
va s'enfuir avec votre argent ;
n'a nullement l'intention de vous donner de l'argent ;
fait partie d'un vaste réseau international de contrebande ;
est une nouvelle Compagnie des Indes orientales qui s'inscrit dans une conspiration occidentale visant à nous recoloniser ;
le directeur de Grameen court après les femmes parce qu'il est animé de noirs desseins ;
si vous déterrez un emprunteur de Grameen, vous découvrirez que son corps est marqué d'une croix.

Dès que de telles rumeurs commencent à se répandre (et la liste qui précède n'est nullement exhaustive), la situation se tend rapidement. De part et d'autre, on s'apprête à en découdre.

Mais généralement, quand une femme est aux abois, qu'elle n'a plus rien à manger, qu'elle a été abandonnée par son mari, que pour nourrir ses enfants elle est réduite à la mendicité et qu'elle n'a personne pour l'aider, elle s'en tient à sa décision d'intégrer Grameen, malgré les imprécations du mollah.

Dans certains cas, le choix est dramatiquement simple : ou elle emprunte à Grameen, ou elle voit mourir ses enfants.

Et ceux qui se tiennent prudemment à l'écart, sans pour autant oser faire fi de ces terribles rumeurs, finissent par s'apercevoir que, même sur les questions religieuses, le directeur de Grameen a souvent de bien meilleures connaissances que ceux qui l'accusent d'être antimusulman.

*

Dès que des menaces physiques sont proférées, nos employés ont pour consigne de vider les lieux. L'exemple qui suit est révélateur de la façon dont nous procédons. On retrouve fréquemment ce cas de figure dans les villages les plus conservateurs.

Un chef religieux vint un jour trouver le directeur de Grameen et lui dit : « Si vous entrez dans ce village, c'est à vos risques et périls. Nous ne pouvons pas garantir votre sécurité ni celles de vos employés. »

Le directeur essaya de raisonner le chef religieux, mais il finit par quitter le village. Les membres potentiels vinrent lui demander ce qui se passait. « On vient de me dire que si j'entrais dans votre village, je risquais d'y laisser ma peau. Aussi, si vous voulez être membres de Grameen, vous devrez vous rendre au village voisin pour y assister à nos réunions d'orientation. »

Certaines firent tous les jours le trajet à pied jusqu'au village voisin, afin de former un groupe et d'entrer à Grameen. Mais d'autres femmes, plus déterminées que jamais, ayant observé les effets bénéfiques de Grameen dans d'autres villages, allèrent trouver le mollah et essayèrent de lui faire entendre raison :

— Pourquoi avez-vous menacé le directeur de Grameen ?

— Vous voulez donc aller en enfer ? C'est ça que vous voulez ?

— Si Grameen est venu dans notre village, c'est pour le bien de tous.

— Malheureuses ! C'est une organisation chrétienne !

— Le directeur de Grameen est musulman, et il connaît le Coran mieux que vous !

— Grameen veut détruire les règles du *purdah*, c'est pour cela qu'elle est venue.

— Pas du tout, nous pouvons travailler chez nous, décortiquer du riz, tresser des nattes, fabriquer des tabourets en bambou ou engraisser une vache, et élever nos enfants, sans jamais sortir. La Banque vient nous voir directement chez nous. En quoi est-ce contraire au *purdah* ? Ici, le seul qui soit contre le *purdah*, c'est vous, qui nous obligez à faire des kilomètres pour aller chercher de l'aide dans le village voisin. C'est vous qui mettez en péril notre mode de vie, et non Grameen.

— Adressez-vous donc au prêteur ; c'est un bon musulman.

— Il prend 10 % par semaine !

— Vous allez toutes finir en enfer !

— Si vous ne voulez pas que nous empruntions à Grameen, vous n'avez qu'à nous prêter l'argent vous-même...

— Allez toutes au diable ! Si vous voulez être damnées, allez-y, rejoignez Grameen. J'aurai fait ce que je pouvais pour vous mettre en garde. Empruntez et soyez damnées !

Folles de joie, les femmes se rendirent en toute hâte au village voisin pour annoncer la bonne nouvelle au directeur de Grameen :

— Vous pouvez revenir. Nous avons parlé avec le chef religieux ; il dit qu'il ne voit pas d'inconvénient à ce que vous reveniez !

Le directeur les remercia de leur persévérance, mais répondit :

— J'ai reçu des menaces physiques, je ne rentrerai qu'à une condition : que celui qui m'a menacé vienne lui-même me demander de revenir au village. Je ne veux pas que subsiste le moindre malentendu, ni que des menaces continuent à planer sur mes collègues.

Les femmes allèrent donc trouver une fois de plus leur chef religieux. Et une fois encore, elles le harcelèrent, sans lui laisser un jour de répit, jusqu'à ce que, de guerre lasse, il finisse par céder, regrettant même de s'être mêlé de cette affaire. Il se rendit alors en personne au bureau de Grameen, à l'agence voisine, et il invita notre directeur à revenir au village. Ce fut sans aucune courtoisie, mais tout le monde l'entendit, et c'était là l'important. Tout le monde avait entendu le mollah dire : « Écoutez, oublions ce que je vous ai dit. Vous pouvez revenir dans notre village. Je m'engage à assurer votre sécurité et celle de vos biens. Les femmes veulent que vous reveniez, je n'y vois aucun inconvénient. »

Et comme à chaque fois, Grameen entra lentement, posément, sans bousculer personne. Le temps joue en notre faveur.

*

L'islam ne constitue pas en lui-même un obstacle à l'élimination de la pauvreté par le microcrédit ; à proprement parler, rien dans l'islam n'interdit aux femmes de subvenir à leurs besoins ou d'améliorer leur situation économique.

En 1994, la conseillère pour la question féminine du président de l'Iran vint me rendre visite à Dhaka, et lorsque je lui demandai ce qu'elle pensait de Grameen, elle me répondit : « Il n'y a rien dans la *charia* ou dans le Coran qui aille à l'encontre de ce que vous faites. Pourquoi les femmes devraient-elles connaître la faim ou la pauvreté ? Au contraire, vous faites un travail formidable. Grâce à vous, toute une génération d'enfants va avoir accès à l'éducation. Et grâce aux prêts de Grameen, les femmes peuvent exercer une activité à domicile et ne sont plus obligées d'aller travailler à l'usine. »

En outre, la Banque Grameen appartient à ses emprunteurs. On le sait, la *charia* condamne le prêt avec intérêt. Or, si l'on en croit de nombreux universitaires islamiques, cette interdiction, qui avait pour but de protéger les pauvres contre l'usure, ne saurait s'appliquer à Grameen, dans la mesure où nos emprunteurs sont également propriétaires de la banque — puisque les intérêts versés à Grameen reviennent directement à la banque qu'ils détiennent, donc à eux-mêmes.

Il ne nous paraît aucunement souhaitable d'aller vers une confrontation avec les chefs religieux conservateurs, comme si nous appartenions à deux camps antagonistes. Cela ne ferait que conduire à une impasse, dans un contexte déjà difficile, en créant des blocages chez les gens et en provoquant un durcissement de part et d'autre.

Grameen est essentiellement tournée vers le développement économique à l'échelon individuel, et qui dit développement dit changement. Lorsqu'un individu parvient à redresser sa situation, sa vie tout entière en est transformée, et il se produit alors un changement radical. Ce changement ne constitue pas une victoire sur autrui, mais sur un état de misère individuel.

Changement et amélioration du niveau de vie ne sont, en définitive, qu'un seul et même processus.

*

Nous ne sommes en guerre contre personne, ni contre aucune philosophie. Grameen a pour seul objectif de libérer les individus du joug de la pauvreté et de l'injustice, en leur redonnant l'espoir.

Mais si l'on connaît nos succès dans la lutte contre la pauvreté, notre travail revêt aussi une dimension sociale et politique, souvent méconnue. Car le microcrédit, non content de libérer les pauvres de la faim, favorise leur émancipation politique. Les élections du 12 juin 1996 au Bangladesh en sont un bon exemple.

Le taux de participation aux élections de 1996 s'établit à 73 %. On ne dispose pas de chiffres officiels quant au nombre de suffrages féminins, mais d'après les données réunies par Grameen à travers le pays, les femmes ont partout été plus nombreuses à voter que les hommes.

Le taux de participation des hommes étant jusque-là

plus élevé que celui des femmes, les isoloirs pour hommes étaient deux fois plus nombreux que ceux pour femmes. Résultat, les électrices faisaient en moyenne trois heures de queue pour voter, contre moins d'une heure pour les hommes.

Il est inutile de dire aux femmes pour qui voter. La plupart d'entre elles ont trop longtemps été la cible privilégiée des conservateurs, des paternalistes et des fondamentalistes religieux, qui les menaçaient de toutes sortes de châtiments si elles enfreignaient les règles édictées par eux.

Échapper à la mainmise des prêteurs, ne plus mendier dans les rues, emprunter à Grameen : il faut pour cela beaucoup de volonté, de discipline et de courage. Celui, par exemple, d'aller voter. C'était pour elles une nouvelle revendication de liberté et de justice. Et plus que pour un candidat ou pour un parti, pour un revenu de subsistance, une maison des sanitaires, de l'eau potable.

*

En 1995, à New York, des spécialistes de géostratégie, peu soucieux de venir à bout de la pauvreté, me pressaient de questions sur les moyens de combattre l'islamisme. Je soulignai une fois de plus que Grameen n'était en guerre contre personne.

En revanche, j'insistai sur le fait que le microcrédit donnait aux indigents l'accès à des prestations normalement réservées aux riches. Dès lors, ce qui paraissait jusque-là figé, immuable dans une société pouvait commencer à se débloquer. Par le développement économique, nos emprunteurs s'affranchissent de tout un ensemble de règles édictées par les extrémistes religieux.

Si mon public me prêtait une oreille attentive, c'est parce qu'il avait pour principal souci d'endiguer une menace religieuse. Pour moi, cette menace se dissipera d'elle-même avec l'élimination de la pauvreté et la libération des pauvres.

On est toujours étonné de voir à quel point le microcrédit fonctionne en douceur, presque « biologiquement » : de même qu'un investissement bien plus important génère des dividendes, un apport d'argent, si modeste soit-il, réveille la créativité et le dynamisme économique. Grâce au microcrédit, les pauvres peuvent conjuguer leur capital humain et leurs capitaux d'investissement pour améliorer leurs conditions de vie et le monde qui les entoure.

Pour certains géostratèges occidentaux, le monde de demain est voué à des antagonismes culturels (chrétienté contre islam, etc.). Ils ont l'air de penser que ces conflits sont inévitables, étant donné le prosélytisme de certains régimes extrémistes.

À Grameen, nous voyons les choses autrement. Nous accordons des prêts indifféremment à des femmes musulmanes, hindoues, chrétiennes ou bouddhistes, et toutes les communautés religieuses et culturelles sont représentées dans notre conseil d'administration.

Il n'y a aucune raison d'aller vers une guerre religieuse ou culturelle si les pauvres peuvent s'en sortir grâce aux microcapitaux et à leur initiative personnelle, et devenir par là même des êtres humains indépendants, actifs, conscients et créatifs.

Espérons que l'Occident, champion du capitalisme, pourra prendre toute la mesure de ce que nous avons accompli ici au Bangladesh.

*

Les retombées du microcrédit ne sont pas seulement politiques et géostratégiques, mais également sociales :

Les femmes les plus pauvres du Bangladesh, cloîtrées chez elles en raison du *purdah*, exercent maintenant une activité économique qui confère à certaines d'entre elles une vraie liberté de mouvement, et elles peuvent parler à d'autres femmes au sein de leur groupe d'emprunteuses.

Dans les régions polaires de Norvège, le microcrédit a permis de repeupler des îles où les femmes n'étaient plus du tout intégrées au tissu social.

À Chicago et dans l'Arkansas, il a permis à des femmes qui vivaient de l'aide sociale depuis deux ou trois générations de s'en passer.

Dans les réserves indiennes d'Amérique du Nord, il a aidé des alcooliques à abandonner la boisson.

Quoi de plus logique, dans ces conditions, qu'au Bangladesh il ait infligé un revers électoral aux fondamentalistes religieux ?

XX

AUTRES ENNEMIS :
catastrophes naturelles, inondations, famines, raz de marée et autres maux

Le Bangladesh est le pays des catastrophes naturelles, et nous devons en tenir compte dans nos activités.

Mais quels que soient la catastrophe, le cataclysme ou la tragédie personnelle qui s'abattent sur une emprunteuse, nous avons toujours pour principe de lui faire rembourser son prêt, même s'il faut pour cela ramener la traite à un centime par semaine. Il s'agit par là de fortifier l'autonomie de l'emprunteuse, de l'engager à ne pas baisser les bras et à avoir confiance en ses propres capacités. En remettant une dette, on aboutit au résultat inverse, et on peut anéantir des années d'efforts, alors qu'on avait amené peu à peu l'emprunteuse à se faire confiance.

Lorsqu'une inondation, une famine déciment un village, détruisant les récoltes ou les bêtes d'une emprunteuse, nous lui attribuons immédiatement un nouveau prêt pour qu'elle redémarre son activité. Nous n'effaçons jamais l'ancien prêt, nous le transformons en un prêt à très long terme et essayons d'en obtenir le remboursement, si lentement que ce soit.

En cas de décès de l'emprunteuse, nous versons à la famille, le plus rapidement possible, l'indemnité du Fonds central d'urgence. Nous demandons alors au groupe ou au centre de réattribuer à un autre membre de la famille les crédits de la défunte.

Le Bangladesh est si souvent frappé par les catastrophes naturelles qu'il n'est pas rare qu'une même région en subisse plusieurs la même année.

En pareil cas, Grameen procède toujours de la même façon.

Dans un premier temps, les règles et méthodes de travail de la banque cessent provisoirement de s'appliquer. Le directeur local et tout le personnel de la banque doivent se rendre immédiatement sur les lieux et chercher à sauver le plus de vies possible, fournir des abris, des médicaments, de la nourriture, venir en aide aux enfants et aux vieillards.

C'est à la fois très important et difficile à mettre en œuvre. Après une catastrophe comme le raz de marée de 1991, qui a fait plus de 150 000 morts dans la région de Cox's Bazaar, au sud du Bangladesh, les survivants étaient prostrés, en état de choc psychologique.

Ils avaient entendu les alertes données à minuit, mais n'y avaient pas attaché plus d'importance qu'aux nombreuses fausses alertes entendues par le passé. Le raz de marée déferla à deux heures du matin, prenant au dépourvu une bonne partie de la population. Les employés et les directeurs de Grameen furent sérieusement touchés. Une fois remis du choc, ils partirent en bateau à la recherche des survivants. Partout gisaient des cadavres enflés d'animaux et d'êtres humains.

Les survivants durent être pris par la main et conduits en lieu sûr. Beaucoup se tenaient assis, sans bouger, ne sachant que faire. Le plus souvent, ils demeuraient à proximité de leurs maisons dévastées, de crainte que des pilleurs ne viennent leur voler les quelques biens qui leur restaient. Dans les heures qui suivent de tels cataclysmes, le bilan s'alourdit le plus souvent parce que les survivants, traumatisés, ne sont pas en état de chercher immédiatement un abri et de la nourriture.

En deuxième lieu, les employés de la banque se font

un devoir de visiter les maisons de nos membres et tentent de rétablir leur confiance en les assurant que la banque et d'autres membres sont prêts à leur porter secours. Ensuite, nous cherchons à savoir de quoi ils ont besoin pour redémarrer, et faisons le nécessaire pour leur venir en aide.

On distribue aux familles sinistrées l'aide alimentaire d'urgence, ainsi que de l'eau et de la solution saline, destinée à prévenir la déshydratation et la diarrhée. Suivent les distributions de semences d'urgence pour replanter, puis il faut donner de l'argent aux victimes pour qu'elles puissent acheter du bétail et de nouveaux biens d'équipement.

En l'espèce, l'importance de nouveaux prêts est avant tout d'ordre psychologique. Nous laissons certes à nos membres le temps de pleurer leurs proches, mais nous ne tenons pas à les voir sombrer dans l'apathie et la léthargie qu'engendre le désespoir. Nous voulons qu'ils repartent du bon bied, attachés à survivre et à reconstruire ce qu'ils ont perdu. L'aide nationale et internationale étant généralement inadaptée, la seule façon de surmonter la douleur et l'accablement, c'est de reconstruire.

Il est arrivé que nos emprunteurs soient victimes de catastrophes trois ou quatre fois dans la même année. Imperturbablement, les employés de Grameen interviennent pour proposer aux sinistrés de nouveaux crédits d'urgence et leur permettre de redémarrer une cinquième fois.

Il n'y a pas d'autre solution, ni pour eux, ni pour une banque ayant réellement la volonté de les aider.

Troisièmement, les anciens prêts sont rééchelonnés sur un temps suffisamment long. Le centre local est habilité à décider, lors d'une réunion spéciale, du délai à accorder aux victimes pour qu'elles remboursent leur prêt après la catastrophe.

Pour finir, nous élaborons des plans à long terme visant à accroître la sécurité de la région, notamment par la construction d'abris, et à assurer une formation permettant aux membres, ainsi qu'à leurs enfants, de se servir de ces abris.

J'évalue à environ 5 % la proportion de nos prêts qui
vont aux survivants de catastrophes naturelles.

Ce sont là des situations auxquelles nous avons pris
l'habitude de faire face. C'est si vrai que bon nombre de
nos agences situées le long du littoral sont désormais
construites en béton armé, et pourvues de vastes abris
anticyclones et anti-raz de marée.

C'est devenu une antienne nationale que de prétendre que notre situation est désespérée et que nous ne
pouvons vivre sans l'aide de la communauté internationale. Dans le passé, pour nos gouvernements, l'un des
moyens d'obtenir cette aide consistait à monter en
épingle les catastrophes naturelles.

À cet égard, les mesures prises par les gouvernements précédents s'étaient révélés nuisibles.

Si un gouvernement propose des prêts bonifiés ou
des prêts sans intérêt tout en dénonçant les taux d'intérêt pratiqués par les banques pour les pauvres, il devient
impossible de mettre en œuvre un programme de microcrédit autonome. Des structures indépendantes comme
la nôtre ont alors les plus grandes difficultés à poursuivre
leurs activités et à assurer leurs prestations à un niveau
de rentabilité suffisant, niveau en deçà duquel elles ne
pourraient plus exister.

Lorsque les gouvernements accordent une remise de
dette pour les prêts consentis par les banques nationales, il en résulte une situation presque intenable pour
les programmes de microcrédit, qui ont alors toutes les
peines du monde à recouvrer leurs créances.

*

Voici l'histoire de Pramila. En 1971, lors de la guerre
de Libération, sa maison fut incendiée à deux reprises
par l'armée pakistanaise, une première fois au mois de

juin et une deuxième fois au mois d'octobre. Elle entra à Grameen en 1984. Deux ans plus tard, atteinte d'entérite, elle fut admise à l'hôpital de Tangail pour y être opérée. On lui dit qu'elle allait devoir cesser de travailler pendant un an ou deux. Les autres membres de son groupe lui conseillèrent de prendre un prêt, qui serait prélevé sur le fonds du groupe, pour payer son opération. Mais il n'y avait pas suffisamment d'argent, si bien qu'elle dut vendre sa vache et son épicerie.

Elle reçut un nouveau prêt qui lui permit d'acheter des vaches laitières. Lorsque celles-ci moururent d'une maladie inconnue, elle se rendit à sa réunion hebdomadaire et emprunta la modeste somme de 60 dollars sur le fonds du groupe, afin d'acheter une nouvelle vache.

Lors des inondations de 1988, le village de Chhabbisha fut englouti, et sa maison détruite. Elle perdit toutes ses récoltes. Grameen interrompit toutes ses réunions pendant trois semaines, une épidémie s'étant déclarée dans le village. Le personnel bancaire vint tous les jours distribuer des pastilles de purification de l'eau et prodiguer des conseils de survie. Grâce au fonds de secours du centre, Pramila reçut 40 kilos de blé, ainsi que des semences pour planter des légumes, qu'elle remboursa à prix coûtant. Trois semaines plus tard, la situation au village étant redevenue normale, elle rouvrait son épicerie.

En 1992, une lampe à pétrole mettait le feu à sa maison. Tous les voisins et les gens du village eurent beau l'aider à éteindre les flammes, l'incendie se propagea, et elle perdit tous ses stocks, ses récoltes, ses réserves de nourriture, son épicerie et ses deux vaches. Tout ce qui lui restait, c'étaient les vêtements qu'elle et son mari avaient sur le dos.

Les employés de Grameen vinrent la trouver le lendemain matin et organisèrent une réunion spéciale, au cours de laquelle ils lui proposèrent un prêt qui serait prélevé sur le fonds de secours du groupe. Elle préféra demander un prêt saisonnier, ainsi qu'un prêt sur le fonds du groupe. Elle en utilisa une partie pour ouvrir une petite épicerie, le reste lui servant à acheter de l'engrais pour ses terres irriguées. Avec l'aide de ses trois grands fils, elle put commencer à rembourser le prêt. Trois mois plus tard, Grameen lui attribua un prêt au logement, qui devait lui permettre de se faire construire une nouvelle maison.

Elle en est actuellement à son douzième prêt. Elle possède et loue suffisamment de terres pour revendre dix *maunds* de paddy par an, après avoir nourri toute sa famille.

XXI

FORMATION DU PERSONNEL DE GRAMEEN

Notre succès s'explique en grande partie par le travail et le dévouement de notre personnel.

Nous recrutons presque uniquement des jeunes gens dépourvus d'expérience professionnelle. En effet, lorsque les candidats ont déjà acquis, dans un autre contexte, certaines habitudes de travail, ils ont tendance à mal comprendre ce que Grameen attend d'eux.

Grameen a pour principe de ne pas débaucher du personnel d'autres banques ou structures, car ceux qui n'ont pas débuté chez nous n'ont pas la même attitude vis-à-vis de la banque que ceux qui sont issus de nos rangs. D'autre part, nous encourageons la motivation et le dévouement de nos employés en leur assurant de l'avancement. Voilà des gens qui, sans Grameen, n'auraient peut-être jamais eu la possibilité d'accéder à des postes d'encadrement.

Si nous embauchions des « spécialistes », il y a fort à parier qu'ils poseraient toujours les mêmes questions, utiliseraient toujours les mêmes outils et parviendraient aux mêmes conclusions que par le passé, même formulées différemment.

De vieux spécialistes utilisant un nouveau langage pour s'adapter à une nouvelle culture d'entreprise, c'est la catastrophe assurée. C'est pourquoi nous n'embauchons que des gens qui n'ont jamais travaillé dans une banque classique — dans le cas contraire, cela demanderait beaucoup trop de temps de leur faire assimiler les méthodes iconoclastes de Grameen.

Si l'on a besoin de cinq personnes pour faire fonctionner une agence, je recommande de démarrer avec dix personnes, puis d'éliminer peu à peu les cinq qui ne font pas l'affaire.

Le travail dans une banque pour les pauvres est un travail extrêmement spécialisé, et doit être reconnu comme tel. C'est vrai à tous les niveaux, tant en matière de planification et de conception que sur le terrain, dans les contacts personnels.

Étant admis qu'une banque pour les pauvres représente un type de structure entièrement inédit, il convient en bonne logique de trouver un type nouveau de collaborateur.

Qu'est-ce qui différencie un employé ou un directeur de Grameen d'autres jeunes gens, outre le fait d'être prêt à travailler dans des conditions difficiles ?

Notre formation est très simple, mais très rigoureuse. Elle est simple, parce qu'elle consiste pour l'essentiel en une autoformation. Il n'y a pas de longs documents à parcourir, pas de manuels à assimiler. La présence sur le terrain en apprend davantage aux jeunes gens sur la vie que tous les livres du monde.

Tout titulaire d'une maîtrise dans quelque discipline que ce soit, avec au moins une mention assez bien [soit une moyenne de 12 à 14/20] à tous les examens de fin de cursus, et n'ayant pas plus de vingt ans, peut se porter candidat à un emploi de directeur de banque.

Nous passons des annonces dans les quotidiens nationaux et recevons un grand nombre de candidatures. Nous regrettons toujours de ne pas avoir les équipements nécessaires pour les accepter toutes. La moitié de ceux qui nous écrivent feraient d'excellents directeurs de banque à Grameen. Mais nos moyens de formation étant limités, nous sélectionnons les candidats par des entretiens et n'en retenons qu'un petit nombre, trié sur le volet.

Ceux que nous retenons doivent se mettre en contact avec notre Institut de formation. Là, on leur explique pendant deux jours le déroulement de leur formation, à la suite de quoi nous les envoyons sur le terrain ; chacun d'eux restera affecté à une agence pendant six mois. Avant leur départ, l'Institut leur dit : « Observez tout attentivement. À l'issue de votre formation, vous devrez créer votre propre agence Grameen, qui devra surpasser à tous points de vue celle où vous avez passé vos six premiers mois. »

Ainsi, les stagiaires découvrent Grameen par eux-mêmes et dans le fonctionnement concret d'une agence. Durant cette période, ils sont invités à émettre des critiques, à faire des propositions en vue de modifier ou d'améliorer les méthodes de travail, et à les présenter à leurs collègues.

Toujours pendant cette période, les stagiaires de chaque groupe se réunissent tous les deux mois à l'Institut de formation. Au cours de ces réunions, qui durent une semaine, ils doivent rivaliser de clairvoyance, en soulevant des problèmes de fonctionnement complexes, en proposant de nouvelles règles et méthodes, et en convainquant leurs collègues que ces nouvelles règles nous rendraient plus efficaces. Certains problèmes évoqués font l'objet d'un débat, mais ne sont pas résolus. Les stagiaires doivent alors retourner à leurs agences pour trouver des solutions aux problèmes qu'ils ont eux-mêmes soulevés.

Pendant ces six mois, le jeune homme frais émoulu de l'université se retrouve confronté directement, pour la première fois de sa vie, aux réalités du Bangladesh.

Personne ne lui a jamais apporté un tel enseignement. Dans un premier temps, il se demande ce qu'il fait là. Il regrette d'avoir accepté cet emploi à Grameen. Puis il s'aperçoit que les autres prennent leur travail à cœur, surtout il constate que tout ce travail donne des résultats. Ce qu'il voit le motive. Ce n'est pas la promesse d'un changement dans un avenir lointain ; tout se passe ici et maintenant, devant ses yeux, et cela renforce son envie d'agir à son tour.

*

Quand nos stagiaires reviennent pour une semaine après deux mois passés sur le terrain, ils apportent toujours une bouffée d'air frais. Ils ont beaucoup d'observations intéressantes à faire.

Tandis que nous, la vieille garde, au siège, sommes très fiers du travail accompli, les stagiaires arrivant du terrain sont porteurs de terribles nouvelles. À les entendre, nos règles sacro-saintes sont constamment bafouées. Tout ce qui dans notre esprit devait être parfaitement organisé n'est plus que gabegie. Ils proposent de grands projets pour revoir notre fonctionnement, et de terribles châtiments pour ceux qui enfreignent nos règlements. Et nous autres, vieilles badernes au sommet de la hiérarchie, nous nous saisissons de nos derniers rapports du terrain, de nos dernières analyses de tendances et de tout ce sur quoi nous pouvons mettre la main, et nous tenons prêts à essuyer le feu nourri de la critique.

Ensuite, nous invitons les participants à débattre avec franchise, ce qui est parfois l'occasion de mettre quelques bémols aux critiques des stagiaires, même s'il y a une part de vérité dans leurs observations.

Bien qu'un peu rassurés, nous transmettons tous ces renseignements à notre département de suivi et d'évaluation, qui restera attentif à ces problèmes et procédera de temps à autre aux vérifications qui s'imposent.

Non seulement nous sommes ouverts à la diversité des opinions et des styles personnels, mais nous les encourageons. Il ne saurait y avoir d'innovation sans un climat de tolérance, de diversité et de curiosité. Dans un contexte trop rigide, il n'y a pas de place pour la créativité.

Un certain nombre de pratiques adoptées à l'échelon national par Grameen ont d'abord été expérimentées par nos jeunes directeurs sur le terrain. C'est le cas notamment : 1/ de la réunion annuelle d'athlétisme organisée par chaque agence pour les enfants des membres ; 2/ de la réunion anniversaire fêtant la fondation de l'agence ; 3/ des exercices physiques.

Dans un premier temps, nous étions nombreux à penser que ce type d'exercices seraient mal perçus par les membres. Or, ces derniers se réunissaient volontairement en plein air, le matin, pour faire de la gymnastique et défiler avec les membres venus des divers centres et agences, car cela renforçait leur sens de l'autodiscipline et leur détermination à sortir de la pauvreté. D'où la décision d'étendre cette pratique à toute la banque.

Généralement, les jeunes gens et les jeunes femmes bangladais ont un grand sens des responsabilités sociales. Les étudiants ont toujours été à l'avant-garde des mouvements sociaux et politiques. Ils étaient en première ligne dans la guerre de Libération nationale et ils consentent encore d'énormes sacrifices personnels pour des causes nationales.

*

Contrairement à celui d'autres banques commerciales, notre personnel se compose avant tout d'enseignants, soucieux d'amener les emprunteurs à découvrir leurs ressources cachées, à élargir leurs horizons, bref à donner le meilleur d'eux-mêmes. Nos collaborateurs ont la possibilité d'utiliser toutes leurs connaissances, leur imagination et leur expérience pour devenir des enseignants à part entière. L'emploi de directeur est une aventure personnelle, un défi.

Je suis enseignant par choix. De nombreux cadres dirigeants de Grameen ont été mes étudiants à l'université de Chittagong, et je me félicite qu'ils me considèrent plus comme leur professeur que comme leur patron. Avec un patron, il faut savoir garder ses distances, tandis qu'on est davantage de plain-pied avec un enseignant.

On peut parler librement de ses problèmes et de ses points faibles avec son professeur. On peut lui avouer ses erreurs, sans craindre d'encourir des sanctions.

Un responsable a besoin de son bureau, de ses papiers, de son téléphone pour rester un cadre. Sans ces béquilles, il est perdu. On peut enlever tous ces accessoires à un salarié de Grameen, il reste un enseignant dans l'âme.

*

Contrairement à nos cadres, nos employés n'ont pas de maîtrises. Ils ont seulement suivi deux ans d'études pré-universitaires et ont au moins un « *B average* » (aucune note au-dessous de 12/20), tant dans l'enseignement secondaire qu'au collège pré-universitaire. S'ils entraient dans l'administration, ils pourraient être employés subalternes ou garçons de bureau, soit le plus bas échelon de la hiérarchie.

Nous recevons des milliers de candidatures tous les ans pour de tels postes, et nous ne prenons en moyenne qu'un candidat sur dix. Je le regrette, parce que 75 % des personnes avec qui nous avons un entretien pourraient faire de bons employés de banque. Il est navrant de ne pas pouvoir leur donner à tous quelque chose d'utile à faire. Beaucoup d'entre eux ont terriblement besoin d'un emploi, et la recherche d'emploi est souvent un véritable parcours du combattant au Bangladesh.

Presque toutes les sociétés demandent à chaque candidat un dépôt non remboursable. Certaines pseudo-entreprises diffusent même de fausses offres d'emploi pour toucher l'argent des candidats. Nous, nous ne sélectionnons qu'en fonction du mérite ; nous ne demandons ni frais de candidature ni dépôt.

La quasi-totalité des candidats (85 % de garçons, 97 % de filles) qui se présentent à un entretien chez nous viennent à Dhaka pour la première fois. Pour payer les frais de voyage, de nombreux parents doivent vendre des produits de la ferme, des arbres sur pied, des vaches, des chèvres, des bibelots, tout ce qu'ils ont — ou bien emprunter de l'argent... souvent aux usuriers.

Plus de la moitié de nos candidats arrivent à Dhaka le jour même de l'entretien, car ils n'ont personne chez qui passer la nuit, et une nuit à l'hôtel ou dans une pension revient trop cher. Près d'un quart passent la nuit à la gare, car ils doivent attendre le lendemain matin pour pouvoir repartir par le premier train.

Presque tous ceux qui se présentent sont de très braves gens, ayant un grand sens des valeurs traditionnelles. La plupart d'entre eux font leur prière cinq fois par jour, comme doit le faire tout bon musulman.

Pour ceux qui ont travaillé chez nous, les possibilités de carrière sont excellentes. Mais bien que les salaires pratiqués à Grameen correspondent à ce que gagne un fonctionnaire à un poste équivalent, nos employés sont rarement attirés par les rémunérations plus élevées que proposent les banques commerciales et d'autres ONG.

Voici la journée type d'un employé de Grameen. Il s'agit là d'une synthèse des activités des 12 000 personnes que nous employons actuellement :

> Nom : Akhtar
> Âge : 27 ans
> Salaire mensuel : 2 200 *taka*, y compris l'indemnité de logement, l'allocation de soins médicaux et les frais de transport.
> 6 heures : Lever, toilette, prière, petit déjeuner.
> 7 heures : Akhtar prend ses documents, son sac, enfourche sa bicyclette et part pour l'agence.
> 7 h 30 : Quarante emprunteurs attendent Akhtar. Ils sont assis à l'intérieur de la cabane en bambou qu'ils ont construite eux-mêmes.
> Les emprunteurs ont pris place sur huit rangées, chacun avec les membres de son groupe. Chaque chef de groupe tient les livrets d'épargne des cinq membres de

son groupe, ainsi que le sien. La réunion débute par des exercices physiques.

Akhtar recueille les remboursements de prêts et les dépôts d'épargne de chaque groupe.

9 h 30 : Akhtar se dirige à bicyclette vers un autre centre pour sa seconde réunion. Pendant la semaine, il s'occupe de dix centres différents. Il rencontre ainsi les quatre cents emprunteurs qu'il a sous sa responsabilité et il recueille les versements correspondant aux différents types de prêts (généraux, saisonniers, prêts au logement), ainsi que les dépôts d'épargne.

Avant de quitter le deuxième centre, il remarque qu'il a recueilli quelques *taka* de plus par rapport au montant indiqué sur le grand livre. Vérification faite, il s'aperçoit que l'un des membres a effectué un remboursement qui ne vient à échéance que la semaine suivante.

11 heures : Akhtar rend visite aux membres et leur donne des conseils. Ces visites lui permettent de se tenir au courant des besoins et des problèmes des emprunteurs. C'est là un aspect important de son travail, qui lui donne l'occasion d'exercer concrètement ses talents d'enseignant.

12 heures : Retour à l'agence. Akhtar remplit tous les formulaires comptables et effectue tous les relevés sur le grand livre.

Une fois que le directeur de l'agence en a terminé, Akhtar peut disposer de son temps. Cependant, il doit vérifier soigneusement que tout a été bien reporté, car un écart, même d'un *taka*, ne saurait être toléré.

13 h 30 — 14 heures : Déjeuner, tasse de thé avec les collègues.

14 heures : Les fonds réunis dans la matinée sont redistribués sous forme de nouveaux prêts dans l'après-midi. Les employés assistent le directeur d'agence dans sa tâche.

15 heures : Akhtar et ses collègues enregistrent dans les livres tous les renseignements concernant les prêts ainsi versés.

16 h 30 : Akhtar boit du thé et s'entretient avec ses collègues.

17 heures — 18 h 30 : Il visite un centre qui éprouve des difficultés avec certains prêts, ou organise un programme éducatif pour les enfants.

19 heures : Rentre au bureau, s'occupe de la paperasserie et termine sa journée.

Telle est la vie d'un employé de Grameen. Le siège de Dhaka n'est que notre centre administratif. La vraie Grameen est là, sur le terrain.

XXII

NAISSANCE DE GRAMEEN
EN TANT QU'ÉTABLISSEMENT
INDÉPENDANT

Le Bangladesh compte 120 millions d'habitants, mais seuls une poignée d'individus y détiennent la réalité du pouvoir, la plupart s'étant rencontrés au collège ou à l'université. Cette particularité, en soi regrettable, a cependant permis à Grameen de surmonter d'impossibles obstacles bureaucratiques.

*

M. Muhit était ministre à l'ambassade du Pakistan, à Washington, lorsque j'étudiais aux États-Unis. Pendant la guerre de Libération, nous fîmes pression sur le gouvernement américain afin d'obtenir son soutien. J'eus ainsi l'occasion de le connaître d'assez près.

Une décennie plus tard, contre toute attente, il fut nommé ministre des Finances du Bangladesh. Cet heureux hasard devait déboucher sur la création de la Banque Grameen en tant qu'institution indépendante.

Nous nous revîmes en 1982, à l'École de développement rural du Bangladesh, à Comilla, où j'étais supposé faire un exposé définissant les grandes lignes du projet Grameen. Comme nous prenions place dans la salle de conférences, nous apprîmes qu'un coup d'État avait renversé le gouvernement civil, et que le chef d'état-major, le général Ershad, s'était emparé du pouvoir. La loi martiale avait été instaurée et la circulation interrompue. A.M.A. Muhit et moi-même passâmes toute la journée assis à la caféteria de l'école, avec les autres délégués. Ce fut l'occasion d'une discussion en tête à tête, toutes les réunions étant interdites.

A.M.A. Muhit était devenu un fervent partisan de Grameen du temps où il était encore haut fonctionnaire. Il avait même projeté de lancer, de sa propre initiative, un programme Grameen dans son village. Ce jour-là, je lui fis donc part de mes projets, lui expliquant que je voulais faire de Grameen une institution bancaire indépendante, mais que je me heurtais à l'opposition des fonctionnaires et de la bureaucratie de la Banque centrale. À la fin de la journée, l'armée rétablit la liberté de circulation et nous pûmes regagner Dhaka.

Dans les jours qui suivirent, Muhit fut nommé ministre des Finances.

Quelques mois plus tard, je le rencontrai de nouveau et lui demandai de nous aider. Il me rappela bientôt pour me dire :

— Yunus, à la prochaine réunion mensuelle de la Banque centrale, je tâcherai d'aider Grameen à obtenir son nouveau statut.

— Attendez-vous à beaucoup de résistance, l'avertis-je.

— Je sais, mais j'inscrirai la question à l'ordre du jour.

Ainsi fut fait, et naturellement les directeurs des banques nationales s'opposèrent au projet avec un bel ensemble. Aucun ne voulait voir Grameen devenir une banque indépendante.

Deux mois plus tard, Muhit organisa à nouveau une réunion des directeurs des sept banques, à travers les agences desquelles nous avions géré le projet Grameen, et une fois de plus il souleva le problème de l'avenir de Grameen. Une fois encore, tous s'accordèrent à reconnaître que Grameen faisait un travail remarquable, mais qu'il serait désastreux d'en faire une banque indépendante.

— Yunus devra prendre à sa charge de nombreux frais de gestion qu'il peut actuellement répercuter sur nous, expliqua l'un d'eux. Il ne réalise pas bien ce que coûte une telle banque.

Et un autre, se tournant vers moi :

— Vous pourriez créer une division de notre banque et travailler à travers elle. Cela ne vous conviendrait-il pas mieux ?

— Non, répondis-je, parce que je devrais m'adapter à vos méthodes de travail, et à Tangail nous nous sommes aperçus que c'était extrêmement difficile, je dirais même impossible.

— Votre personnel va essayer de vous gruger, intervint un troisième. Vous n'avez pas idée des difficultés que représente une gestion interne.

Heureusement pour nous, le secrétaire d'État aux Finances, M. Sayeeduzzaman, était lui aussi un ami de Grameen. Muhit s'assura de son soutien et transmit ma proposition directement au Président. Je n'ai jamais rencontré le Président. En tant que dictateur militaire, il n'avait aucune légitimité, et peut-être voyait-il dans Grameen une possibilité de redorer son blason. Toujours est-il que cela joua en notre faveur. Muhit savait exactement comment et quand lui soumettre cette proposition, et il lui présenta certainement les choses sous un jour très favorable, car le Président donna son consentement.

Une fois que vous avez l'aval du Président, présenter un projet en Conseil des ministres n'est plus qu'une formalité. Le Conseil des ministres approuva le projet sans formuler la moindre objection, et le ministre des Finances fut chargé de mettre en œuvre cette décision.

Dans mon esprit, la Banque Grameen devait être détenue à 100 % par ses emprunteurs. J'avais toujours été très clair sur ce point. Mais Muhit me fit comprendre que ma proposition aurait plus de chances d'être adoptée si j'attribuais une tranche d'actions au gouvernement.

Il me demanda en outre de présenter un projet de statut juridique pour la nouvelle banque.

J'entrai en contact avec le Dr Kamal Hussaïn. Ancien ministre des Affaires étrangères du Bangladesh, le Dr Hussaïn était l'un des plus proches collaborateurs de notre premier Président, Sheikh Mujib, lorsqu'il négociait l'avenir politique du Pakistan après sa victoire écrasante au Pakistan oriental. Lorsque le Bangladesh eut accédé à l'indépendance, le Dr Hussaïn fut l'un des principaux artisans de la nouvelle constitution.

Mon plus proche collaborateur, Muzammel, connaissait très bien le Dr Hussaïn. Muzammel est une personnalité hors du commun. Liens de parenté, dates, carrières, propos exacts : rien n'échappe à sa prodigieuse mémoire. Fin connaisseur des problèmes de développement, il impressionne tous ses interlocuteurs par l'étendue de ses connaissances et la pertinence de ses analyses.

C'est Muzammel qui me poussa à demander l'aide du Dr Kamal Hussaïn et qui lui fit part de nos difficultés. Hussaïn était boursier résidant à Oxford lorsque Muzammel y faisait ses études ; ils se connaissaient bien.

Le Dr Hussaïn, qui était lui aussi un partisan convaincu de Grameen, prit donc part à l'élaboration de nos statuts. Il était d'avis que nous proposions une participation de 40 % au gouvernement, ce qui laisserait 60 % à nos emprunteurs. Sans grand enthousiasme, je me rendis à ses raisons. La rédaction du texte connut de nombreux états, et à chaque fois nous examinions en détail chaque article, chaque alinéa, chaque mot. Enfin nous présentâmes la version définitive au ministère. Après quoi, il ne nous restait plus qu'à attendre.

À la fin du mois de septembre 1983, alors que j'étais en visite à Rangpur, Muzammel m'appela de Dhaka pour me dire que le Président avait signé la proclamation et que la Banque Grameen était née.

Ce fut pour nous tous une journée de grandes

réjouissances. Le modeste projet de Jobra s'était hissé au rang d'institution financière à part entière !

De retour à Dhaka, lorsque je pris connaissance du texte de la proclamation, je tombai de haut : les parts d'actionnariat avaient été purement et simplement inversées, le gouvernement s'octroyant 60 % des actions contre 40 % pour les emprunteurs. Grameen était devenue une banque d'État ! Or, c'était précisément ce que j'avais cherché à éviter. Je me sentais trahi, profondément blessé.

J'appelai aussitôt le ministre des Finances pour lui dire ma façon de penser. C'était un homme patient, et il m'invita à venir dans son bureau pour m'expliquer quelle avait été sa stratégie. Je ne savais pas vraiment quel parti prendre. Devais-je accepter son invitation ou la refuser ? Dans un cas comme dans l'autre, quelles en seraient les conséquences ? Je finis par me dire que de toute manière le mal était fait, que je n'avais rien à perdre, si bien que j'acceptai de le rencontrer.

A.M.A. Muhit comprenait mon point de vue, mais il fit tout ce qui était en son pouvoir pour me convaincre que la situation n'était pas aussi catastrophique que je voulais bien le croire. Il m'expliqua que ce n'était qu'une étape vers le but que je m'étais fixé :

— Vous vouliez avoir une banque, n'est-ce pas ? Ce n'était pas possible autrement.

— Mais cela remet en cause tout mon travail...

— Non, pas du tout. Faites-moi confiance. Je voulais seulement mettre toute les chances de mon côté. Si j'avais présenté la proposition comme vous l'entendiez, je ne pense pas qu'elle aurait eu l'aval du Conseil des ministres. J'ai donc inversé les proportions pour m'assurer son soutien. Une fois que vous aurez créé votre banque, vous pourrez revenir au ministère des Finances pour modifier la structure du capital. Ce sera alors beaucoup plus simple. Je vous promets que d'ici deux ans, j'aurai inversé les participations respectives détenues par l'État et vos emprunteurs. Vous avez ma parole d'honneur.

Je n'étais guère convaincu et je retournai m'entretenir à ce sujet avec mes principaux collaborateurs — Muzammel, Mahbub, Dipal et Nurjahan. De l'avis général, nous n'avions pas le choix, et que cela nous plaise ou non, la Banque Grameen était née. Nous avions intérêt à nous en accommoder et à la gérer au mieux, plutôt que de nous en désolidariser et de laisser au gouvernement la possibilité d'en prendre entièrement le contrôle.

Notre équipe sur le terrain se félicitait de la tournure des événements. Le fait que Grameen soit une banque d'État leur assurait la sécurité de l'emploi et une vie relativement facile.

Nous décidâmes donc de prendre les choses du bon côté, et nous participâmes aux réjouissances avec un grand enthousiasme, tout en veillant à ce que notre personnel ne se sente pas fonctionnarisé.

Nous convînmes immédiatement d'une date pour l'inauguration de Grameen en tant que banque indépendante. Nous signâmes des conventions de prêt avec toutes les banques commerciales pour une reprise de leur actif et de leur passif à compter du 1er octobre 1983. Et nous décidâmes d'organiser une cérémonie d'ouverture, le 2 octobre.

Le ministre des Finances, M. Muhit, y serait notre invité d'honneur. Mais lorsque nous informâmes le ministère que la cérémonie aurait lieu dans une agence située dans un village, on nous fit savoir que ce n'était pas un lieu convenable pour le lancement d'une banque, qu'il fallait le faire en ville afin que tous les hauts dignitaires de l'État puissent y assister.

Nous essayâmes de leur expliquer que, comme nous ne travaillions pas en zone urbaine, cela n'avait aucun sens d'organiser une cérémonie dans un lieu où nous n'avions pas d'emprunteurs.

« Si la cérémonie se déroule en ville, fis-je valoir, nos emprunteurs ne pourront pas y participer, alors même qu'ils détiennent une participation de 40 % dans la banque. On ne va tout de même pas les obliger à faire ce voyage pour la simple raison que les personnalités du gouvernement ne veulent pas se rendre dans un village ! »

Nous ne cédâmes pas, insistant pour que cette manifestation ait lieu en milieu rural — là où nous travaillions, entourés de nos emprunteurs, sur leur lieu d'habitation. Nous étions une banque implantée dans le monde rural, destinée au monde rural, et le lieu de l'inauguration revêtait une importance particulière, qui n'échapperait à personne.

Le fonctionnaire du ministère des Finances chargé de la Banque Grameen nous fit savoir que si nous nous entêtions à vouloir organiser la cérémonie d'ouverture dans un village, le ministre ne trouverait peut-être pas le temps d'y assister. Je lui répondis que c'était au ministre de décider s'il allait trouver le temps ou non, mais que la cérémonie se déroulerait comme prévu, avec ou sans lui.

Afin de sortir de l'impasse, j'appelai Muhit et lui précisait la date et le lieu choisis pour la cérémonie, ainsi que le déroulement prévu des manifestations. Il me confirma immédiatement qu'il y assisterait et il me donna les noms d'amis à lui qu'il souhaitait que nous invitions. Il était désormais évident que ce n'était pas le ministre, mais bien le fonctionnaire du ministère qui estimait que la cérémonie devrait se tenir en ville !

*

Pendant que nous définissions le cadre juridique de la banque, je réfléchissais aussi à un logo.

Souvent, lorsque j'assiste à une réunion et que je ne participe pas au débat, je griffonne sur mon bloc-notes. Ce jour-là, mes gribouillages avaient pour sujet un nouveau logo. Trois thèmes commençaient à se dégager, tous concernant le monde rural. L'un avait trait à la vannerie, belle allégorie où chaque petit élément peut former un tout aussi grand qu'on le souhaite.

Je réfléchissais également au chiffre cinq, tous nos groupes se composant de cinq personnes. J'essayai diverses combinaisons, avec cinq bâtons, cinq personnes, cinq mains, cinq visages.

Le troisième thème que je voulais intégrer au logo était la maison villageoise typique, qui symbolise à merveille la ruralité.

À cette époque, dès que je visitais un village Grameen, j'observais attentivement tous les cannages encore inachevés, le décorticage du riz, les différents travaux des villageois, leurs maisons, leurs outils et leurs ornements, pour voir s'il y avait un détail que je pourrais utiliser dans le logo, ou qui pourrait tout simplement le constituer. La disposition des fibres, au premier stade de la fabrication d'un bol en vannerie, avait particulièrement frappé mon imagination. J'essayai donc diverses variations autour de ce motif.

À quelque temps de là, je fus invité à Bangkok pour un séminaire. J'écoutais une conférence d'une oreille distraite, tout en griffonnant sur mon bloc. Je réfléchissais au thème de la maison villageoise, quand soudain m'apparut l'idée générale d'un logo. J'en dessinai plusieurs versions, et tout d'un coup, je sus que j'avais trouvé. Je notai même la combinaison de couleurs.

Dès mon retour à Dhaka, je le fis dessiner et colorier, et le montrai à mes plus proches collaborateurs — Muzammel, Mahbub, Dipal, Nurjahan, Dayan. Ils furent très diplomates dans leurs commentaires. Comme c'était moi qui avais dessiné le logo, ils ne pouvaient pas rejeter ma proposition sans y mettre les formes. Ils me pressèrent de questions. Qu'est-ce que cela symbolisait ? Que voulaient dire les couleurs ? Je donnai mes propres interprétations. Il s'agissait d'une maison traditionnelle, symbole de ruralité. Le rouge de la flèche s'élevant dans les airs signifiait la vitesse. Le vert représentait la vie nouvelle, cible visée par la flèche.

Le moins qu'on puisse dire est qu'ils ne débordaient pas d'enthousiasme, mais ils se rangèrent finalement à mon avis, et nous commençâmes à utiliser ce logo sur nos brochures et notre papier à lettres. Pour qu'il soit définitivement associé à Grameen, nous l'utilisâmes le jour de la cérémonie d'ouverture. Nous construisîmes un logo de grande taille, en bambou et en papier coloré. Il constituait le portail par lequel on entrait dans l'agence Grameen ; la partie verte était la porte qu'il fallait pousser pour entrer dans l'agence.

Notre logo ne fut jamais remis en question par le conseil d'administration. Connu de tous, il est désormais indissociable de Grameen.

*

Le 2 octobre 1983, le projet Banque Grameen devenait enfin la « Banque Grameen ».

Jusqu'alors, nos collaborateurs avaient été recrutés à titre temporaire ; ils savaient qu'un jour ou l'autre le projet prendrait fin et qu'ils se retrouveraient sans emploi. Dès que Grameen devint une banque indépendante, ils furent automatiquement titularisés. Une véritable aubaine.

Nous organisâmes la cérémonie d'ouverture dans un grand terrain découvert du village de Jamurki, au Tangail. Nous avions invité des groupes d'emprunteurs sélectionnés parmi les diverses agences, ainsi que tout le personnel des agences voisines. Le terrain était noir de monde. D'autres invités vinrent de Dhaka. Le ministre Muhit, des représentants des emprunteurs et moi-même prîmes place sur le podium.

C'était une très belle journée, très ensoleillée. J'ouvris la cérémonie en citant des versets du Coran, comme le veut la tradition en pareille circonstance. Les discours des emprunteuses furent très émouvants. Pour nous tous, c'était le couronnement de longues années d'efforts.

Je regardai toutes ces femmes, assises dans leurs saris rouges, verts, ocre et roses — une mer de saris —, des centaines d'emprunteuses aux pieds nus, venues quelquefois de très loin pour participer à la fête. Leur présence à toutes, au-delà des discours, était la meilleure preuve de la vitalité de la banque. Leur volonté, leur détermination à sortir de la pauvreté ne faisaient pas le moindre doute — et c'était une volonté impressionnante, communicative.

*

Malheureusement pour nous, Muhit ne s'entendait pas avec le Président Ershad, et il donna sa démission en 1985, avant d'avoir pu tenir parole quant à la structure du capital de Grameen.

Par chance, le secrétaire général du ministère des Finances, M. Sayeeduzzaman, était un ami de Muhit. Ils avaient tous deux fait carrière dans la fonction publique. Par ailleurs, Sayeeduzzaman partageait l'enthousiasme de Muhit pour Grameen, et il était au courant de la promesse que celui-ci m'avait faite. Lorsque je la lui rappelai, Sayeeduzzaman m'assura qu'il ferait le nécessaire.

Et il tint parole. Il modifia discrètement la répartition du capital de Grameen : 75 % des actions revenaient à nos emprunteurs, les 25 % restants étant dévolus à l'État, ainsi qu'à la Sonali Bank et à la Krishi Bank, deux établissements publics.

*

En 1986, la composition du conseil d'administration fut modifiée de façon que les emprunteurs-actionnaires y soient majoritaires.

Nous nous trouvions dans une situation paradoxale. Grameen était une banque privée dirigée par un haut fonctionnaire. Juridiquement, j'étais un directeur général nommé par le gouvernement. Je devais me conformer à toutes les règles en vigueur dans l'administration, y compris l'autorisation du Président lorsque je devais me rendre à l'étranger pour assister à une réunion, quelle qu'elle soit. (Ainsi, en 1985, je ne pus pas assister à la Conférence des femmes, organisée à Nairobi sous l'égide des Nations unies, ma demande de congé ayant été rejetée par le Président au motif qu'un homme n'avait rien à faire à une conférence sur les femmes.)

De plus, mon avenir à ce poste n'était guère assuré. Dans ma lettre de nomination, il était précisé que j'étais « directeur général jusqu'à nouvel ordre ». Autant dire que ma présence à la tête de Grameen était subordonnée au bon vouloir du gouvernement. Je pouvais me réveiller un beau matin et découvrir dans le journal que quelqu'un d'autre avait été nommé directeur général à ma place. Le gouvernement n'aurait pas à expliquer pourquoi j'étais démis de mes fonctions, ni ce que j'étais censé faire.

Cette disposition était pour moi un sujet d'inquiétude constant, et je finis par me convaincre de la nécessité de la faire modifier avant d'être évincé par tel ou tel gouvernement.

Je consultai le Dr Kamal Hussaïn, qui était avocat. Il adressa au parlement une demande d'amendement concernant le statut juridique de Grameen. Je devais présenter cette requête devant l'assemblée, par l'intermédiaire du ministère des Finances. Mais les fonctionnaires du ministère n'étaient pas très chauds pour faire amender cette disposition. Pourquoi l'auraient-ils fait, alors qu'elle leur permettait précisément de renvoyer le directeur général sans avoir à fournir la moindre explication ?

J'adressai toutefois ma proposition d'amendement, mais le ministère des Finances n'y prêta pas la moindre attention. Je manœuvrai alors en vue de la soumettre au comité directeur du Conseil économique national, organe composé de ministres, qui recommanda de l'adopter.

Cela étant, le secrétaire général du ministère des Finances ne tint pas compte de cette recommandation. Lorsque j'abordai la question avec lui, il me dit que le Conseil n'était pas le gouvernement, et que le ministère des Finances n'était aucunement tenu de suivre ses recommandations. Ce fut pour moi une leçon inoubliable sur le fonctionnement de l'appareil d'État. À l'évidence, les décideurs politiques répugnent toujours à céder la moindre parcelle de leur pouvoir.

Je continuai à frapper à toutes les portes, pour soumettre finalement le problème au Président Ershad lui-même, lequel ordonna à son secrétaire des Finances de faire examiner cette question lors du prochain Conseil des ministres. Mais le secrétaire des Finances renvoya les papiers au Président avec la recommandation de ne pas amender la disposition. Je ne renonçai pas.

J'exposai mon cas au secrétaire de la présidence. Il se trouve que ce haut fonctionnaire avait fait partie de mes étudiants lorsque j'enseignais les mathématiques à l'université du Colorado, à Boulder — en fonction de quoi, il s'adressait toujours à moi en disant « professeur ». Il fit tout son possible pour me donner satisfaction, et organisa une réunion de haut niveau où furent invités le vice-président, le gouverneur de la Banque centrale, le ministre des Finances, le ministre de la Planification et moi-même, sous la présidence d'Ershad.

Je présentai mes arguments du mieux que je pus. Tous les participants se dirent prêts à me soutenir, hormis le secrétaire des Finances, qui fit valoir que le gouvernement risquait de perdre toute possibilité de contrôle sur la Banque Grameen. Il ajouta que lorsque le professeur Yunus ne serait plus directeur général, le gouvernement devait pouvoir prendre le relais et présider aux destinées de la banque.

Fort heureusement, la proposition fut enfin présentée lors de la dernière séance parlementaire, et l'amendement ratifié juste avant que l'assemblée soit dissoute et le gouvernement Ershad renversé par un soulèvement populaire.

Désormais, la loi disposait que le directeur général serait nommé par le conseil d'administration, et non plus par le gouvernement. Lorsque le conseil d'administration, conformément à la loi, me nomma directeur général de Grameen, je cessai d'être un fonctionnaire pour devenir un salarié de la banque.

Mais surtout, la Banque Grameen était maintenant libre de choisir son propre directeur, qui pourrait servir les intérêts de ses actionnaires. Elle ne serait plus à la merci du gouvernement pour trouver un directeur plus soucieux d'être bien vu du parti au pouvoir, ou de tel ou tel fonctionnaire du ministère des Finances, que des résultats de la banque.

Cet amendement était absolument primordial pour l'avenir de Grameen. Sans lui, nous risquions d'aller à la catastrophe.

L'avenir de la banque passe également par un autre amendement, qui concerne la nomination du président. Aucun autre gouvernement ne nomme le président d'une banque privée. Non seulement c'est superflu, mais cela n'augure rien de bon pour l'avenir. La nomination n'est valable que « jusqu'à nouvel ordre », c'est-à-dire que le président peut être destitué suivant le bon vouloir du gouvernement — ce qui n'est pas un gage de stabilité. Or, le président du conseil d'administration joue un rôle capital, en particulier lorsque, sur les treize membres que compte le conseil, neuf représentent des emprunteurs qui sont généralement analphabètes.

Je suis d'avis que cette disposition soit amendée dans les termes suivants : « Le président sera élu parmi les membres du conseil, y compris le directeur général. »

J'espère que tous les amis de Grameen mesureront la nécessité impérieuse qu'il y a à faire adopter cet amendement, et que nous y parviendrons avant d'être confrontés à une crise.

QUATRIÈME PARTIE

Le modèle Grameen est-il exportable ?

XXIII

TRANSPOSITION DU MODÈLE GRAMEEN

Transposer le modèle Grameen signifie tout simplement adopter les caractéristiques essentielles de notre formule à différents contextes nationaux.

Bien des points de notre doctrine qui revêtent à nos yeux une grande importance n'en deviennent pas moins secondaires dès que nous devons intervenir dans un autre contexte. C'est le cas notamment des « Seize Résolutions ». Dans certains pays, cela n'a aucun sens de cultiver des légumes toute l'année, ou de ne pas payer de dot. (Aux États-Unis, où les pauvres ne sont pas accablés par les dots, nos membres ont un autre fardeau économique dont ils aimeraient se débarrasser : le coût exorbitant des obsèques.) Mais nos émules peuvent, s'ils le souhaitent, proposer leurs propres versions des « Seize Résolutions ».

En tout état de cause, lorsqu'on se propose d'adapter notre concept, il faut bien avoir à l'esprit que le taux de remboursement doit avoisiner les 100 %, car c'est précisément là ce qui fait toute la force de Grameen. Au-delà des chiffres, le taux de recouvrement est affaire de rigueur.

Par ailleurs, il est très important de bien cibler les bénéficiaires. Ceux qui veulent s'inspirer de notre système devront impérativement démarrer leur expérience avec les 25 % les plus pauvres de la population, en se concentrant sur les femmes les plus déshéritées.

Il faut aussi avoir une profonde connaissance du fonctionnement du Grameen, de sa philosophie et de ses méthodes. Cela peut passer par un programme de dialogue et d'immersion sur le terrain. Toute personne qui s'apprête à diriger un programme Grameen dans un nouveau pays devrait également suivre la formation que nous proposons, sous la forme de « Programmes de dialogue internationaux de la Fondation Grameen », qui ont lieu quatre fois par an au Bangladesh.

*

Actuellement, des programmes de crédit du type Grameen sont transposés dans cinquante-huit pays, sur tous les continents :

En Afrique : Burkina-Faso, République centrafricaine, Tchad, Égypte, Éthiopie, Ghana, Guinée, Kenya, Lesotho, Mali, Malawi, Mauritanie, Maroc, Nigeria, Sierra Leone, Somalie, Soudan, Afrique du Sud, Tanzanie, Togo, Ouganda, Zimbabwe.

En Asie : Afghanistan, Bangladesh, Bhoutan, Cambodge, Chine, Fidji, Inde, Indonésie, Kirghizistan, Népal, Pakistan, Philippines, Liban, Malaysia, Sri Lanka, Viêtnam.

Australasie : Papouasie Nouvelle-Guinée.

En Europe : Albanie, France, Hollande, Norvège.

En Amérique : Canada, États-Unis, Mexique, Salvador, Jamaïque, Argentine, Bolivie, Brésil, Chili, Colombie, Équateur, Guatemala, Guyane, Pérou, République dominicaine.

*

AFRIQUE

Partout, en Afrique, nous sommes confrontés aux vieilles mentalités, qu'il s'agisse des planificateurs, des donateurs, des banquiers, etc. Dans les réunions internationales, je suis souvent pris à partie par des spécialistes des sciences humaines et des intellectuels qui me disent que le microcrédit ne peut pas fonctionner.

Récemment, au siège de l'Unesco à Paris, une Malienne intelligente et d'une grande franchise s'en prit à Grameen, affirmant que les pauvres de Bamako étaient trop pauvres pour pouvoir bénéficier du microcrédit, qu'ils avaient avant tout besoin de formations et de services sociaux, d'eau gratuite, d'écoles gratuites, de services médicaux gratuits, de vêtements gratuits. Je laissai Abou Tall, directeur technique de la FAARF, qui avait transposé avec succès le modèle Grameen au Togo, lui répondre. Il expliqua que son organisation comptait 18 000 membres parmi la population la plus pauvre des bidonvilles et des campagnes. Son taux de remboursement était de 97 %, le volume de prêts s'élevait à 1 million de dollars, et cela marchait très bien.

C'est sûrement parce que le microcrédit, ou crédit solidaire, n'a pas été inventé par les puissances coloniales européennes, mais au Bangladesh par des habitants du tiers-monde, que les gouvernements locaux en acceptent le principe. Ils ne ressentent pas la philosophie Grameen comme une menace ou comme un nouvel avatar du néocolonialisme, mais nous considèrent plutôt comme des compagnons d'armes, unis dans la lutte contre la pauvreté.

Mon amie Maria Nowak a pu ainsi implanter le système en Guinée avec le soutien du gouverneur de la Banque centrale, et au Burkina-Faso. Après avoir assisté à l'une de mes conférences en 1986, elle vint au Bangladesh observer le fonctionnement de Grameen dans les villages. Enthousiasmée, elle décida de transplanter le système à l'identique en Afrique de l'Ouest.

Là comme au Bangladesh, nous nous rendîmes compte que le taux d'intérêt importait peu, pourvu que les pauvres puissent obtenir des prêts. Ils peuvent payer jusqu'à 20 à 30 % d'intérêts sans problème, et la force libératrice du crédit est telle que les emprunteurs se lancent dans d'innombrables activités qu'aucun économiste n'avait imaginées.

Dans la ville de Bobo Dioulasso, Maria Nowak eut, avec un cireur de chaussures du nom de Moussa, la conversation suivante :

— Et que faites-vous avec l'argent que vous gagnez ?

— Eh bien, j'en garde la moitié pour m'acheter du riz et j'en donne l'autre moitié à mon patron.

— Qui est votre patron ?

— Oh ! c'est le propriétaire de la brosse et de la caisse que j'utilise.

La remarque de Moussa était une leçon sur la valeur ajoutée au capital semblable à celle que j'avais apprise à Jobra vingt ans plus tôt. C'est un principe acquis pour tous ceux qui savent à quel point il est important de donner aux démunis la possibilité d'allier l'investissement financier à leurs efforts. Un prêt de 40 dollars — soit 5 000 francs CFA en monnaie locale — suffirait à changer la vie de Moussa du tout au tout. À défaut, le propriétaire de la caisse le maintiendra toujours dans une situation où son travail acharné lui permettra à peine de survivre.

Dans le Yatenga, la région la plus désertique et aride du Burkina-Faso, les emprunteurs ont d'abord utilisé l'argent de leur prêt pour engraisser un mouton et le revendre. Puis ils achetèrent un veau et procédèrent de la même façon, de sorte qu'ils purent bientôt acquérir un troupeau entier. D'autres achetèrent et revendirent du savon, ou fabriquèrent des beignets qu'ils vendaient sur le marché ; d'autres encore se lancèrent dans l'extraction d'or et leur prêt servit à l'achat d'outils. Les derniers mirent leurs fonds en commun et se portèrent acquéreurs de l'ancien moulin à céréales du village. La région se remit à vivre grâce au microcrédit.

J'arrivai à Monbasa, au Kenya, au beau milieu du ramadan. Mes hôtes m'expliquèrent que personne ne voudrait parler du crédit solidaire, que les villageois étaient trop pratiquants, qu'ils étaient épuisés par le jeûne et que la saison sèche n'était pas la bonne période. Ils ajoutèrent qu'il faisait trop chaud pour se mettre sérieusement au travail et que nos concepts étaient totalement étrangers à la population locale. Enfin, ils déclarèrent que j'allais heurter leur susceptibilité religieuse. Étant moi-même musulman, je ne voyais pas ce qu'il y avait de mal à discuter de la façon d'améliorer ses conditions de vie pendant le ramadan. Dès que j'abordai le sujet de l'argent, les femmes du village oublièrent instantanément leur réserve et la faim due au jeûne, et elles me posèrent des milliers de questions.

À mon départ, toutes les femmes me suivirent jusqu'au bord de l'eau où était amarré le bateau qui devait nous ramener à Monbasa. Tout le long du chemin, elles scandèrent : « Quand allez-vous revenir, Yunus ? » et : « Apportez de l'argent la prochaine fois. »

Je suis toujours surpris de la facilité avec laquelle on peut imiter le modèle de Grameen dans des contextes culturels différents.

*

En Afrique du Sud, les projets Grameen se sont révélés particulièrement efficaces.

J'eus l'occasion de me rendre dans la région de Zaneen, au nord de l'Afrique du Sud. Là, j'assistai à une réunion de centre sous un grand baobab. (Le mot banquier y reprend son origine médiévale qui vient du français et évoque le banc sur lequel les banquiers prenaient place, en plein air, au milieu de la communauté.) Tous les membres de groupe étaient venus de kilomètres à la ronde et ils chantaient, dansaient, mangeaient et organisaient toutes sortes de festivités.

Je rencontrai tous les emprunteurs en tête à tête, puis le personnel. Je leur dis qu'il ne me semblait pas judicieux de réunir hommes et femmes au sein d'un même centre parce que les hommes veulent immédiatement dominer, ils mettent leurs plus beaux vêtements et ils prennent le dessus.

*

AMÉRIQUE DU SUD

Il existe un grand nombre d'organismes de microcrédit en Amérique centrale et latine. L'un des plus importants, Acción, possède un réseau de plus de vingt organismes affiliés et débourse environ 300 millions de dollars de prêts. En 1995, ils accordèrent des crédits à 260 000 pauvres, surtout au Brésil et au Guatemala, et obtinrent un taux de remboursement de 98 %.

En Bolivie, l'organisme de crédit le plus respecté est BancoSol et, en Colombie, Actuar/Corposol ainsi que l'Association des Groupes de solidarité.

*

ASIE

Dans les pays asiatiques, où les conditions socio-économiques ressemblent à celles du Bangladesh (Népal, Inde, Sri Lanka, Pakistan, Indonésie), il est relativement facile de mettre sur pied des programmes de crédit de type Grameen. Même en Asie du Sud, où les sociétés sont profondément marquées par des différences énormes (comme en Inde, avec le système des castes), le modèle Grameen a été très bien accepté.

En Malaisie, c'est l'intérêt du Pr David S. Gibbons pour Grameen qui motiva la première expérience sérieuse du même type. En 1986, il demanda à suivre en détail les activités de l'une de nos agences au Bangladesh.

Son collègue Sukor Kasim et lui-même allèrent observer notre travail à Rangpur, une région pauvre dans le nord-ouest du pays, après quoi ils fondèrent, en Malaisie, la première réplique véritable de Grameen subventionnée par le gouvernement de l'État de Selangor, l'université des sciences de Malaisie et la Corporation pour le développement de l'Asie-Pacifique (APDC) établie à Kuala Lumpur. Au bout de quelques mois, le professeur m'appela pour me dire que rien n'allait plus. J'envoyai sur place deux de mes fidèles compagnons des premiers jours, Nurjahan et Shah Alam. Leur rapport fut catégorique : « Cela n'a rien à voir avec Grameen. La réplique de Gibbons ne vaut pas grand-chose. »

Le ton n'était pas très diplomatique, et Gibbons fut d'abord ulcéré de la façon dont nous le traitions. Puis, progressivement, nous lui donnâmes des conseils sur la façon d'améliorer son système, surtout dans le domaine de la discipline, de l'unité des groupes et de la nécessité d'attribuer les prêts exclusivement aux femmes. Les Malais purent ainsi constater que plus ils s'éloignaient du modèle Grameen originel, plus ils avaient de problèmes. Inversement, plus ils suivaient fidèlement les principes, meilleurs étaient les résultats.

En fin de compte, l'expérience malaise fut si fructueuse que Gibbons entreprit de transposer le modèle dans d'autres pays d'Asie. Des projets pilotes se développèrent dans de nombreux autres pays avec un égal succès.

Je me suis souvent rendu aux Philippines pour superviser divers programmes sur l'île de Negros et d'autres régions sévèrement touchées par les inondations, les catastrophes naturelles et les ravages de la guerre civile menée par des rebelles armés.

Pendant six ans, je fis partie du conseil d'administration de IRRI, qui fut à l'origine de progrès considérables dans la culture du riz ; nous avions deux réunions par an. Au début, les responsables philippins du projet firent de nombreuses erreurs. C'est pour cela que j'insiste toujours sur la nécessité de commencer lentement, car il y a beaucoup à apprendre. Passée cette période initiale, il devient facile d'aller vite et loin.

Il n'y a pas de raison que Grameen ne puisse pas fonctionner dans un pays communiste, du moment que les gouvernements permettent aux pauvres de tout faire pour s'en sortir.

Le gouvernement de la Chine reconnaît qu'environ 80 millions de Chinois vivent aujourd'hui en dessous du seuil de pauvreté. Les chiffres officieux mentionnent plutôt 10 % de la population, soit 120 millions de personnes. Quel que soit le nombre exact, la Chine abrite la plus vaste proportion d'indigents au monde. Le pays a mis en œuvre quantité de programmes de lutte contre la pauvreté, mais aucun d'entre eux ne l'a vraiment entamée. Les zones de plus grande misère sont celles où règne un climat particulièrement rude, ainsi que les régions de collines où l'érosion du sol est très forte.

J'ai visité deux provinces où le modèle Grameen est appliqué. L'expérience est organisée par le biais de quatre préfectures dans le cadre de l'Institut chinois du développement rural, qui fait partie de l'École chinoise de sciences sociales.

Dans le Nord, je fus particulièrement frappé par la rigueur des hivers, pendant lesquels la température descend à 25 degrés en dessous de zéro, et où les pauvres survivent en se protégeant du froid par des moyens extrêmement ingénieux : ils creusent un trou dans le sol dans lequel ils font un feu de bois et placent leur lit au-dessus du trou. La maison se remplit de fumée. Toute la famille se tient serrée sur le lit. Si une personne doit se lever pour manger ou aller aux toilettes, c'est toute une affaire. Elle revient en courant, transie de froid et toussant, vers la chaleur protectrice du lit. Les animaux souffrent aussi.

L'été, en revanche, les forêts sont proches et les animaux disposent de pâturages. Les Chinoises déshéritées que j'ai rencontrées utilisaient leurs prêts pour élever du bétail, engraisser des porcs, des chèvres et des vaches pour les revendre. J'ai entendu dire que Li Peng, le secrétaire du Parti communiste, avait récemment loué le travail effectué par ceux qui s'étaient inspirés de l'exemple de Grameen. C'est très important, car nos efforts y gagnent en légitimité auprès des cadres du parti. Cela permet également aux répliques de Grameen d'échapper au contrôle du gouvernement, ce qui est absolument indispensable si nous voulons réussir, que ce soit dans le monde capitaliste ou communiste.

Le ministère chinois des Affaires étrangères a adopté la méthode Grameen pour soulager la misère dans deux provinces où il avait été chargé d'intervenir par le gouvernement. Les responsables de ce ministère viennent régulièrement au Bangladesh, où ils glanent des renseignements de première main sur notre système.

Pays musulman le plus peuplé du monde, l'Indonésie dispose d'importantes réserves de pétrole et de gaz. Les profits dégagés par ces secteurs ont permis de financer la construction de routes, de centrales électriques, de cliniques, d'écoles et d'autres infrastructures sociales. Mais il demeure un peu partout des zones de pauvreté. De nombreux établissements de microcrédit se sont développés.

À Mataram, la plus grande ville sur l'île de Lombok, la Fondation pour l'autonomie et le développement possède trois banques de crédit solidaire. Au lieu de prêter à un groupe, elles trouvent plus efficace et plus rapide de prêter à des femmes individuellement. Plus disciplinées, plus préoccupées que les hommes de ce que les autres penseraient si elles ne payaient pas, elles ne manquent jamais de rembourser.

Les taux d'intérêt varient de 20 à 40 %. Les banques ont peu ou pas de frais généraux : quelques tables, pas d'ordinateurs ni de téléphones, mais elles ont néanmoins le statut de banques et, chaque mois, doivent faire un rapport à la Banque centrale.

*

EUROPE

Beaucoup d'organisations caritatives, sans compter les intellectuels, les banquiers et les journalistes, s'intéressent à nos idées, mais bien peu sont disposés à prendre des initiatives dans ce domaine.

Je me suis adressé aux comités parlementaires allemands, au concile des évêques allemands, aux téléspectateurs français, j'ai reçu des diplômes à titre honorifique en Angleterre — le tout sans grand effet.

Il se peut que Grameen représente pour l'Europe un concept trop étrange, qu'elle remette en cause trop d'idées préconçues et de façons de faire profondément ancrées dans les mentalités. Dans les pays développés, la plus grande difficulté est de lutter contre les ravages du système d'aide sociale.

Ceux qui s'inspirent de notre exemple rencontrent toujours le même problème : les bénéficiaires d'aides gouvernementales mensuelles sont totalement abasourdis par l'offre d'un prêt personnel pour débuter une activité indépendante ; ils ont l'impression que les banques de crédit solidaire viennent d'une autre planète. Nombre d'entre eux font le calcul rapide de ce qu'ils perdraient en aides et en couverture sociale s'ils devenaient leurs propres patrons. Ils finissent par conclure que cela n'en vaut pas la peine.

Certains emprunteurs essaient de tenter le coup en secret, dans l'espoir que l'administration ne s'apercevra de rien. Mais les responsables n'apprécient guère ce type de fraude, et ils suppriment sans tarder les avantages en question.

Dans un premier temps, nos collègues en Europe aidèrent donc les emprunteurs à enfreindre la loi. C'était une situation absurde. En France, nos « disciples » conseillèrent à leurs emprunteurs de se faire payer de la main à la main, et l'organisme de crédit ne faisait pas apparaître le prêt sur ses livres de compte.

Pourtant, même lorsque la loi assure aux pauvres le droit de propriété, la mentalité des responsables d'organisations caritatives ne l'accepte pas. Un jeune homme sortant de prison voulait s'établir à son compte pour vendre des frites, mais l'organisme parisien qui le logeait ne pouvait pas supporter qu'il devienne autonome ; on voulut acheter le stand de frites et l'embaucher comme salarié, plutôt que de lui permettre d'en devenir le propriétaire.

En d'autres termes, la charité, comme l'amour, peut se transformer en prison.

Cependant, la situation évolue petit à petit. Un nombre croissant d'intellectuels et d'économistes cessent de s'en remettre totalement à l'État, comme c'était le cas dans les années soixante. Nombreux sont ceux, impliqués dans l'aide au développement, qui ont été déçus par le travail accompli au niveau international, le gaspillage d'argent qu'il entraîne ainsi que l'absence de résultats.

L'un des organismes qui marchent sur nos traces, l'Association pour le droit à l'initiative économique (ADIE), a calculé qu'en France la création d'un emploi coûtait à l'État 120 000 francs, alors que, par le biais d'un organisme de crédit solidaire, il n'en coûtait plus que 50 000.

En France, les premières tentatives pour trouver des emprunteurs se soldèrent par des échecs. Il y eut d'abord Léo, un ancien pasteur zaïrois qui vivait dans un parking et dont la femme avait été violée et torturée dans les prisons zaïroises. Léo avait une formation de comptable et il voulait un crédit pour s'acheter une machine à calculer afin de pratiquer sa profession. Le prêt l'aida à reprendre le dessus et à trouver un travail.

Il y eut ensuite Mme Salima, originaire d'Afrique du Nord, qui demanda un prêt pour ouvrir un magasin.

Enfin, un très jeune homme, Bernard, myope comme

une taupe, qui avait cassé ses lunettes et ne voyait même pas assez clair pour faire la plonge dans un restaurant. Il vivait dans la gare Saint-Lazare avec son amie. Comme il n'avait pas assez d'argent pour la consigne automatique, ils traînaient partout leurs énormes sacs de plastique.

Aucun des trois ne remboursa son prêt. Si je mentionne ces échecs, c'est parce que nos homologues français conclurent que, contrairement à l'environnement rural où voisins et amis se connaissent et se font confiance, il n'était pas possible de créer une solidarité de groupe à Paris : il était égal à Mme Salima que Léo rembourse son prêt ou pas, et peu importait à Léo que Bernard manque à ses engagements. Il n'y avait pas assez de solidarité sociale pour que la pression exercée par l'entourage, pivot des microcrédits de Grameen, joue son rôle.

Les détracteurs de notre système utilisent parfois les débuts d'une expérience comme celle menée en France pour affirmer que le groupe solidaire ne peut fonctionner en dehors d'un contexte rural traditionnel tel que celui du Bangladesh.

Mais cet argument ne prend nullement en compte les difficultés inhérentes à ce genre de programmes. Au cours de nos quatre premières années, Grameen ne toucha que 500 personnes. En fait, à l'issue de l'épisode Jobra — c'est-à-dire de la fin 1976 à 1979 — nombre des emprunteurs qui avaient rejoint notre projet expérimental s'éloignaient de nous ou ne parvenaient pas à rembourser. Cependant, nous tirâmes les leçons de nos erreurs à Jobra et nous ne baissâmes pas les bras. La deuxième phase du projet qui débuta en 1979 à Tangail progressa bien plus rapidement.

Malgré les difficultés rencontrées dans les zones urbaines, les programmes s'y implantent à un rythme encourageant. À Dhaka, la Fondation Shakti est parvenue à accorder des prêts à 18 000 habitants des bidonvilles ; en Inde, l'Association des femmes travailleurs indépendants (SEWA) a également obtenu de bons résultats à

Ahmedabad. C'est aussi le cas du Projet pour le travail indépendant des femmes (WSEP), à Chicago.

Dans les pays développés, certains programmes ont décidé d'adopter des règles différentes. Ils ne s'occupent pas de ceux qui sont le plus mal lotis, et s'intéressent au contraire aux pauvres les plus déterminés et les plus à même de s'en sortir. Lorsqu'il leur est difficile de trouver un groupe qui convienne, ils tentent de prêter à de petites entreprises. Ce ne sont pas des programmes Grameen à proprement parler, mais nous les encourageons à poursuivre.

Comme au Bangladesh, les organisations caritatives accusent nos collègues de pratiquer l'usure sous prétexte qu'ils demandent des taux d'intérêt commerciaux.

En France, l'ADIE, fondée par Maria Nowak, a consenti des prêts à 3 200 entreprises créées par des chômeurs et des RMistes. Résultat : 70 % des petits emprunteurs de l'ADIE existent toujours au bout de dix-huit mois, ce qui les place dans la moyenne de toutes les entreprises françaises.

De la même façon, aux États-Unis, Working Capital, de Cambridge, dans le Massachusetts, fondé par Jeffrey Ashe en 1990, s'adresse aux « pauvres entreprenants », c'est-à-dire des personnes ayant déjà exercé une activité rémunératrice mais n'ayant pas pu bénéficier d'aides ou de ressources financières.

En moins de cinq ans, Working Capital a accordé, à plus de 1 100 entreprises, 1,5 million de dollars de prêts d'un montant allant de 500 à 5 000 dollars. Le taux de remboursement est de 98 %. Working Capital parraine des franchises à South Miami et dans le Delaware. Jeffrey Ashe voit loin : il veut aider jusqu'à 7 000 petites entreprises d'ici la fin de l'année 1997, et créer des emplois équivalant à une somme de 60 millions de dollars.

*

Le crédit solidaire fonctionne aussi dans des anciens pays communistes, tels que la Pologne et, plus récemment, l'Albanie et la Bosnie. Il y a quatre ans, la Banque mondiale a cautionné financièrement un projet de type Grameen en Albanie, qui obtient aujourd'hui un taux de remboursement de 100 %. En Bosnie, Maria Nowak affecte le microcrédit aux groupes les plus touchés par la guerre, parmi lesquels les femmes réfugiées de Srebrenizca.

*

En 1986, Bodil Maal vint rendre visite à son mari, consultant norvégien en poste au Bangladesh. Elle s'intéressa aux activités de Grameen. Elle travaillait pour le ministère de la Pêche en Norvège. L'un des problèmes qu'on lui avait demandé de résoudre était l'exode des jeunes femmes des îles Lofoten, qui fuyaient l'endroit où elles avaient passé leur enfance.

Depuis quelques années, les îles Lofoten, situées au large de Narvik, sur la côte nord de la Norvège, connaissaient un sérieux problème de dépeuplement. Après leurs études supérieures, les jeunes hommes revenaient vivre sur les îles et devenaient pêcheurs, mais il n'en allait pas de même pour les jeunes filles qui n'y trouvaient aucune activité. Elles passaient leur vie à attendre le retour de leurs maris pêcheurs, et s'ennuyaient considérablement. Les jeunes femmes ne revenant plus, les hommes finirent eux aussi par s'en aller.

Le même problème affectait le Nord de la Finlande et la région voisine de Russie. Pourtant, grâce aux efforts incessants de Bodil Maal, le gouvernement norvégien décida de promouvoir un programme Grameen par le biais du ministère de la Pêche, de façon à permettre aux femmes d'exercer une activité commerciale qui les retiendrait dans les îles et donnerait un sens à leur vie.

Un tel projet n'avait jamais été tenté dans une région

aussi hostile de l'Arctique. Ce fut une expérience enrichissante pour tout le monde.

Invité à voir fonctionner ces programmes dans le Nord de la Norvège, je fus étonné d'y constater une transformation sociale de portée comparable à ce que nous observons au Bangladesh, bien que de nature totalement différente.

Pour la première fois, des femmes vivant près du cercle polaire avaient accès au crédit. Grâce au programme, elles ont constitué un groupe communautaire de soutien et reçoivent de l'aide et des conseils. Auparavant, ces femmes n'avaient aucun moyen d'utiliser leurs compétences. À présent, leurs prêts servent à fabriquer des pull-overs, des presse-papiers en forme de phoques, de poissons ou d'oiseaux, des souvenirs, des cartes postales, de petites statues de trolls et des paysages peints. Certes, ils ne financent pas des centrales hydroélectriques ou des usines automobiles, mais l'essor économique entraîne un développement considérable du tourisme et ces objets d'artisanat local se vendent bien.

L'expérience norvégienne est particulièrement intéressante dans la mesure où le crédit solidaire n'y a pas été utilisé comme arme contre la pauvreté, mais plutôt comme instrument d'insertion sociale pour des gens qui auraient autrement quitté les îles.

L'expérience des Lofoten a été un tel succès que les Finnois et les Russes reproduisent le même programme dans leurs régions septentrionales.

*

AMÉRIQUE DU NORD

Même si, en termes absolus, les pauvres vivant dans les pays développés possèdent plus de biens physiques et financiers que les pauvres du tiers-monde, le fossé psychologique est immense et rend la misère plus difficile à supporter dans une société de relative abondance.

Au Bangladesh, les déshérités vivent presque comme tout le monde : ils n'ont pas de télévision, de voiture ou d'air conditionné, mais dans les villages les riches non plus n'en ont pas. Dans le tiers-monde, il existe certes des différences entre riches et pauvres, mais nous grandissons ensemble sans reléguer les pauvres dans des ghettos. Dans le village de mon père, mes camarades d'école étaient illettrés, mais cela ne m'empêchait pas de me baigner dans les étangs avec eux. Nous partions tous à la recherche de grains de riz décortiqués par les rongeurs dans les champs. J'ai le souvenir d'avoir aidé ces garçons à remplir les quotas de paddy que leurs parents leur assignaient en dérobant du riz dans les champs de mes propres parents, afin qu'ils aient plus de temps pour jouer avec moi.

Cela ne risque pas de se produire à Chicago : un jeune Blanc aisé n'ira jamais jouer dans le ghetto noir.

En Amérique du Nord, dans les ghettos des centre-ville, ceux qui imitent le modèle Grameen se sont aperçus que les pauvres qui n'ont pas les moyens de se loger ou de se nourrir dépensent des fortunes lors des enterrements pour montrer à la communauté l'attachement qu'ils portaient aux défunts. Bien souvent, le coût des obsèques est si prohibitif qu'ils doivent s'endetter auprès d'usuriers pour y faire face.

Dans ces cas-là aussi, le crédit solidaire a fait émerger une contre-culture, une émulation positive destinée à aider les emprunteurs à œuvrer au bien-être de leur famille.

*

Au Canada, la Fondation Calmeadow a créé un programme tout à fait enthousiasmant dans des réserves indiennes — ainsi qu'aux États-Unis, chez les Sioux du Dakota du Sud.

Martin Connel, responsable de Calmeadow, est venu

nous voir au Bangladesh. Calmeadow prête aujourd'hui 5 000 dollars à de petits entrepreneurs.

*

Après avoir observé ces expériences et vu le chemin parcouru par les idées de Grameen en Afrique, en Asie, en Europe et en Amérique du Nord, j'en suis arrivé à la conclusion que les conditions culturelles, géographiques et climatiques peuvent varier, mais que les pauvres ont les mêmes problèmes partout sur la planète. La culture de la pauvreté, cette prison dans laquelle la société enferme les gens, transcende les différences de langues, de races et de traditions. C'est pourquoi le microcrédit peut avoir des applications universelles.

Notre expérience, de l'Arctique aux Andes et de Chicago à Tombouctou, montre que le succès du modèle Grameen ne s'appuie pas exclusivement sur la culture du Bangladesh.

La Banque Grameen ne prétend pas résoudre les mêmes problèmes partout dans le monde. Les initiatives doivent être adaptées aux besoins, mais elles se fondent toutes sur un message très simple, qu'il faut souvent répéter : le crédit solidaire accordé à ceux qui n'ont jamais pu emprunter révèle l'immense potentiel inexploité que tout être humain porte en lui. Il rend créatif, non pas en contraignant à l'adoption de nouvelles méthodes ou de nouvelles croyances, mais en donnant la possibilité de réaliser ses propres rêves.

Mais attention : les premières années, surtout en terrain vierge où aucune autre organisation n'a effectué de travail de ce type, un projet n'attire jamais beaucoup de participants. Il faut de la patience.

Les premières années servent à éduquer le personnel par le biais d'un laborieux travail d'expérimentation. Et tant mieux si, dans le même temps, il est possible d'aider quelques emprunteurs.

J'ai l'intime conviction qu'une bonne idée finit toujours par s'imposer. Et même si, un jour, la Banque Grameen cesse d'exister en tant que telle, le concept que nous avons forgé se perpétuera sans nous. L'activité bancaire en est transformée à jamais.

Tôt ou tard apparaîtront des innovateurs dans différents domaines, et la puissance de la philosophie du capitalisme populaire se révélera au travers de maintes applications pratiques.

XXIV

LES ÉTATS-UNIS,
DE L'ARKANSAS AU DAKOTA DU SUD

En 1985, je reçus une lettre de Mary Houghton, de la South Shore Bank, m'informant que Bill Clinton, gouverneur de l'Arkansas, voulait me rencontrer pour évoquer l'implantation d'un programme Grameen dans son État. Aucune date n'était mentionnée, aucun projet concret réclamé. Je pensai donc qu'il n'y avait là aucun caractère d'urgence et que je pourrais le rencontrer lors de ma prochaine visite aux États-Unis.

Ron Grzynwinski et Mary Houghton étaient les fondateurs de la South Shore Bank qui avait tant fait, en 1981, pour convaincre la Fondation Ford de soutenir le projet Grameen. Lors d'une visite à Dhaka, ils avaient rencontré Jan Piercy, qui travaillait à l'époque au Bangladesh pour une organisation non-gouvernementale américaine. Jan fut embauchée par la banque à son retour aux États-Unis. À l'université, elle avait été la camarade de chambre de Hillary Rodham Clinton et avait présenté Ron et Mary au gouverneur de l'Arkansas, qui était alors à la recherche de nouvelles façons de venir en aide aux déshérités de cet État.

Ron et Mary conseillèrent le gouverneur en matière d'institutions financières et lui firent valoir que ce dont il avait besoin était un programme de type Grameen et d'une banque spécifiquement conçue pour les pauvres de l'Arkansas.

En février 1986, lors d'une de mes visites, Ron et Mary s'arrangèrent donc pour que je rencontre Bill Clinton. Il était à Washington où il assistait à la conférence annuelle des gouverneurs ; cela me facilita les choses. Le gouverneur Clinton, sa femme Hillary, Ron, Mary et moi-même nous retrouvâmes à l'hôtel Four Seasons.

Le gouverneur voulait savoir comment Grameen avait débuté, comment elle fonctionnait et pourquoi personne n'y avait songé plus tôt. Après une demi-heure de discussion, Mme Clinton déclara :

— Nous sommes preneurs. Peut-on adapter le concept dans l'Arkansas ?

— Pourquoi pas ? répondis-je. Si c'est la volonté du gouverneur, cela ne peut pas ne pas marcher.

— Je suis d'accord, intervint Clinton.

Il se tourna vers Ron et lui demanda :

— Combien de temps faut-il pour démarrer ce projet ?

Ron lui exposa toutes les demandes d'autorisation préalables à l'ouverture d'une nouvelle banque, et conclut qu'il faudrait environ six mois.

— C'est trop long ! s'impatienta Clinton. On ne peut pas faire plus vite ?

Ron répondit par la négative.

Le gouverneur me regarda, comme s'il demandait mon aide :

— Pourquoi a-t-on besoin de tellement de temps ?

— Si vous voulez que je m'en occupe, répondis-je, on peut commencer demain.

Le gouverneur se leva d'un bond :

— Quoi ? Vraiment ? C'est entendu, vous vous chargez de tout.

Je lui expliquai mon plan :

— Ron pensait à la création d'une banque. Nous n'avons pas besoin de cela pour démarrer un projet Grameen. Nous pouvons simplement mettre sur pied un programme de crédit, c'est-à-dire commencer à prêter de l'argent. Cela ne nécessite pas énormément de préparations juridiques. Ron et Mary envisagent de fonder une banque et notre programme peut faire partie de leurs projets. En attendant, nous nous occuperons de regrouper les emprunteurs.

Mme Clinton était très intéressée. Elle me bombarda de questions sur les détails de l'opération. (Depuis ce jour, le soutien qu'elle a apporté à la Grameen ne s'est jamais démenti. Elle nous a rendu visite en avril 1995 et elle a observé des expériences de crédit solidaire sur trois continents. Elle a également assuré la coprésidence du Sommet mondial sur le microcrédit en 1997.)

Je promis au gouverneur de me rendre dans l'Arkansas et de lui communiquer les grandes lignes de mon projet après avoir rencontré les hauts fonctionnaires de l'État, les emprunteurs potentiels, les banquiers, les universitaires et le milieu des affaires.

Ron et Mary m'accompagnèrent, et firent de leur mieux pour me permettre de rencontrer des entrepreneurs désargentés.

On me présenta un propriétaire de radio locale, un petit patron travaillant dans la restauration rapide, le propriétaire d'un magasin de détail puis celui d'un drugstore. À chaque étape, je me mettais un peu plus à l'écart. Je n'avais aucune envie de discuter avec ces petits entrepreneurs. Pour moi, c'était une perte de temps. Les Clinton m'avaient parlé de la pauvreté, si répandue dans leur État et que je devais combattre, mais je n'en voyais pas trace.

Finalement, j'étais si déçu que je demandai à mes hôtes de mettre un terme à ces rencontres.

— Pas une seule des personnes que j'ai rencontrées n'est vraiment pauvre, leur dis-je.

— Mais ils dirigent les entreprises les plus petites de l'État !

— Je ne m'intéresse pas aux petites entreprises, je veux voir des pauvres.

Ils me regardèrent, intrigués, comme si je m'exprimais en bengali. Ils étaient désemparés et ne savaient où m'emmener.

Je leur demandai :

— Vous avez des bénéficiaires d'aides sociales dans l'Arkansas ?

— Oui, beaucoup d'habitants reçoivent une aide de l'administration de l'État.

— Y a-t-il un bureau qui centralise ce programme ? Ont-ils des listes que je puisse consulter ?

— Oui.

— Bon. Allons voir ces gens.

Mes hôtes se concertèrent, puis passèrent quelques coups de fil. Nous fûmes bientôt rejoints par une troisième personne qui était familière du problème.

Au fur et à mesure, l'expérience se révéla de plus en plus intéressante. Enfin, je rencontrais les gens qui m'importaient ! Je demandai à un groupe :

— Supposez que votre banque accepte de vous prêter de l'argent pour monter une affaire, combien demanderiez-vous ?

Tous prirent un air ahuri comme s'ils n'en croyaient pas leurs oreilles. Enfin, quelqu'un me répondit :

— On n'a pas de compte en banque.

— Et si vous en aviez un ?

Regards fixes.

— Que feriez-vous de l'argent ? Aimeriez-vous vous mettre à votre compte ? Vous n'avez pas un passe-temps qui pourrait vous rapporter de l'argent si vous lui consacriez toute votre énergie ?

Je fis le tour de la pièce et interrogeai chaque personne individuellement. Je voulais savoir quelle conception les pauvres avaient, en Amérique, du travail indépendant. Mes détracteurs avaient prédit l'échec du crédit solidaire en Amérique, au prétexte que si, au Bangladesh, les gens avaient depuis longtemps l'habitude de travailler à leur compte, c'était le cas d'à peine 10 % de la population aux États-Unis. Ils prétendaient que tout Américain voulant être son propre patron a besoin de formation, d'assistance technique et d'accès à un réseau commercial.

Au fond de moi, je pensais qu'une telle critique revenait à beaucoup sous-estimer les gens. Tous les jours, les journaux évoquent le cas d'ouvriers ou d'employés qui se font licencier après de longues années au service du même employeur. Dans l'avenir, tout le monde aura deux ou trois types d'emplois différents au cours de sa vie active. Le travail indépendant sera de plus en plus fréquent. Mais il fallait que je voie comment réagissaient à mon offre des Américains englués dans la misère, parfois depuis deux ou trois générations.

Au Centre communautaire de Pine Bluff, je constatai la même peur, la même timidité et le même regard d'incompréhension totale que ceux que j'avais rencontrés maintes fois au Bangladesh. Je leur expliquai, le plus calmement et le plus naturellement possible :

— Écoutez, je dirige une banque au Bangladesh qui prête de l'argent aux pauvres. La semaine dernière, j'ai rencontré votre gouverneur et il m'a demandé d'implanter ma banque dans votre communauté. J'envisage de débuter ici même, à Pine Bluff. Je suis venu aujourd'hui pour savoir si l'un d'entre vous serait intéressé.

Je vis apparaître des sourires incrédules sur les visages. Je continuai :

— Ma banque s'adresse spécialement aux pauvres. Elle n'impose aucune garantie, aucune vérification. La seule exigence, c'est de bénéficier d'aides sociales ou d'être au chômage, et d'avoir une idée d'activité à démarrer avec l'argent prêté. Pourquoi est-ce que j'implanterais ma banque ici, s'il n'y a aucune entreprise ? Je peux aller ailleurs proposer des prêts aux pauvres d'une autre communauté. Voilà pourquoi je vous demande si vous savez comment vous utiliseriez un éventuel crédit.

Une femme, qui m'avait écouté attentivement, leva la main et, de peur que je ne la voie pas, s'écria :

— Hé ! Je voudrais bien emprunter à votre banque...

— D'accord, répondis-je en souriant, marché conclu. Vous voulez combien ?

— 375 dollars.

Tout le monde rit.

— Pourquoi voulez-vous cette somme ?

— Je suis esthéticienne et mon salon a une clientèle limitée parce que je n'ai pas les produits qu'il faut. Si je pouvais me payer un équipement de manucure qui coûte 375 dollars, je suis sûre que je pourrais vous rembourser avec le revenu supplémentaire.

— Vous aimeriez emprunter plus ?

— Non, pas un sou de plus que le prix de l'équipement.

Une autre femme leva la main et dit :

— Je suis au chômage depuis la fermeture de l'usine de confection et son transfert à Taïwan. J'ai besoin de quelques centaines de dollars pour m'acheter une machine à coudre d'occasion. Je veux faire des vêtements que je vendrais à mes voisins.

Une troisième déclara :

— Il me faudrait 600 dollars pour m'acheter un chariot et vendre mes *tamales*[1] dans la rue. Tout le monde les apprécie dans le quartier, et je pourrais les vendre plus facilement.

Toutes ces suggestions me redonnaient de l'espoir, tellement elles me faisaient penser à ce que j'entendais au Bangladesh. Les aspirations des Américains vraiment pauvres sont très semblables à celles des nécessiteux au Bangladesh, en Malaisie et au Togo.

Le projet Grameen de Pine Bluff dans l'Arkansas fut confié à Julia Vindacius, diplômée du Massachusetts Institute of Technology et Américaine d'origine lituanienne de deuxième génération. Elle travaillait pour la South Shore Bank lorsque je fis sa connaissance. Elle était jeune, très compétente et je suggérai qu'elle soit chargée

---

1. Spécialité mexicaine. (N.D.T.)

du projet. Tout le monde fut surpris de ma proposition. Elle n'avait jamais mis les pieds dans les États du Sud.

Le projet fut baptisé *The Grameen Fund*. Les deux premières années, le personnel passa son temps à expliquer le nom de l'organisme qui se révéla trop compliqué. Un jour que j'étais dans mon bureau à Dhaka, je reçus, de Chicago, un coup de fil de Mary :

— Ce serait plus facile de l'appeler le *Good Faith Fund* (le « Fonds de la bonne foi »), en référence au fait que ce qui importe est la bonne foi des emprunteurs et non pas la garantie. Lorsque les gens entendent le nom *Grameen Fund*, ils nous questionnent sur le Bangladesh (« Où est-ce ? »), sur M. Yunus (« Qui est-ce ? ») avant de nous laisser aborder les problèmes de fond. Finalement, après une heure ou deux, l'emprunteur potentiel dit : « En fait, c'est un prêt de bonne foi ? » On peut gagner du temps en utilisant des termes plus simples, conclut Mary. Tu y vois une objection ?

— Pas du tout. Plus c'est facile à comprendre, mieux c'est.

Nous ne fûmes pas le moins du monde surpris par les nombreux arguments que l'on opposa à Julia Vindacius dans son projet d'adapter Grameen dans l'Arkansas. Nous les avions déjà entendus au Bangladesh : les pauvres ne savent pas investir, ils ne savent pas économiser, ils ont besoin de formation et de services sociaux avant de s'établir à leur compte, les pauvres ne rembourseront jamais leurs dettes, etc.

Pendant la campagne présidentielle de 1992, lorsque Bill Clinton expliqua aux rédacteurs en chef du magazine *Rolling Stone* sa volonté d'importer un concept bancaire du Bangladesh, ceux-ci répliquèrent qu'il était ridicule de vouloir adopter une idée aussi farfelue.

Ce n'est pas surprenant, m'expliqua un ami américain : Grameen représente un « transfert de technologie du tiers-monde », chose que l'élite américaine n'est pas prête à accepter. À en juger par la mauvaise volonté des

Américains lorsqu'il s'agit de s'inspirer de pays développés comme le Canada, l'Allemagne ou la Grande-Bretagne en ce qui concerne la réforme de leur système de santé, il était évident que Clinton aurait bien du mal à convaincre ses compatriotes de suivre un modèle venu du Bangladesh !

J'ai pourtant l'impression que les Américains ont accueilli et adopté le concept avec beaucoup plus d'enthousiasme que les pays européens.

En tant que Président, Bill Clinton a continué à s'intéresser personnellement au Good Faith Fund de l'Arkansas, et il soutient le crédit solidaire. Malheureusement, avec l'élection d'un Congrès hostile, il ne lui a pas semblé opportun de prendre le risque politique de placer ce problème sur la liste des priorités nationales.

Malgré cela, plus de quatre cents programmes indépendants se sont affiliés à l'Association for Enterprise Opportunity qui a été créée en 1991. Le plus important, pas seulement pour les États-Unis mais pour le monde entier, c'est que les Américains acquièrent la conviction que la pauvreté peut être éliminée, puisqu'ils peuvent se porter à la tête du mouvement et influencer d'autres grandes nations.

L'expérience de l'Arkansas fut répétée dans de nombreuses régions des États-Unis. Chez les Sioux du Dakota du Sud, j'ai été hébergé par Gerald Sherman, directeur du Lakota Fund, alcoolique repenti. Gerald et tout le personnel du Lakota Fund font partie du peuple sioux. J'ai pu admirer les magnifiques édredons matelassés que les emprunteurs fabriquent avec fierté. « Nous n'avions rien à faire, aucune activité rémunératrice, m'ont dit les femmes. Maintenant nous avons quelque chose à vendre. Nous organisons des réunions dans les églises ou les centres communautaires et nous assurons les ventes nous-mêmes. »

Dans l'Oklahoma, un impressionnant chef de tribu, Wilma Mankiller, s'investit très activement dans le pro-

gramme Grameen. Lorsque je visitai le territoire Chero-
kee, on me présenta un groupe de quinze à vingt femmes
déshéritées. Elles restaient là, assises, impassibles et
indifférentes. Je leur dis :

— Eh bien ! votre réaction, ici, est bien plus encoura-
geante que celle à laquelle je dois faire face au Bangladesh. Là-bas, les femmes font tout pour m'éviter, elles me
fuient en disant : « Non, nous n'avons pas besoin de votre
argent. » Il me faut les poursuivre pour leur parler, mais
elles refusent en général de m'écouter. Vous, au moins,
vous m'écoutez. C'est extrêmement encourageant pour
moi.

Personne ne rit.

— Quelqu'un ici a-t-il besoin d'argent ?

Aucune réponse, aucune main levée.

— Peut-être pouvez-vous me recommander un voisin ou un ami ?

Après un long silence, une main se leva :

— Oui, j'ai un voisin qui aurait bien besoin d'un peu
d'argent.

— Pour quoi faire ?

— Pour s'acheter un petit fourneau à roulettes et
vendre des *tacos*.

— Il en fait déjà ?

— Oui, les meilleurs de la région. Tout le monde
adore ses *tacos*.

— Alors, envoyez-le-moi. Je suis sûr que nous pourrons l'aider. Quelqu'un d'autre a un ami ou un voisin
dans le même cas ?

— Attendez, vous voulez dire que vous prêteriez à
notre voisin sans garantie, comme ça ?

— Oui.

Toutes les femmes cherokees présentes réfléchirent
un instant, puis une autre main se leva :

— Les gens par ici adorent les chiots...

— Oui ?

— Je pourrais avoir un prêt pour élever et vendre
des chiots ?

— Si vous pensez que pouvez vous en sortir financièrement et gagner suffisamment pour rembourser un
prêt, oui, nous pourrions vous accorder un crédit.

— Aucun problème. En ce moment, je le fais gratuitement.

— Vous sauriez où les vendre ?

— Bien sûr, j'ai déjà des clients.

— De combien auriez-vous besoin ?

— Je ne sais pas, assez pour construire un chenil,
faire de la publicité et me lancer. Avec la nourriture pour
chiens et tout, probablement 500 dollars pour la première portée.

— C'est d'accord. Je vous prête 500 dollars.

— Comme ça ?

— Comme ça !

Tout le monde se mit à rire dans la pièce et je vis les
regards s'éclairer. D'autres, à présent, levaient la main :

— J'aimerais vendre des plantes en pots...

— Qu'est-ce qui vous fait croire que vous sauriez le
faire ?

— J'aime les plantes. J'ai la main verte. Tout ce que
je touche pousse bien.

— Avez-vous une parcelle de terre ?

— Ce n'est pas un problème. Ici, il n'y a pas de propriété. Chaque membre de la tribu peut utiliser la terre.

— Et vous pensez pouvoir vendre des plantes en
pots ?

— Bien sûr, très facilement.

Nous aboutîmes à un accord, et dans la salle je pouvais sentir les imaginations se réveiller.

Un homme leva la main :

— Pendant des années, nous avons cultivé notre
propre maïs, et puis les Blancs ont pris notre place. Je
suis sûr que nous pourrions obtenir de meilleurs résultats qu'eux et garder le profit.

J'acquiesçai. Et brutalement, de toute la salle jailli-
rent des propositions.

*

Plus le temps passe, plus je suis convaincu que les problèmes bancaires que j'ai identifiés au Bangladesh sont les mêmes dans le monde entier. En 1990, j'écrivis un article intitulé « Qu'est-ce qui ne va pas ? » dans lequel je décrivais comment les banques américaines ne tenaient aucun compte de la réalité des êtres humains :

Le système que nous avons créé refuse de reconnaître les gens. Seules les cartes de crédit sont acceptées.

Seuls les permis de conduire sont acceptés. Mais pas les individus. Il semble que les visages n'aient plus aucune utilité. On scrute votre carte de crédit, votre permis, votre numéro de Sécurité sociale ; si une carte est plus officielle qu'un visage, alors pourquoi en avoir un ?

En Amérique, les chèques font l'objet de toutes les suspicions, même les chèques d'organismes gouvernementaux — les vieux et les pauvres ont un mal fou à les encaisser. Il faut une carte de crédit et un permis de conduire pour prouver son identité et son honnêteté !

J'en arrive à penser que les banques américaines ne traitent pas mieux les démunis que les banques de mon pays.

XXV

DANS LES GHETTOS DE CHICAGO

L'agence de la Fondation Ford au Bangladesh nous apporta un soutien à partir de 1976. D'abord sous la forme de petites subventions, puis, en 1983, elle finança en partie notre expansion sur cinq districts.

La même année, Ford envoya Mary Houghton et Ronald Grzynwinski pour évaluer notre travail. Apparemment, ils se posaient les mêmes questions que nous. Les responsables bengalis nous répétaient sans arrêt que nous n'étions pas une banque classique parce que nous n'en avions pas le fonctionnement. Aussi fus-je heureux de rencontrer Houghton et Grzynwinski, deux anciens des mouvements de contestation des années soixante, qui n'avaient pas non plus l'air de banquiers classiques.

Avec deux amis, ils avaient acheté une banque communautaire au bord de la faillite, dans le sud de Chicago. Grâce à eux, la South Shore Bank avait regagné la confiance de la communauté, trouvé de nouveaux clients et commencé à accorder des prêts à des particuliers que les banques traditionnelles refusaient. Leur évaluation de nos activités fut tout à fait enthousiaste. Ils dépassèrent même leur mission en suggérant que la Fondation me fasse venir à Chicago pour envisager la possibilité de reproduire l'expérience Grameen aux États-Unis. Ce fut le début d'une longue relation amicale.

Je me rendis donc à Chicago en 1985 et rencontrai les responsables de plusieurs organisations à but non lucratif. La plupart se montraient sceptiques. Un sociologue de l'université de Chicago pensait même que j'avais embobiné Houghton, et qu'un projet réalisé sur le sous-continent indien était forcément entaché de corruption. Lorsque je le rencontrai en personne, je pus le persuader du contraire.

Dans les discussions, j'insistais tout particulièrement sur le groupe cible de Grameen : les plus pauvres d'entre les pauvres. Les travailleurs sociaux américains et les dirigeants communautaires refusaient de croire que ces gens avaient besoin de capitaux. Pour eux — et ils n'en démordaient pas —, ce qu'il fallait aux plus démunis, c'étaient des services sociaux : soins psychiatriques, services médicaux, formation, éducation, logement, etc.

J'étais habitué à ces arguments bien intentionnés, mais avec huit ans d'expérience à mon actif, j'étais plus convaincu que jamais que nous avions raison, et que le crédit devait précéder tous les autres besoins sociaux pressants et légitimes. Je répétais inlassablement que tout être humain, aussi pauvre soit-il, possède la capacité innée d'utiliser un prêt pour échapper à la pauvreté. Je développais des convictions qu'ils n'avaient jamais entendues auparavant.

Les pauvres peuvent sembler stupides, mais tout le capital humain existe en eux, latent. Il faut juste les aider à se débarrasser des couches successives de souffrance et d'humiliation, comme on pèle un oignon. Le crédit solidaire est l'outil qui leur permettra de découvrir et d'exploiter leurs talents.

Pour beaucoup de mes auditeurs, ce présupposé était un saut dans l'inconnu, mais certains d'entre eux m'écoutèrent attentivement. Les autres refusèrent mon discours, purement et simplement.

Lors d'une réunion, un travailleur social me dit :

— Le minimum dont un pauvre aurait besoin pour démarrer une entreprise serait 5 000 dollars.

Je lui répondis en riant que ce n'était pas possible. J'ajoutai :

— Si personne n'accepte de prêt inférieur à 5 000 dollars, alors il me faudra conclure qu'il n'y a pas de pauvres en Amérique.

— Non, personne ne sera intéressé par un prêt aussi peu élevé.

— J'en déduis que vous et moi n'avons pas la même conception de la pauvreté. Je vous parie qu'un grand nombre de gens dans les centres-ville déshérités auraient besoin d'un crédit Grameen.

Pendant les mois qui suivirent, il fallut encore plusieurs allers-retours entre Dhaka et Chicago pour que Houghton et deux de ses amies, Elsbeth Revere et Gail Christopher, créent le Women's Self-Employment Project (WSEP) en 1986. Ce fut notre première expérience aux États-Unis.

Aujourd'hui, les bureaux de la WSEP se trouvent au troisième étage d'un immeuble sur Washington Street, dans le centre-ville de Chicago. Vingt-cinq femmes, « agents d'entreprise » dont les deux tiers sont noires, aidées de stagiaires et de bénévoles, repèrent les entreprises débutantes, centralisent les demandes de prêts et aident les emprunteurs à définir leur stratégie. La WSEP a prêté plus d'un million de dollars à 300 entreprises de Chicago et offre un service de conseil en entreprise à 5 000 femmes. Son taux de remboursement est de 93 %.

Leur projet le plus difficile à mettre en œuvre et le plus controversé fut le Full Circle Fund (FCF). Débuté en 1988, il devait encourager le développement économique de quartiers défavorisés en offrant à des femmes un capital d'investissement de 300 à 1 500 dollars si elles acceptaient de réunir cinq autres femmes autour d'elles et de les persuader du bien-fondé de leur proposition de collaboration. Aucune garantie de solvabilité n'était exigée.

En 1988, Connie Evans et Susan Matteucci, qui s'étaient elles-mêmes baptisées les « groupies de Grameen », passèrent énormément de temps avec notre personnel sur le terrain et nos responsables de zone, et elles suivirent nos réglementations à la lettre. Lorsque j'allai observer leur travail à Chicago, j'éprouvai un véritable choc. Je n'aurais jamais imaginé que mon petit modèle de l'Asie du Sud pût fonctionner dans un environnement aussi moderne, et pourtant il rencontra un franc succès lors de festivals en plein air tels que Black Expo ou Ghana Fest. J'eus un peu de mal à m'habituer à certaines choses : par exemple, Grameen facture à l'emprunteur tous les services fournis, même si la somme est insignifiante. À Chicago, il en coûtait cinq dollars pour un cours sur la façon d'effacer auprès des banques un passé d'endettement. Au Bangladesh, c'était une fortune, la moitié de beaucoup de nos prêts. Lorsque je demandai à l'un des participants si la somme n'était pas trop élevée, elle me répondit : « Ça vaut le coup si, au bout du compte, on peut obtenir une carte de crédit et un prêt immobilier. »

Le FCF débuta ses activités à Englewood. Je fus stupéfait par ce que j'y vis, par les dégâts causés par la drogue et l'alcool. Lorsque j'étais étudiant, je me limitais presque exclusivement au campus et évitais les quartiers dangereux. Il me semblait que vivre en marge d'une société aussi puissante était plus difficile que dans les zones rurales du Bangladesh où, malgré la pauvreté du pays, la campagne est luxuriante et où, après la mousson, tout pousse rapidement. Dans ce bidonville urbain et violent, j'eus l'impression qu'il était moins facile d'improviser sa survie, qu'il n'existait pas de réseaux de parents ou d'amis à appeler en cas de besoin. Le ghetto se repliait d'autant plus sur lui-même que la richesse était proche.
Englewood, une « friche urbaine », est l'un des quartiers les plus pauvres et les plus violents de Chicago. En 1990, le taux de chômage y était deux fois plus élevé que la moyenne de la ville et 50 % des familles (noires à 98 %) vivaient en dessous du seuil de pauvreté. 10 000 jeunes appartenaient à des gangs.

Dans la rue, je ressentais une peur que je n'avais jamais éprouvée au Bangladesh. Personne n'osait plus sortir, surtout les personnes âgées. Les fusillades en voiture et les agressions étaient si fréquentes que beaucoup de résidants, l'été, craignaient de s'asseoir sur la terrasse devant leur maison. Les rues étaient pleines de voitures abandonnées, ce qui me faisait penser à cette activité courante sur les côtes du Bangladesh, près de Chittagong, où d'énormes cargos sont démontés par des milliers de mes compatriotes aux pieds nus qui réutilisent ensuite chaque pièce du bateau. J'essayai de demander aux résidants quels étaient leurs besoins mais ils ne parlaient que du dernier adolescent tué ou arrêté.

Tout cela n'avait rien à voir avec l'Amérique que je connaissais. Je découvris des usines désaffectées, des maisons calcinées, des terrains en friche.

Chaque groupe d'emprunteurs adopta un nom : « Les Enfants d'abord », « Principes divins », ou « Les Papillons ». Leurs activités lucratives étaient les suivantes :
— fabrication et vente de nourriture dans la rue ;
— vente de livres pour les enfants noirs ;
— vente de bijoux ou d'objets d'artisanat africain à un dollar ;
— location par une femme d'un rayon de librairie pour y vendre des cassettes et des disques compacts ;
— fabrication et vente de tabliers et de paniers ;
— achat et revente de T-shirts personnalisés.

Aucun de nos emprunteurs n'est vraiment devenu un chef d'entreprise, mais Grameen les a aidés à augmenter leurs revenus de 2 000, 5 000 ou 10 000 dollars par an, sans formation supplémentaire. Et ils ont pu se passer du chèque de l'État, aide humiliante et déprimante.

Queenesta Harris vivait avec 233 dollars d'aides sociales par mois, sans espoir de se remettre à flot un jour. Grâce au crédit solidaire, elle vend à présent des cassettes et des CD. Omiyale, qui en était réduite à mendier et à dormir dans la rue, vend aujourd'hui des biscuits qu'elle fabrique elle-même. Elles se passent de toute allocation et subviennent à leurs besoins.

Qu'on soit au Bangladesh ou à Chicago, les réunions entre emprunteurs se ressemblent beaucoup, et ce malgré les différences culturelles.

L'argent circule, les problèmes sont évoqués dans la transparence, on échange des commérages, des tuyaux et le soutien du groupe est à peu près identique. Dans les deux pays, les femmes prennent un plaisir évident à se retrouver entre elles dans un lieu où l'on s'occupe en priorité de leur situation économique.

Les différences sont culturelles. Au Bangladesh, les réunions de centres ont lieu dans une hutte à toit de chaume de six mètres de long sur deux mètres de large, construite par les emprunteurs eux-mêmes, et dans laquelle quarante femmes s'entassent pour faire un rapport à un employé de la banque. Tous les autres membres du groupe assistent à ces discussions. À Chicago, les participants sont moins nombreux, mais disposent de beaucoup plus d'espace. Les emprunteurs de Chicago n'ont pas à combattre la pratique traditionnelle de la dot, mais se sont promis de contrecarrer les effets pernicieux des frais d'enterrement exorbitants. La cohésion et la discipline sont établies par le biais de la pression et du soutien de l'entourage, et le taux de remboursement était de 100 % en 1996, même si beaucoup de paiements étaient effectués en retard.

L'autre différence réside dans les ravages de la drogue et de l'alcool. Nos prêts donnent de l'espoir à la population et, par là même, ils combattent directement les problèmes des ghettos de Chicago, inconnus au Bangladesh.

Avec l'aide d'organismes de crédit solidaire, nombreux sont ceux, parmi les minorités à faible revenu, qui pourront transformer leurs activités illégales et sous-capitalisées en affaires légitimes leur permettant d'échap-

per à la pauvreté. Results, un groupe de pression populaire rassemblant plus de 400 bénévoles, a grandement
contribué à l'éradication de la pauvreté en intervenant
auprès des législateurs américains. Créé par Sam Daley
Harris, un ancien professeur de musique idéaliste,
Results est devenu une force de changement majeure aux
États-Unis et dans les pays développés.

J'ai rencontré Sam en 1984, lorsque Results faisait
campagne pour obtenir un financement américain de
l'IFAD (International Fund for Agricultural Development),
un organisme financier de l'ONU basé à Rome. Notre relation se renforça avec les années.

À l'initiative de Sam, Results organisa le Sommet du
crédit solidaire en février 1997, qui se fixait pour objectif
de proposer d'ici l'an 2005 à 100 millions de familles
pauvres des microprêts et autres services financiers en
s'appuyant de préférence sur les femmes.

XXVI

PARTENARIAT GRAMEEN-RESULTS

On commençait à parler de nous à l'étranger. Notre engagement au sein de projets américains nous fit connaître des groupes militants aux États-Unis. La presse, un peu partout, s'intéressait à nous. C'est alors que je rencontrai les bénévoles de Results.

Results est né de la révolte d'un professeur de musique d'un lycée de Miami, Sam Daley-Harris, face au problème de la faim dans le monde. Toute sa vie d'adulte, il avait ardemment désiré contribuer à y mettre fin sans jamais concrétiser son désir.

Sam en arriva à la conclusion que la démocratie américaine était en pleine crise. Les citoyens sont indifférents au fonctionnement de leur gouvernement. En 1978 et 1979, il demanda à 7 000 lycéens de donner le nom de leur représentant au Congrès : seuls 200 d'entre eux connaissaient la réponse. Il résolut de trouver un moyen d'aider les citoyens à communiquer avec leur gouvernement.

Pour ce faire, Sam adopta le principe éprouvé de l'envoi de lettres aux représentants, principe qu'il appliqua avec ses amis pendant les quatres années qui suivirent. En 1984, 95 bénévoles de 20 États différents tinrent une conférence à Washington. Results était enfin prêt à devenir un réseau national de bénévoles.

En 1985, de passage à Chicago, je m'adressai à la Commission interparlementaire de la Chambre des représentants. Un bénévole de Results me conduisit ensuite dans une pièce minuscule où l'on me demanda de m'asseoir devant un téléphone. Je ne connaissais pas du tout le principe de l'audioconférence. Personne ne me l'expliqua, et je n'avais pas le temps de consulter qui que ce soit. Je me retrouvai donc face à une foule par l'intermédiaire d'un combiné téléphonique.

Il y avait une autre personne dans la pièce. C'était Sam Daley-Harris. Je ne l'avais jamais rencontré, mais nous nous étions déjà écrit. Sam était très aimable. En l'écoutant parler au téléphone, je compris comment fonctionnait le système. En fait, c'était une conférence de presse par téléphone. Quinze éditorialistes de grands quotidiens américains attendaient de me poser des questions. J'y répondis et expliquai le fonctionnement de Grameen. Sam s'occupait des questions liées au Congrès et à la législation.

Ce fut une expérience nouvelle pour moi. Je vis comment les citoyens pouvaient s'organiser pour se faire entendre. Je compris que la technologie pouvait réduire les distances géographiques et que la presse pouvait être invitée à soutenir une cause populaire.

Sam et moi devînmes amis, dès notre première rencontre. Plus je le vois à l'œuvre et plus je l'admire. C'est un homme modeste, mais sa détermination est inébranlable. Pas moyen de lui faire lâcher prise. Dans le monde entier, les militants de Results l'acceptent volontiers comme leur dirigeant.

Depuis ce premier contact, les liens établis entre Grameen et Results n'ont cessé de se renforcer et nos activités n'ont plus de secrets pour les membres de Results.

CINQUIÈME PARTIE

Quelques réflexions sur l'économie

XXVII

TRAVAIL INDÉPENDANT : RETOUR À L'ESSENTIEL

Le chômage est l'un des fléaux des sociétés modernes. Même les nations industrialisées se trouvent dans l'impossibilité de fournir un emploi à chacun.

Les gouverneurs américains et les présidents européens tentent d'attirer sur leur sol les grandes entreprises en leur offrant des avantages fiscaux afin de les inciter à créer des emplois. Mais les industries ne peuvent pas tout apporter. De plus, elles produisent souvent des déchets toxiques, polluent l'air et l'eau et entraînent des problèmes écologiques qui supplantent parfois les bénéfices en termes d'emploi. Qui plus est, les profits dégagés par cet investissement étranger sont renvoyés vers la société mère et les actionnaires étrangers.

Le travail indépendant ne présente aucun de ces inconvénients. Certes, il n'est pas aussi spectaculaire qu'une nouvelle usine flambant neuve, mais les profits restent dans le pays où ils sont réalisés, et les entreprises ainsi créées sont souvent trop petites pour représenter un danger en matière d'environnement.

Voici quelques avantages du travail indépendant par rapport au travail salarié :
1. Les horaires sont souples et peuvent être adaptés à la situation familiale. Les gens peuvent donc

choisir de travailler à temps complet ou à temps partiel s'ils doivent faire face à des difficultés temporaires, ou même abandonner leur affaire pendant quelque temps pour un emploi salarié.

2. Le travail indépendant convient particulièrement à ceux qui connaissent la réalité de la rue et ont des qualités pratiques plutôt qu'un savoir livresque et des compétences techniques. Cela signifie que les illettrés et les pauvres peuvent exploiter leurs points forts au lieu d'être handicapés par leurs faiblesses.

3. Il peut transformer un passe-temps en emploi rémunérateur.

4. Il donne une chance à ceux qui ont du mal à se plier à une hiérarchie rigide.

5. Il offre la possibilité d'échapper à la dépendance par rapport aux aides sociales, non pas pour devenir un esclave salarié mais pour ouvrir un magasin ou un petit atelier de fabrication.

6. Il peut aider ceux qui ont trouvé un emploi mais n'en sont pas moins pauvres pour autant.

7. Il donne à ceux qui viennent d'être licenciés le soutien moral nécessaire pour s'installer à leur compte avant de sombrer dans la dépression ou l'isolement.

8. Il donne aux victimes du racisme, qui ne peuvent trouver d'emploi à cause de la couleur de leur peau ou de leur origine, une chance de gagner leur vie.

9. Le coût moyen de création d'un emploi indépendant est dix, vingt ou cent fois moins élevé que celui d'un emploi salarié.

10. Il permet à un pauvre isolé de reprendre progressivement confiance en lui.

En plein règne du marché et de la production de masse, on reproche souvent au crédit solidaire de maintenir le travail indépendant à une échelle réduite qui ne favorise pas les économies d'échelle. Mais je pense que la production familiale peut très bien aboutir à une production de masse, bien qu'elle ne soit pas effectuée sous le même toit et par le biais du salariat.

Pour éradiquer la pauvreté, il faut prendre des mesures plus globales et approfondies que celles nécessaires à la simple création d'emplois. Ce n'est pas le travail qui sauve les pauvres, mais le capital lié au travail ; dans la plupart des cas, il élimine la pauvreté à un coût nul ou minime pour le contribuable.

Au lieu de verser l'aide sociale mensuellement, je serais d'avis d'en effectuer le versement d'un coup pour ceux qui veulent s'établir à leur compte. Au Royaume-Uni, un programme intitulé *Entreprise Allowance Scheme* a facilité les débuts de 88 000 entreprises dont 86 % sont toujours debout trois ans plus tard. Le travail indépendant pour les minorités méprisées n'est pas une idée neuve : l'expérience de la Banque des esclaves affranchis (Freedman's Bank), mal gérée, se termina sur un fiasco en 1874, mais ce fut tout de même une tentative pour venir en aide aux anciens esclaves.

De toute évidence, le travail indépendant a ses limites, mais dans de nombreux cas, c'est la seule solution pour améliorer le sort de ceux que nos économies refusent d'employer et dont les contribuables refusent de porter le fardeau.

Prenons l'exemple de Manzira Khatoon, trente-neuf ans, née au village de Outakhin Noadeeari, dans le district de Chapainoabganj, où elle vit toujours.

Manzira était une étudiante appliquée et elle s'était mariée à l'âge de dix-sept ans. Puis son père fit faillite et fut dépossédé de toutes ses terres à la suite d'un interminable différend juridique. Son mari perdit son emploi et, après la naissance de leur troisième enfant, il abandonna sa famille pour se marier avec une autre femme. Manzira perdit tant de poids qu'elle ne put allaiter son petit garçon, Rubel. Son père était très pauvre et avait dix-sept bouches à nourrir, si bien qu'il refusa de l'accueillir. Elle gagnait un peu d'argent en faisant des ménages et elle travaillait chez un tailleur sans être rémunérée. Son plus jeune fils, atteint de malnutrition, mourut en vingt-quatre heures. Son chagrin fut tel qu'il lui fallut six mois pour se remettre et trouver un emploi auprès d'un tailleur local.

Manzira vivait au jour le jour et son rêve était d'acheter sa propre machine à coudre et de s'installer à son compte. En 1989, elle entendit parler de Grameen et demanda à son père de se renseigner sur les modalités d'adhésion. Aujourd'hui, grâce à nos prêts, elle possède un lopin de terre planté de goyaviers et en loue un autre où pousse du riz à haut rendement. Sa maison de brique a été financée par Grameen. Elle achète également du tissu dont elle fait des vêtements qu'elle vend à domicile. « Le jour où j'ai pu commencer à construire ma maison a été le plus beau jour de ma vie, dit-elle. Grameen m'a fourni ce que mes parents n'ont pas pu me donner. »

Ses traites hebdomadaires s'élèvent à environ 25 francs et elle les paie sans difficulté. « Pour la première fois depuis des années, je mange à ma faim et je peux subvenir aux besoins de mes parents âgés. »

En 1990, elle fut élue par ses pairs pour représenter la zone de Rajshahi-Rangpur au conseil d'administration de Grameen. Elle reçut également des mains du roi Baudouin un prix récompensant la banque en 1989.

XXVIII

LIBÉRALISME ET OBJECTIFS SOCIAUX

Dans ma jeunesse, j'étais plutôt un progressiste de centre gauche, parce que je n'étais pas satisfait du monde tel qu'il était et que je n'appréciais pas les méthodes conservatrices. Comme beaucoup de Bengalis de ma génération, j'étais influencé par les théories économiques marxistes.

À l'université, la plupart de mes amis étaient socialistes et ils pensaient que le gouvernement devait se charger de tout. À Vanderbilt, le professeur Georgescu-Roegen n'était pas communiste, mais il admirait le marxisme pour sa logique. Son enseignement donnait à l'économie une dimension sociale.

Aux États-Unis, je découvris que l'économie de marché libérait l'individu et lui permettait de faire des choix personnels. Le seul inconvénient, c'est que ce système favorise les puissants. Il devait pourtant être possible de tirer profit du système pour améliorer le sort des pauvres.

Grameen est une banque privée d'autoassistance et lorsque ses membres s'enrichissent, ils investissent dans des pompes à eau, des latrines, de nouveaux logements, des écoles et des services de santé.

Il existe une autre façon de parvenir au même résultat : laisser les entreprises faire des profits qui sont ensuite taxés par le gouvernement et permettent de construire des écoles, des hôpitaux, etc. Mais en pratique, les choses ne fonctionnent pas ainsi. Les impôts levés profitent d'abord à la bureaucratie qui les lève et il ne reste rien ou presque pour les pauvres. De plus, la bureaucratie n'étant nullement motivée par le profit, elle n'a aucune raison d'augmenter son efficacité.

Autre inconvénient : le gouvernement ne peut pas réduire les aides sociales sans s'attirer de violentes protestations de la population ; ainsi, le monstre perpétue d'année en année son inefficacité. Si Grameen ne fait pas de profit, si nos employés ne sont pas motivés et ne travaillent pas d'arrache-pied, nous faisons faillite. Peu importe que nous soyons organisés sur le modèle d'une entreprise privée ou d'une association à but non lucratif, l'essentiel est que notre moteur ne soit pas la cupidité. Nous avons toujours essayé de dégager des profits, de couvrir nos dépenses, d'assurer notre avenir, de continuer à nous développer. Notre préoccupation principale est le bien-être à long terme de nos actionnaires et pas le produit immédiat de leur investissement.

De toute évidence, l'économie de marché telle qu'elle est organisée aujourd'hui ne fournit pas de solution aux maux de la société. J'en veux pour illustration tous les domaines sociaux cruellement délaissés : perspectives économiques et système de santé pour les pauvres, éducation pour les déshérités, bien-être des personnes âgées et handicapées. Pourtant, même pour ces difficultés particulières, je pense que l'État, sous sa forme actuelle, devrait se désengager presque intégralement (à l'exclusion de la défense nationale et de la politique étrangère) pour laisser le secteur privé — un secteur privé organisé sur le modèle de Grameen, c'est-à-dire animé par un souci de bien-être social — jouer son rôle.

Grameen a toujours suscité énormément de controverses. Pour les gens de gauche, c'était une conspiration commanditée par les Américains pour implanter le capitalisme parmi les pauvres. Ils affirmaient que notre but réel était de réduire à néant tout espoir de révolution en dépossédant les pauvres de leur désespoir et de leur rage.

Un professeur communiste me dit un jour : « En fait, vous donnez de petites doses d'opium aux pauvres pour qu'ils se désintéressent des problèmes politiques globaux. Avec vos prêts solidaires, ils dorment sur leurs deux oreilles et ne font aucun bruit. Leur zèle révolutionnaire se tarit. Grameen est l'ennemie de la révolution. »

À droite, les responsables musulmans conservateurs nous accusent de vouloir brader notre culture et notre religion.

Je m'efforce toujours d'éviter les philosophies grandiloquentes et les théories en « isme ». Je préfère le pragmatisme fondé sur des considérations sociales. J'essaie de garder l'esprit pratique et je regarde toujours vers l'avant. Je ne suis pas un capitaliste selon la conception simpliste qui s'inscrit dans une division du monde en droite/gauche, mais je crois au pouvoir du capital dans le cadre d'une économie de marché.

Paradoxalement, je suis assez d'accord avec les réactionnaires de tous bords rencontrés aux États-Unis lorsqu'ils disent qu'il ne faut rien donner aux pauvres des centres-ville défavorisés. Je sais que c'est une affirmation assez choquante, mais j'ai l'intime conviction que les indemnités de chômage ne sont pas une solution efficace aux problèmes. C'est plutôt une façon d'ignorer les difficultés des gens et de les laisser se débrouiller. Les pauvres en bonne santé ne veulent pas de la charité et ils n'en ont pas besoin. Les allocations chômage ne font qu'ajouter à leur détresse, elles les privent de leur esprit d'initiative et de leur dignité. Mais contrairement aux réactionnaires, je pense que la pauvreté n'est pas créée par les pauvres, mais bien par la façon dont la société est structurée, ainsi que par les politiques mises en œuvre.

Si l'on modifie la structure, comme nous le faisons au Bangladesh, les conditions de vie des pauvres se modifient. Tous les emprunteurs que nous avons aidés à

Grameen nous ont permis de conclure, sans crainte de nous tromper, qu'avec l'apport d'un soutien financier, même minime, les pauvres sont capables de changer de vie du tout au tout.

Certains avaient besoin de 100 francs, d'autres de 500 ou 4 000 francs, certains voulaient décortiquer du riz, d'autres faire du riz soufflé, fabriquer des pots de terre ou acheter du bétail. Pourtant, il est important de noter — avis aux spécialistes mondiaux du développement ! — que pas un seul de nos emprunteurs n'a ressenti la nécessité de la moindre formation. Les tâches accomplies à la maison leur avaient assuré une formation sur le tas, et ils avaient déjà acquis les compétences nécessaires dans leur domaine. Tout ce qu'il leur fallait, c'était du capital.

D'une certaine façon, nous avons intégré l'idée que la cupidité est le moteur du capitalisme et en avons conclu que seuls les plus cupides pouvaient se faire une place dans ce système. Les gens bien intentionnés se gardaient bien d'y participer, le condamnaient et s'obstinaient à vouloir trouver des solutions de rechange.

Nous pouvons reprocher au secteur privé bien des erreurs, mais comment justifier que nous ne fassions rien pour changer les choses de l'intérieur ? À la différence du gouvernement, le secteur privé est ouvert à tous.

L'expérience de Grameen m'a amené à penser que la cupidité n'est pas l'unique ressort du libéralisme. Elle peut céder la place à de véritables objectifs sociaux. Si nous nous y prenons bien, les entreprises dirigées dans cette perspective feront concurrence à celles qui visent uniquement le profit, et nous pourrons construire une société meilleure. Nos initiatives ne devraient pas se mesurer uniquement à l'aune des dividendes obtenus qui, pour importants qu'ils soient, ne doivent pas faire perdre de vue les retombées pour la collectivité.

Où se trouve la philosophie Grameen sur l'échiquier des idéologies politiques ? À droite, à gauche, au centre ? Nous sommes pour un interventionnisme étatique réduit au strict minimum. Nous soutenons l'économie de marché et prônons la création d'entreprises. Cela devrait donc nous placer à droite. Pourtant, Grameen affirme des objectifs sociaux : éliminer la pauvreté, fournir à tous éducation, couverture médicale et emploi, parvenir à l'égalité des sexes en permettant aux femmes de se prendre en charge, et enfin assurer le bien-être des personnes âgées. Grameen rêve d'un monde débarrassé de la pauvreté et de l'aumône des allocations. Elle désapprouve le cadre institutionnel existant et les entreprises fondées sur la recherche du profit.

Grameen n'est pas adepte du libéralisme économique. Nous croyons à l'intervention sociale, mais sans que l'État s'engage dans l'industrie ou les services. Son intervention devrait se limiter à un ensemble de mesures encourageant les entreprises à s'engager sur le terrain social. Ces caractéristiques permettent à Grameen de revendiquer une place à gauche.

Grameen est donc difficilement classable en termes politiques et économiques traditionnels.

Qui doit prendre l'initiative de la création de ce secteur privé investi d'un rôle social ? Des individus animés d'une profonde conscience sociale qui peut se révéler aussi motivante, si ce n'est plus, que l'appât du gain. Pourquoi ne pas leur ménager un espace sur le marché afin qu'ils tentent de résoudre les problèmes sociaux et œuvrent pour la paix, l'équité et la créativité ?

Le secteur public n'a pas rempli son rôle, ou du moins il est en perte de vitesse malgré tous nos efforts. Il a été achevé par la bureaucratisation confortée à coups de subventions, de protection économique et politique et de manque de transparence. C'est aujourd'hui le règne de la corruption. Les bonnes intentions de départ se sont évanouies en route. Il ne reste donc plus que le secteur privé motivé par la recherche du profit. C'est une perspective assez peu engageante. En effet, la concurrence qui régit l'économie de marché ne peut suffire à tenir en échec la cupidité déchaînée qui, alliée à la corruption, a tendance à infiltrer les associations les plus solides à la moindre occasion.

Avant que le monde ne se résigne à y succomber, il faut sérieusement étudier la solution de remplacement, et Grameen est une preuve vivante de la force de l'engagement social.

Les détracteurs du crédit solidaire disent souvent qu'il ne contribue pas — ou très peu — au développement économique d'un pays.

Tout dépend de ce que l'on entend par développement économique : s'agit-il du revenu par habitant ou de la consommation par habitant ?

Cette définition ne prend pas en compte l'essence même du processus de développement. Pour moi, ce qui importe, c'est l'amélioration de la qualité de la vie pour les 50 % (ou 25 %) de la population les moins favorisés.

C'est le point de divergence entre croissance et développement. Ceux pour qui les deux mots sont synonymes ou sont intrinsèquement liés pensent que les couches sociales sont accrochées les unes aux autres comme des wagons de chemin de fer. Si la locomotive avance, tous les wagons suivent à la même vitesse. C'est loin d'être le cas. Non seulement les différentes couches ne progressent pas à la même vitesse, mais si on n'y prend pas garde, elles ne prennent pas la même direction. Bien évidemment, s'il n'y a pas de croissance, il n'y a pas de progression. Mais là s'arrête la comparaison entre un train et les différents compartiments de la société. Dans le cas des sociétés humaines, chaque compartiment économique a son propre moteur. Et c'est la combinaison de ces différents moteurs qui fait avancer l'économie. Si la société oublie de mettre en marche certains des moteurs, la puissance combinée de l'économie s'en verra réduite d'autant. Pire encore, si les wagons de queue ne sont pas mis en branle, ils risquent fort de reculer.

Pour rester dans notre métaphore, le crédit solidaire se propose de servir de démarreur au niveau de la plus petite unité : le passager dans chaque compartiment. Il permet donc d'augmenter la puissance du train social, ce que les prétendus projets de développement sont incapables de faire.

Les investissements d'infrastructure, réseaux routiers, centrales électriques et aéroports mettent en marche le moteur du compartiment de tête. Ils multiplient sa puissance, même s'il n'en utilise qu'une partie. De plus, rien ne permet de penser que cette puissance pourra être transmise aux autres compartiments.

Le crédit solidaire est-il à même d'encourager de grands travaux d'infrastructure ? Il permet en tout cas aux éléments rejetés de la société de se mettre en marche et peut ainsi préparer le terrain pour des projets plus vastes.

Des emprunteurs solidaires peuvent s'organiser pour acquérir de grosses entreprises, y compris dans le domaine de l'infrastructure. Cela s'est déjà fait dans le cadre de Grameen. Par exemple, GrameenPhone est une entreprise nationale de téléphones portables qui répondra aux besoins d'un million d'utilisateurs en zone urbaine et rurale au Bangladesh d'ici l'an 2001. Les membres de Grameen deviendront les préposées du téléphone dans les villages. Des femmes démunies qui n'ont jamais vu de téléphone ni même d'ampoule électrique se verront dotées d'un téléphone portable et vendront ce service aux villageois pour augmenter leur revenu.

À terme, elles deviendront propriétaires de l'entreprise en rachetant les actions, comme cela a été le cas pour la Banque Grameen. Ce sera alors la première compagnie de téléphone appartenant à des femmes pauvres.

Grameen Cybernet est une autre illustration de la création d'entreprise d'infrastructure. Elle fournit un service Internet au Bangladesh et étendra sa couverture aux zones rurales dès que GrameenPhone sera présente dans les villages. Internet amènera le marché mondial de l'emploi aux portes des villages les plus reculés. Les jeunes, garçons ou filles de familles pauvres, n'auront plus besoin de se ruer vers les villes pour trouver du travail. Les plus doués auront accès à la meilleure éducation possible par le biais d'Internet. Dans ce cas-là aussi, l'entreprise sera rachetée par les pauvres.

Au Bangladesh, de nombreux villages (environ 65 %) n'ont pas l'électricité. Grameen a donc créé Grameen Shakti (Grameen Énergie) pour fournir de l'énergie solaire dans les villages, afin d'alimenter téléphones portables, éclairage, radios, télévisions et ordinateurs. L'entreprise va mettre en place des microentreprises que les pauvres posséderont et dirigeront localement.

Dans une stratégie traditionnelle de développement, les centrales, les entreprises de télécommunication et autres infrastructures appartiennent soit aux plus riches du pays, soit à des multinationales, soit aux deux, et elles servent leurs intérêts particuliers. Grameen et le crédit solidaire peuvent contribuer à l'émergence d'une conception différente dans une société plus bienveillante à l'égard des pauvres.

La qualité de vie d'une société ne devrait pas se mesurer au mode de vie des riches mais à celui de ceux qui sont au bas de l'échelle sociale.

XXIX

ÉDUCATION ET FORMATION
POUR LES PAUVRES ?

Nous nous sommes élevés contre les méthodes traditionnelles de lutte contre la misère en distribuant de l'argent sans fournir aucune formation préalable.

Pourquoi avons-nous procédé ainsi ?

Parce que tous les êtres humains possèdent un don
inné, celui de la survie. Le fait qu'ils soient vivants
prouve à lui seul leurs capacités. Ils n'ont pas besoin que
nous leur apprenions à survivre. Plutôt que de perdre
notre temps à leur enseigner de nouvelles compétences,
nous avons donc décidé d'utiliser celles qu'ils possédaient déjà. L'argent qu'ils gagnent alors devient un outil,
une clé qui leur donne la possibilité d'explorer l'intégralité de leur potentiel.

Les décideurs publics, les consultants internationaux
et de nombreuses organisations non-gouvernementales
font précéder toute action de lutte contre la pauvreté par
un programme élaboré de formation. Il y a trois raisons
à cela : d'abord, ils partent du principe que les gens sont
pauvres parce qu'ils n'ont aucune qualification et que
s'ils pouvaient en acquérir une, ils cesseraient d'être
pauvres. Ensuite, ces projets de formation répondent à
leurs intérêts propres : davantage de possibilités d'emploi, de perspectives de carrière et un budget considérable sans obligation de résultats. Ils peuvent faire

illusion et donner l'impression qu'ils agissent. Enfin, ils ne savent pas quoi faire d'autre.

Au niveau mondial, une énorme machine s'est créée grâce aux budgets d'aide et de développement dans le seul but d'assurer des formations. Les spécialistes de la lutte contre la pauvreté continuent d'affirmer que la formation est le préalable indispensable à toute ascension sociale.

Mais si l'on regarde ce qu'il en est sur le terrain, force est de constater que les pauvres ne sont pas pauvres parce qu'ils sont illettrés ou peu éduqués, mais parce qu'ils ne peuvent pas conserver les bénéfices de leur travail — et cela parce qu'ils n'ont pas accès au capital et que ceux qui le contrôlent définissent seuls les règles du jeu.

Pourquoi cela ne serait-il pas possible aux pauvres ? Parce qu'ils n'héritent d'aucun capital et qu'ils n'y ont pas accès ensuite. À tel point que l'on croit généralement que les pauvres ne sont pas dignes de se voir confier un capital.

La plupart des programmes de formation sont tout à fait inefficaces. En échange de leur participation, les pauvres reçoivent une contrepartie, souvent sous la forme d'avantages financiers immédiats, de bourses de formation ou de prestations en argent ou en nature. Bien entendu, cela les attire, même si la formation elle-même ne présente aucun intérêt pour eux.

Les programmes de formation s'efforcent toujours de développer de nouvelles compétences au lieu de s'appuyer sur celles qui existent déjà. Ces nouvelles compétences sont enseignées de telle façon que les stagiaires ont l'impression d'être totalement ignorants et stupides. Si nous avions exigé de nos emprunteurs qu'ils suivent un cours de gestion des entreprises avant de pouvoir demander un prêt, nous en aurions découragé plus d'un. L'apprentissage formel aurait même pu représenter une expérience traumatisante pour eux. Tout individu possède son propre schéma d'apprentissage qui, s'il est ignoré, réduira à néant les possibilités naturelles sans les remplacer par de nouvelles capacités.

Il ne faut pas en conclure que toute formation est *a priori* mauvaise. Cela aide à surmonter les difficultés économiques plus rapidement et de façon plus sûre, mais il ne faut pas mettre la charrue avant les bœufs. Il vaut mieux laisser les capacités naturelles s'exprimer plutôt que de les étouffer dans le cadre d'une structure contraignante. Il ne faut pas obliger les pauvres à accepter cette formation sous prétexte qu'ils en auraient prétendument besoin. Il est plus productif de créer une situation qui leur donnera l'envie de suivre une formation. S'ils la financent eux-mêmes, ils la choisiront en fonction de leurs exigences. Si c'est vous qui payez, c'est vous qui choisirez. Tout le problème est là.

D'ailleurs, nos emprunteurs ont recours à la formation dans un domaine au moins : celui de l'alphabétisation. Ils veulent être capables de lire les nombres figurant dans leurs carnets et de savoir à quoi ils correspondent.

Ils veulent tenir leurs comptes, lire des informations concernant les entreprises, la santé, l'aviculture, l'élevage bovin, les nouvelles méthodes de plantation, le stockage et la transformation.

Nos emprunteurs envoient leurs enfants à l'école, et les enfants, à leur tour, aident les parents à tenir leur comptabilité et effectuent pour eux les travaux de lecture et d'écriture nécessaires. Mais ce n'est pas assez pour assurer l'avenir. Grameen leur apporte les nouvelles technologies : le téléphone portable, l'énergie solaire, Internet. Ils ressentiront alors le besoin de calculer le prix d'une communication locale de cinq minutes ou d'un appel international pour les États-Unis, la Malaisie ou Dubaï. L'une des « Seize Résolutions » dit : « Nous éduquerons nos enfants », et tous les emprunteurs la ressentent comme une priorité. Ils comprennent que l'éducation aidera leurs enfants à mieux combattre l'engrenage ancestral de la misère. Ils veulent donner aux enfants les possibilités que ni eux, ni leurs parents, ni leurs grands-parents n'avaient eues.

Grameen s'assure du respect de cette résolution en contrôlant l'assiduité scolaire des enfants d'emprunteurs. Au départ, nous ne nous impliquions pas directement dans l'éducation de nos membres. Au fur et à mesure, pourtant, nous avons commencé à en ressentir la nécessité. La plupart d'entre eux n'ont reçu aucune éducation ; près de 80 % sont illettrés, ce qui limite leur capacité d'initiative, même s'ils disposent du capital requis. Sans la capacité de lire et d'écrire, ils ont du mal à s'informer sur d'autres stratégies ou à tirer parti de nouvelles possibilités de gestion.

Dans une communication adressée au directeur général de l'UNESCO, M. Federico Mayor, et à ses collègues, en 1994, j'ai lancé le défi suivant : « Nous comptons aujourd'hui deux millions d'emprunteurs et nous voulons nous assurer qu'ils franchiront définitivement le seuil de pauvreté d'ici l'an 2000. Après cela, il serait bon que la banque, connue sous le nom de "Banque des pauvres" prenne une nouvelle identité, celle de "Banque des anciens pauvres". Voilà ce à quoi nous voulons arriver et nous travaillons dur pour réaliser notre rêve. À présent, je lance à l'UNESCO le défi suivant : Accepterez-vous de vous joindre à nous pour que le taux d'alphabétisation des membres de Grameen atteigne 100 % d'ici l'an 2005 ? »

M. Mayor a immédiatement donné son accord. L'année suivante, à la conférence de Pékin, l'UNESCO et Grameen signaient un mémorandum commun. Deux ans plus tard, nous n'avons guère avancé sur le terrain, mais ni l'UNESCO ni Grameen n'ont abandonné l'idée. En 1995, nous avons invité une ONG, le Centre pour l'éducation de masse en science (CMES) à mettre en œuvre un programme d'éducation pratique dans le village de Joymontop, à 30 kilomètres de Dhaka. Tout élève adulte devait verser 2 *taka* (environ 40 centimes) par mois, ce qui est une somme réduite, mais que certains avaient déjà du mal à payer. Au bout d'un an, le programme comptait 1 600 élèves répartis dans 25 centres. Chaque cours regroupe 40 personnes qui se retrouvent le matin ou l'après-midi. La même méthode a été également appliquée la deuxième année.

Parallèlement, nous avons créé une nouvelle entreprise, Grameen Shikkha (Grameen Éducation) dont le rôle est de concevoir une méthodologie d'apprentissage rapide destinée aux familles. Dans ce cadre, nous explorons les possibilités offertes par les nouvelles technologies : télévision interactive par satellite, radio et Internet. L'UNESCO nous fournit l'aide technique nécessaire.

L'amélioration des conditions économiques d'une famille pauvre demande un environnement de soutien plus large. Le crédit solidaire permet de mettre le moteur en marche, mais, pour avancer, il lui faut ensuite du carburant, un entretien régulier, une augmentation de capacité et une route en bon état. Assurer la survie ne présente pas de difficulté, mais pour les étapes suivantes, il est indispensable de mettre en place un système de santé efficace, un fonds de retraite, de bons moyens de communication et d'information. Faute d'un tel système d'aide, les progrès réalisés par les emprunteurs risquent de s'enliser.

XXX

LE PROBLÈME DÉMOGRAPHIQUE

Tout être humain est un trésor inexploité possédant un potentiel illimité. Tout nouveau-né devient un consommateur qui grève les ressources mondiales, mais peut contribuer à augmenter le bien-être commun en exerçant ses capacités. Lorsque nous nous préoccupons du problème démographique, nous envisageons uniquement la situation présente sans tenir compte des possibilités inconnues de toute nouvelle contribution. Pour la plupart des décideurs, la réalité se résume à l'actualité.

En 1798, Thomas Malthus prévoyait que la croissance démographique mettrait à rude épreuve les ressources mondiales et entraînerait pauvreté et famine sur une grande échelle. Cela ne s'est pas produit. Les conditions de vie n'ont fait que s'améliorer. Malthus n'avait pas prévu la révolution industrielle qui conduisit à l'urbanisation accrue et à la diminution de la taille des familles.

Le Bangladesh est un pays intéressant pour tous ceux qui étudient les problèmes liés à la démographie. Nous nous sommes toujours entendu dire que nous étions pauvres parce que notre population était trop nombreuse pour une superficie trop petite. Le Bangladesh est à peu près aussi grand que la Floride, avec une population de 120 millions d'habitants. Pour obtenir la densité du Bangladesh, il faut donc imaginer la moitié des Américains décidant de vivre en Floride.

Quelles en sont les conséquences ? Devons-nous nous inquiéter et interdire aux gens d'avoir des enfants ? Cette panique est essentiellement répandue par les pays occidentaux et les agences d'aide au développement, mais les pays du tiers-monde ont tendance à s'en faire l'écho. Nous en arriverions presque à croire qu'un doublement de la population entraînerait un doublement de la pauvreté.

Depuis l'indépendance du Bangladesh, il y a vingt-six ans, notre population a presque doublé, et nous ne sommes pas deux fois plus pauvres pour autant. Au contraire, notre situation est bien meilleure qu'elle ne l'était alors. Nous connaissions beaucoup plus de pénuries alimentaires qu'aujourd'hui, où nous atteignons l'autosuffisance tout en nourrissant deux fois plus d'individus. « Oui, disent les démographes, mais votre niveau de vie aurait pu être deux fois plus élevé si la population n'avait pas augmenté depuis 1971. » Personne n'en sait rien. On peut toujours se livrer à ce genre de spéculations, mais la seule chose certaine est que les scénarios catastrophes d'explosion démographique ne se sont pas réalisés.

Je soupçonne les gouvernements et les organismes internationaux d'avoir choisi d'effrayer les gens pour cacher l'autre aspect des choses — à savoir qu'ils pourraient obtenir le même résultat en termes de limitation démographique en améliorant la situation économique des individus en général, et des plus démunis en particulier. Tout le monde est capable de voir où se trouve son intérêt. Si un couple se rend compte qu'il est préférable pour lui d'avoir moins d'enfants, il le fera, pourvu qu'il ait à portée de la main des structures qui l'y aident. Mais les gouvernements et les organismes impliqués dans les problèmes démographiques font beaucoup moins d'efforts pour améliorer la qualité de la vie que pour terrifier les pauvres et les illettrés et faire pression sur eux afin qu'ils procréent moins.

Il est bien plus efficace, pourtant, de donner aux

femmes pauvres la possibilité de gagner leur vie en les intégrant à des structures collectives. Le planning familial devrait être laissé à l'initiative de la famille, et non pas pris en charge par les gouvernements et les agences internationales.

Des études conduites par l'ONU dans plus de quarante pays en voie de développement montrent que lorsque les femmes obtiennent l'égalité, le taux de natalité diminue. Les raisons en sont évidentes : les études repoussent l'âge du mariage et de la procréation, et les femmes éduquées sont plus susceptibles d'avoir recours à la contraception. Elles ont également d'autres options dans la vie que celle d'élever leurs enfants. Il apparaît d'ailleurs que la pratique du planning familial parmi les membres de Grameen est deux fois plus élevée que la moyenne nationale.

Si le crédit solidaire permet de faire progresser le planning familial, pourquoi ne pas le promouvoir ? Qui a intérêt à ce que les programmes démographiques continuent à fonctionner comme ils le font aujourd'hui ?

Je crois que l'attention accordée à la nécessité d'infléchir la croissance démographique nous détourne de questions autrement importantes, comme l'application de mesures destinées à rendre la population plus autonome. Plus vite nous définirons nos priorités, et mieux cela vaudra pour l'avenir des habitants de la planète.

XXXI

UN MONDE SANS PAUVRETÉ : QUAND ? COMMENT ?

Où en serons-nous d'ici un siècle ?

Lorsqu'on évoque le « prochain siècle », c'est comme si l'on parlait des prochaines vingt-quatre heures. Or, je ne crois pas que quiconque soit en mesure de nous dire où en sera l'humanité dans cent ans. Le monde change à une allure folle, et cette allure ne va cesser de s'accroître. Si l'on considère les connaissances, les découvertes, les inventions que nous avons accumulées jusqu'en cette fin de XXe siècle, on peut raisonnablement s'attendre à un doublement de l'allure dans les cinquante prochaines années.

La vraie question est de savoir si ces changements vont se traduire pour l'humanité par un mieux-être social et économique.

Si nous nous considérons comme les passagers de ce vaisseau spatial nommé la Terre, il est clair que nous allons à la dérive, sans pilote ni plan de route, embarqués dans un voyage sans but. Mais si nous parvenons à nous convaincre que nous formons *l'équipage* de ce vaisseau et que nous avons pour mission de le conduire vers une destination socio-économique déterminée, alors nous n'aurons plus qu'à suivre le cap, tant bien que mal, même si nous faisons des erreurs de parcours ou si nous devons effectuer certains détours pour arriver au but.

En 2050, j'aimerais que le monde soit enfin sorti de la pauvreté. Plus un seul être humain sur cette planète ne pourra alors être qualifié de pauvre. Le mot « pauvreté » n'aura plus aucune signification, mais seulement un intérêt historique. La pauvreté sera reléguée dans les musées, elle n'aura plus sa place dans le monde civilisé. Lorsque les écoliers visiteront ces musées, ils seront horrifiés de voir la misère et l'indignité des êtres humains qui les ont précédés. Ils reprocheront à leurs aînés d'avoir toléré la persistance d'un tel fléau, et à une telle échelle, jusqu'au début du XXIe siècle.

J'ai toujours eu la certitude qu'éliminer la pauvreté de la planète était davantage une affaire de volonté que de moyens financiers. Aujourd'hui encore, nous ne prêtons pas suffisamment attention à ce problème, sans doute parce que nous ne sommes pas impliqués en tant qu'individus. Nous ne sommes pas pauvres. Pour ne pas se sentir concerné, il suffit d'affirmer que, pour s'en sortir, les pauvres n'ont qu'à travailler.

La charité, de son côté, ne résout rien. Elle ne fait que perpétuer la pauvreté en retirant aux pauvres toute initiative. Elle nous permet de continuer à vivre nos vies tranquillement, sans nous soucier de celles des autres.

La vraie solution consiste à permettre à tous de lutter à armes égales, en assurant une véritable égalité des chances.

*

Les États se dont dotés d'énormes bureaucraties, ainsi que de tout un arsenal juridique et réglementaire, pour venir en aide aux pauvres. Une large part de l'argent des contribuables sert à financer ces programmes.

Quels que soient les progrès accomplis en matière de protection sociale, il est certain que cela s'est fait au détriment de l'égalité des chances. Les enfants élevés dans l'aide sociale restent toute leur vie des assistés.

*

Désormais, les changements vont avoir lieu à un rythme accéléré.

Chaque nouveau changement viendra ébranler les vieilles idées et les vieilles institutions, plus profondément que le changement précédent. Les vieilles institutions vont rapidement devenir inadaptées. Toutefois, certaines vont sans doute lutter pour survivre, engendrant la confusion et empêchant ou retardant l'apparition de nouvelles institutions.

Les changements sont l'aboutissement d'efforts intenses. L'intensité de ces efforts dépend de l'importance des besoins qui les ont suscités, ainsi que des moyens mis en œuvre pour parvenir au changement voulu. Bien évidemment, dans une économie capitaliste, les changements seront déterminés par le marché ; comme tels, ils auront parfois des conséquences néfastes sur le plan social. Et l'on sait que les changements susceptibles d'amener un mieux-être social n'apparaissent pas toujours désirables dans une optique de marché.

C'est là que doivent entrer en jeu les structures à vocation sociale. L'État et la société civile doivent fournir les moyens, financiers et autres, nécessaires à ces structures. Celles-ci devront investir dans les domaines propres à favoriser la réalisation de ces objectifs sociaux. Elles suivront également de près l'évolution des technologies dans le secteur marchand, afin d'éviter les conséquences néfastes d'un point de vue social.

*

À en juger par les récentes tendances, il est une technologie qui, dans un avenir proche, devrait changer le monde plus sûrement et plus radicalement que toute autre technologie dans l'histoire de l'humanité. Il s'agit de la convergence des technologies de l'information et des télécommunications. Déjà sa vitesse d'expansion est phénoménale. Ainsi, Internet se développe à un rythme exponentiel. On a calculé que son taux de pénétration doublait tous les neuf mois. Dès 2003, si ce rythme se maintient, tous les habitants de la planète auront une adresse électronique !

L'intérêt de cette révolution informatique réside dans le fait qu'elle échappe à tout contrôle. Ni les États, ni les marchands, ni personne ne pourra endiguer le flux d'informations qui traverse Internet. Autre avantage appréciable, l'accès à l'information revient de moins en moins cher.

Avec l'expansion de ce phénomène, il est désormais permis d'espérer que nous allons vers un monde où savoir et pouvoir ne seront plus l'apanage d'une caste de « décideurs ». Les individus seront aux commandes, et tous les goûts, toutes les aspirations devront être pris en compte. Il ne sera plus nécessaire d'en passer par une quelconque autorité pour occuper le devant de la scène — ce qui ouvre une perspective particulièrement favorable à tous les groupes défavorisés, les sans-voix et les minorités.

Tout pouvoir fondé sur un accès exclusif à l'information est irrémédiablement condamné. Le citoyen ordinaire aura pour ainsi dire le même accès à l'information que le chef du gouvernement. Le pouvoir devra alors être fondé sur l'ampleur de vues et l'intégrité, et non plus sur la manipulation de l'information.

Mon espoir est que toute l'information soit accessible à tous (y compris les plus pauvres, les plus ignorants), à tout moment et pour un coût minime, indépendamment des distances. La communication entre deux personnes, quelles qu'elles soient et où qu'elles soient, devra se faire le plus naturellement du monde.

Tous les établissements universitaires et les institutions sociales devront devenir des centres de diffusion de l'information. Chacun aura ainsi la possibilité d'être informé sur n'importe quel sujet, et ce sous la forme de son choix (sans rien sacrifier au contenu). En particulier, on devra pouvoir choisir dans quelle langue on veut écouter et lire le message. Tout sera automatiquement traduit dans n'importe quelle langue et n'importe quel dialecte.

Les technologies de l'information, à chaque étape de leur évolution, devront contribuer à créer un environnement planétaire permettant de libérer un potentiel iné-puisable de créativité, d'ingéniosité et de productivité.

Toute personne, où qu'elle vive, devra pouvoir s'ins-crire dans l'établissement universitaire de son choix, en fonction de ses intérêts et de ses capacités, indépendam-ment de ses origines sociales ou géographiques, et quelles que soient ses ressources financières.

La notion même d'« institution universitaire » aura alors subi une profonde révolution. Dans un tel environ-nement, on ne sera pas étonné d'apprendre que l'étu-diante la plus brillante d'une très prestigieuse université habite dans un village perdu au fin fond de la Chine, de l'Éthiopie ou du Bangladesh, et qu'elle n'a jamais mis les pieds dans une ville !

Dans ce nouveau contexte, les plus démunis auront facilement accès au crédit et à l'information, ce qui aura pour effet d'éliminer la pauvreté à brève échéance. Mais cela ne veut pas dire pour autant qu'il faille abandonner tous les autres investissements et initiatives destinés à lutter contre ce fléau. Ce sont là des stratégies complé-mentaires, elles ne se conçoivent pas les unes sans les autres.

*

Il est une autre forme d'« accès » que j'appelle de mes vœux : l'accès au marché.

Le protectionnisme, censé défendre les pauvres, ne profite en définitive qu'aux riches et à ceux qui maîtrisent les rouages du système.

Les pauvres ont tout intérêt à voir s'ouvrir d'impor-tants marchés, au lieu de rester cantonnés dans des

marchés étriqués. Si nous pouvons assurer la libre circulation des marchandises, des capitaux et des personnes,
tout le monde en bénéficiera, et pas seulement les
pauvres. Cela n'a aucun sens de rester frileusement
repliés derrière nos frontières. Gageons d'ailleurs que
passeports et visas seront tombés dans l'oubli au siècle
prochain. Soyons fiers avant tout d'appartenir au genre
humain. Dans le monde qui vient, les identités nationales
auront certes toujours leur place ; toutes les communautés religieuses, raciales, régionales, locales, politiques
et culturelles devront pouvoir faire entendre leur voix,
mais dans le respect des autres et sans visées expansion-
nistes. Toutes ces diversités, ouvertes au dialogue, ne
feront qu'enrichir le patrimoine de l'humanité.

XXXII

LA PAUVRETÉ, QUESTION DÉDAIGNÉE PAR LES ÉCONOMISTES

De l'avis général, il n'y aurait pas de meilleur remède contre la pauvreté que la création d'emplois.

Or, les économistes ne reconnaissent qu'un seul type d'emploi, à savoir l'emploi salarié. Dans leurs ouvrages, il n'est jamais question de travail indépendant. Dans le monde tel qu'il est conçu par les économistes, on est censé passer son enfance et une partie de sa jeunesse à cravacher pour être à même de séduire ses employeurs potentiels. Lorsqu'on est prêt, on se présente sur le marché du travail, et dès l'instant où quelqu'un ne trouve pas d'employeur, les ennuis commencent. Ceux qui habitent dans les pays industrialisés doivent alors se résigner à une vie d'assistés sociaux, ceux qui habitent dans les pays en voie de développement à une existence de pauvreté et de misère.

L'idée qu'un être jeune doive travailler dur pour se rendre utile à un employeur me paraît tout à fait révoltante. Cela me rappelle le temps où les mères apprenaient à leurs filles à se rendre séduisantes pour trouver un mari. La vie humaine est trop précieuse pour qu'on la gâche ainsi à se préparer au marché du travail, pour passer ensuite sa vie entière au service d'un employeur.

Lorsque nos lointains ancêtres sont apparus sur cette planète, ils n'ont pas d'abord inventé le marché du

travail. S'ils l'avaient fait, nous ne serions plus là aujour-
d'hui. Ils ont pris leur destin en main et créé leurs
propres activités : la chasse et la cueillette, plus tard
l'agriculture. C'étaient déjà des travailleurs indépendants.

Les manuels d'économie ont toujours superbement
ignoré la notion de travail indépendant — ce qui n'a pas
été sans de lourdes conséquences dans la vie de tous les
jours. Les économistes n'ont jamais attaché la moindre
importance à ce type d'activité, et les décideurs politiques leur ont emboîté le pas.

Ouvrir des débouchés au travail indépendant, par la
mise en place d'institutions adaptées et l'adoption de
mesures efficaces, serait pourtant la meilleure stratégie
pour éliminer le chômage et la pauvreté.

*

Les économistes ont, certes, contribué à façonner le
monde tel qu'il est aujourd'hui, mais ils n'en ont pas
moins échoué sur le terrain des sciences sociales. L'élégante théorie qu'ils ont élaborée au fil des années aura
certes permis de mettre en évidence les mécanismes économiques, mais, faisant l'impasse sur la question sociale,
elle a éludé le problème de la pauvreté.

Les économistes ont mis tout leur enthousiasme et
leur intelligence à rechercher les causes de la richesse
des nations, sans jamais chercher à expliquer la pauvreté
des ménages.

La pauvreté n'est prise en compte que dans le cadre
de ce qu'on appelle l'économie du développement, discipline qui a pris son essor après la Deuxième Guerre mondiale. Mais l'économie du développement n'aura été, au
bout du compte, qu'une réinterprétation des théories
économiques dominantes dans le contexte des pays
ayant accédé à l'indépendance.

Les lacunes du noyau de connaissances théoriques
ont subsisté. À mon sens, ces insuffisances étaient de plu-

sieurs ordres. Tout d'abord, je dirais que la théorie microéconomique — qui joue un rôle fondamental dans le cadre théorique de l'économie — est incomplète : tantôt l'individu y est présenté comme un consommateur (théorie de la consommation), tantôt comme un travailleur (théorie de la production). La théorie de la production commence avec la fonction de production : étant donné une technologie, comment un entrepreneur doit-il associer travail et capital pour atteindre tel ou tel niveau de production ? Ce qui conduit à la théorie de l'entreprise.

Une telle approche exclut l'idée même de travail indépendant. Les entrepreneurs y sont considérés comme un groupe d'individus particulièrement doués, les autres hommes étant nés pour les servir. Les économistes n'ont sans doute vu là qu'une abstraction parfaitement innocente, mais l'économie en tant que science sociale s'en est fortement ressentie. La créativité et l'ingéniosité de chaque être humain n'ont aucune place dans une telle théorie. Dans cette optique, il est impossible d'envisager que chaque individu devienne un entrepreneur. L'emploi salarié est la seule et unique source d'emploi. Quant au travail indépendant, perçu comme un symptôme d'économie pauvre, il est purement et simplement évacué.

Pour moi, une science sociale digne de ce nom doit mettre en place un cadre théorique qui encourage les hommes à explorer leurs possibilités, et non poser pour hypothèse que leurs capacités sont limitées, que les rôles sont distribués d'avance.

Or, en faisant l'impasse sur la réalité du travail indépendant, l'économie a perdu toute vocation sociale pour devenir une simple science des affaires. Du même coup, elle passe sous silence une autre dimension sociale très importante : la famille — l'homme, la femme et les enfants. Je me suis toujours demandé comment l'économie pouvait prétendre au titre de science sociale en occultant systématiquement cette dimension de la famille, et les relations de ceux qui la composent au sein du foyer ainsi qu'au niveau macroéconomique.

En intégrant la théorie du travail indépendant au sein de la théorie microéconomique, les économistes pourraient aisément aborder des problèmes tels que la pauvreté, le développement, la famille, la population ou les relations hommes-femmes, et élaborer des théories articulées sur la question sociale dans d'autres domaines (comme la banque, l'accès aux ressources, etc.). Dans de nombreux pays du tiers-monde, l'immense majorité de la population vit du travail indépendant. Ne disposant pas d'une grille de lecture théorique adaptée, les économistes ont rangé ce phénomène, jugé par eux indésirable, dans une catégorie fourre-tout nommée « secteur informel ». Plus vite ces pays élimineraient leur secteur informel, mieux ils se porteraient.

C'est une faute grave. Au lieu de soutenir la créativité et l'énergie des individus en mettant en place des politiques et des institutions propres à favoriser leur autonomie, nous n'avons rien de plus pressé que de les faire entrer dans des cases fabriquées à leur intention. Le secteur informel est une création des individus, et non des planificateurs ou des économistes. Il naît de la volonté des individus de créer leur propre emploi. Quiconque comprendrait tant soit peu les hommes et la société aurait cherché avec enthousiasme des moyens de consolider cet acquis, de le développer, de lui donner davantage d'efficacité, au lieu de couper l'herbe sous le pied à ses agents économiques.

SIXIÈME PARTIE

De nouvelles expériences, de nouveaux horizons

XXXIII

PRÊTS AU LOGEMENT :
UNE EXPÉRIENCE COURONNÉE DE SUCCÈS

En 1984, la Banque centrale du Bangladesh fit paraître une annonce dans les journaux, informant qu'elle mettait en place un plan de refinancement pour des prêts au logement destinés à la population rurale.

Forts de cette annonce, nous déposâmes une demande, disant que nous aimerions lancer un programme de logements pour nos emprunteurs. Nous expliquâmes que nous étions limités par les petits budgets de nos emprunteurs et que nous ne pouvions pas prêter des sommes d'argent aussi importantes que celles citées dans l'annonce de la Banque. Nos membres ne pourraient pas emprunter 75 000 *taka* (environ 2 000 dollars). En revanche, nous étions disposés à leur accorder un prêt de 5 000 *taka* (125 dollars).

La Banque centrale rejeta notre demande, ses experts et ses consultants estimant que, pour l'équivalent de 125 dollars en monnaie locale, on ne pourrait rien construire qui puisse être défini comme une « maison » susceptible de s'inscrire dans le patrimoine immobilier national.

Je protestai. « Qui parle d'"agrandir le patrimoine immobilier" ? Tout ce que nous voulons, c'est un toit étanche pour que nos emprunteurs puissent vivre à l'abri de la pluie. »

Nous essayâmes de convaincre les consultants de la Banque centrale, faisant valoir que des logements même rudimentaires représenteraient pour nos emprunteurs une amélioration considérable. En vain. Notre demande fut rejetée.

Puis nous eûmes une nouvelle idée. Nous envoyâmes une deuxième demande, où il n'était plus question de prêts au logement, mais de prêts à des fins de construction d'abris.

Nous espérions qu'ils n'avaient pas de définition ou de statistiques à nous opposer pour le « patrimoine d'abris ». Ils n'en avaient pas et nous firent même part de leur accord préliminaire.

Mais cette fois, les économistes, tout en reconnaissant que Grameen faisait du bon travail en matière d'activités « productives », n'étaient pas convaincus que les logements ou les abris seraient générateurs de revenus, car il s'agissait, disaient-ils, d'un « produit de consommation ». Or, à les en croire, les membres de Grameen ne pouvaient pas se permettre d'emprunter pour consommer, car ce serait un prêt improductif, qui ne leur permettrait pas de rembourser leurs prêts.

Nous eûmes alors une nouvelle idée pour circonvenir ces bureaucrates. Nous n'entendions pas renoncer et nous choisîmes le harcèlement. Cette fois nous leur dîmes : « Nous aimerions proposer à nos emprunteurs des prêts destinés à la construction d'ateliers de production. »

Cela plongea les spécialistes et les consultants de la Banque centrale dans la plus grande perplexité. « Pourquoi des sans-abri voudraient-ils un atelier de production ? »

Nous leur expliquâmes que l'immense majorité de nos emprunteurs étaient des femmes, et que nos emprunteuses travaillaient chez elles : « Elles s'occupent de leurs enfants, et dans le même temps elles travaillent et gagnent leur vie, et toutes ces activités se font à domicile.

Puisqu'il s'agit d'un lieu de travail, nous utilisons le terme "atelier de production". »

Et nous précisâmes : « Au Bangladesh, il y a la mousson cinq mois par an, et pendant ce temps nos emprunteuses ne peuvent pas travailler parce qu'elles n'ont pas de toits solides au-dessus de leurs têtes. Pour continuer à travailler et à générer des revenus, elles doivent être protégées de la pluie.

C'est pourquoi nous voulons leur proposer des prêts destinés à la construction d'ateliers de production. Certes, cet "atelier" servira également d'habitation. Il aura une incidence directe sur la capacité de nos membres à générer des revenus, car elles pourront ainsi travailler toute l'année avec un certain confort. »

Les consultants, une fois de plus, rejetèrent notre demande.

Je rencontrai le gouverneur de la Banque centrale pour lui demander de passer outre l'avis de ses subordonnés.

— Vous êtes sûr que les pauvres vont rembourser ? me demanda-t-il.

— Oui, j'en suis sûr. Ils ont toujours remboursé et il n'y a pas de raison qu'ils ne continuent pas à le faire. Contrairement aux riches, les pauvres ne peuvent pas se permettre de ne pas rembourser. Pour eux, c'est la seule chance de s'en sortir.

Le gouverneur de la Banque centrale me considéra un moment, puis ajouta :

— Je suis désolé que vous ayez eu des difficultés avec nos fonctionnaires. C'est d'accord, vous pouvez lancer ce programme à titre expérimental. Je donne une chance à Grameen.

Ainsi, grâce à l'intervention personnelle du gouverneur de la Banque centrale, nous avons pu lancer notre programme de prêts au logement.

En l'espace de douze ans, nous avons ainsi accordé plus de 350 000 prêts au logement, avec un taux de remboursement proche de 100 % sur la base de traites mensuelles. Quant au programme de prêts au logement géré par les banques commerciales traditionnelles, il est arrivé ce qui devait arriver : très peu d'emprunteurs ont remboursé, et le programme a dû être abandonné au bout de trois ans...

Le programme de prêts au logement de Grameen a été choisi en 1980 par le Grand Jury, constitué par les plus fameux architectes mondiaux, pour recevoir le Prix international d'architecture de l'Aga Khan. Au Caire, lors de la cérémonie de remise des prix, les éminents architectes réunis ne cessaient de demander qui avait dessiné notre belle maison à 300 dollars (à cette époque, le montant de notre prêt était passé à 300 dollars).

Cette maison n'est l'œuvre d'aucun architecte professionnel ; elle a été conçue et fabriquée, avec amour, par nos emprunteurs eux-mêmes. Ils sont les architectes de leur propre maison, comme ils sont les architectes de leur propre vie.

XXXIV

SANTÉ ET RETRAITE

À force de vouloir étendre la protection sociale, les pays développés ont créé une situation désastreuse. L'enfer est pavé de bonnes intentions.

Pourquoi les personnes du troisième âge devraient-elles être condamnées à végéter ? Pourquoi, pendant le temps qui leur reste à vivre, les confiner dans un environnement déshumanisant ?

Même s'ils vivent de pensions, d'aides de l'État ou de ce que leur donnent leurs enfants ou leurs petits-enfants, il n'y aucune raison pour qu'ils passent des journées entières à ne rien faire. La survie n'est pas seulement financière, elle est aussi affective et psychologique. Il est cruel, indigne et malsain, de demeurer inactif, et c'est une perte pour la société dans son ensemble.

La dignité passe par l'exercice d'une activité librement choisie, qui donne à ceux qui la pratiquent le sentiment d'exister.

Bien entendu, nombre de personnes âgées sont trop invalides pour travailler et ne voudront pas faire autre chose que de regarder la télévision. Mais je pense à tous ceux qui sont encore valides, et qui pourraient faire œuvre utile, pour peu qu'on leur en donne la possibilité.

Comme avec tous ceux dont le capitalisme n'attend plus rien, Grameen peut largement contribuer à redonner un sens à la vie des personnes âgées. Les salariés, y compris les cadres dirigeants, doivent désormais quitter leur emploi dans la force de l'âge. À soixante ou à soixante-cinq ans, quand l'entreprise leur enjoint de céder la place, ils sont précisément à l'âge où ils peuvent commencer à se rendre utiles.

L'âge ne devrait pas donner lieu à une privation des droits affectifs et psychologiques, droits de l'homme s'il en est. Même si elles résident dans une maison de retraite ou un centre de gériatrie, les personnes âgées devraient pouvoir mener des vies créatives et productives, tant qu'elles en ont la volonté et qu'elles en sont physiquement aptes.

Les sociétés traditionnelles le comprennent bien mieux que les sociétés modernes. Dans les réserves indiennes, j'ai vu des vieillards confectionner de beaux tapis sacrés ; en Afrique, des anciens du village fabriquer de précieux instruments de musique.

Les sociétés occidentales, elles, précipitent la déchéance morale et affective de leurs personnes âgées. Désespérées, en proie au désœuvrement, celles-ci ne font que mourir à petit feu.

Mais même si nous parvenons à utiliser et à mettre en valeur la créativité du troisième âge, il est indéniable que le système de prêts de Grameen ne fonctionne efficacement que si l'emprunteur est en bonne santé et capable de travailler. Dans le cas contraire, il faut envisager une autre solution. C'est pourquoi les problèmes de santé sont l'une de nos principales préoccupations, en ce qui concerne, non seulement nos emprunteurs, mais également tous les pauvres de la planète.

Des études indépendantes portant sur les emprunteurs de Grameen, menées par le Pr David Gibson, de Malaysia, indiquent que 25 % de nos emprunteurs qui ne parviennent pas à sortir de la pauvreté restent pauvres pour des raisons de santé.

*

Partout dans le monde, les systèmes de Sécurité sociale sont en crise, que ce soit aux États-Unis, qui font davantage appel au secteur privé, ou en Grande-Bretagne, en France ou en Allemagne, pays plus attachés au service public. Au Bangladesh, où le gouvernement dépense généreusement, la qualité des prestations que reçoivent les pauvres n'en est pas moins consternante. La raison en est que les médecins salariés du secteur public négligent souvent leurs devoirs au profit de leur clientèle privée, et ne se préoccupent de la santé publique que lorsqu'il s'agit de toucher leur chèque à la fin de chaque mois.

Dans la réalité des faits, pour obtenir des soins de qualité, il faut s'adresser à d'onéreuses cliniques privées. Pour les nantis ou même les classes moyennes, cela reste abordable. Quant aux déshérités, ils n'ont tout simplement pas accès aux soins. La vraie solution est que chacun reçoive des revenus lui permettant d'accéder aux soins médicaux. La « gratuité » des prestations n'est qu'un leurre qui nous détourne des vrais problèmes.

Cependant, aussi longtemps que les pauvres ne disposeront pas de moyens suffisants, il paraît logique que l'éducation et la santé leur soient assurées moyennant une « cotisation sociale ».

*

Nous avons remarqué qu'à mesure que le revenu de nos emprunteurs augmentait, il se produisait une érosion de ce revenu, liée à des dépenses accrues en vue de combattre la malnutrition, les maladies courantes, la mortalité infantile et celle liée à la maternité. Vu l'état déplorable des services de santé publique, nos emprunteurs ont tendance à faire appel aux guérisseurs — des hommes qui prennent un verre d'eau, soufflent dessus et vous le font boire en vous le présentant comme un remède miracle. Loin de consommer des soins de santé, bon nombre de nos emprunteurs ne font ainsi que s'exposer davantage aux risques de maladies.

Si nous arrivons à persuader nos membres de cesser de recourir aux guérisseurs traditionnels et de reverser les sommes ainsi économisées à un programme pris en charge par Grameen, nous pourrons, pour des sommes équivalentes, leur proposer des services de santé modernes et efficaces. Le processus est engagé.

Nous essayons de mettre des services de santé à la disposition de tous les membres de la famille Grameen, ainsi que de tous les villages qui ne sont pas emprunteurs, suivant le principe de la couverture des dépenses par les recettes. Nous demandons à nos emprunteurs de verser une cotisation annuelle d'environ 3 dollars par famille pour leur assurance-maladie. (Ceux qui ne sont pas membres de Grameen versent une cotisation plus importante, l'équivalent de 5 dollars, pour couvrir toute la famille.) Puis, à chaque consultation, ils doivent payer un montant symbolique de 2 *cents*. Les services de pathologie et les médicaments sont proposés à prix réduit.

Après trois ans de fonctionnement, nous recouvrons environ 60 % des coûts de nos services médicaux. Dans les trois prochaines années, nous espérons atteindre un taux de recouvrement de l'ordre de 90 %, en persuadant les gens d'avoir désormais recours à nous pour les services de santé.

Si nous pouvons organiser ce système comme une mutuelle nationale (ou internationale), nous pourrons en faire une entreprise puissante, concurrentielle et viable, entièrement au service de la population.

Ainsi, pour lutter contre la pauvreté, il convient de mettre en place une infrastructure sociale adaptée. Mais cela ne suffira pas à créer des richesses. C'est seulement l'une des nombreuses armes dont nous disposons dans notre lutte contre la pauvreté.

Si nous sommes à ce point sensibles aux problèmes de santé, c'est parce qu'ils peuvent réduire à néant nos plus grandes réussites.

En 1992, Morley Safer, l'animateur de l'émission de télévision *Sixty Minutes*, vint au Bangladesh avec son équipe pour faire un reportage sur Grameen. Il avait choisi de braquer ses caméras sur une emprunteuse vivant près de Chittagong, ancienne mendiante qui, grâce aux prêts de Grameen, avait pu s'acheter sept vaches, un grand terrain, une nouvelle maison, des toilettes modernes, un minitaxi à trois roues pour son mari, et qui envoyait même ses enfants à l'école. (Ce dernier aspect est très important pour qui veut briser le cercle infernal de la pauvreté, car les familles déshéritées empêchent généralement leurs enfants d'aller à l'école, les obligeant à travailler à la maison.)

« C'est l'image vivante de la satisfaction et de la réussite », se réjouissait Safer. Mais lorsque je les ai rencontrés récemment, la femme et son mari étaient méconnaissables. Lui avait contracté une maladie de l'estomac qui n'avait jamais été correctement diagnostiquée, et pour payer les soins médicaux, ils avaient dû revendre leur taxi, leurs terres et leur bétail. Elle était si frêle, si fatiguée, qu'elle ne se faisait plus assez confiance pour contracter un nouveau prêt. Il ne leur restait plus que quatre poulets.

Je n'avais jamais rien vu d'aussi triste. Ils n'attendaient plus rien de l'avenir ; d'une certaine façon ils se laissaient mourir.

Cette histoire en dit long sur les difficultés qui nous attendent. Grameen n'est pas seulement une série de réussites individuelles. Nous ne réussissons pas toujours, la route est longue et douloureuse. Pour lutter efficacement contre la pauvreté, nous devons être capables de reconnaître nos erreurs, de les analyser et de faire en sorte qu'elles ne se reproduisent plus.

*

Le microcrédit ne saurait à lui seul résoudre tous les problèmes de la société. Il n'a jamais prétendu être une panacée, et c'est pourquoi nous entendons développer notre programme de santé le plus rapidement possible.

Ce n'est pas un problème limité au Bangladesh. Le Togolais Aboul Tail a pu ainsi déclarer : « Nous avons mis le doigt dans l'engrenage, et il y a tant de problèmes sociaux à résoudre, des problèmes de nutrition, de planning familial, d'environnement, dont nous sommes censés nous occuper... C'est là le danger. Une banque de microcrédit ne peut pas tout faire. Nous devons instaurer des partenariats avec des spécialistes dans d'autres domaines. »

Pourquoi nos emprunteurs devraient-ils faire appel à Grameen pour leur santé, leur retraite, leurs pensions, l'éducation de leurs enfants, et autres problèmes de qualité de la vie ? Parce que, lorsqu'il s'agit de mettre en place l'infrastructure sociale, personne n'envisage le problème dans une optique de marché. Il faudrait multiplier les initiatives novatrices dans ce domaine, car elles sont encore trop peu nombreuses.

XXXV

LA FONDATION GRAMEEN
POUR LA PISCICULTURE

Par un concours de circonstances, notre action s'est orientée vers un autre domaine encore. En 1985, je reçus un coup de téléphone du secrétaire général du ministère de la Pêche du Bangladesh.

— Docteur Yunus, nous n'avons pas encore eu l'occasion de nous rencontrer, mais je connais votre travail. Je voulais vous parler d'un projet de pisciculture. Avez-vous déjà visité les zones rurales du Serajganj ?

— Oui, mais seulement par endroits. Nous commençons à nous développer à Bogra.

— Vous devriez visiter Nimgachi. Le ministère de la Pêche a lancé là un grand projet, financé depuis dix ans par l'aide publique au développement (APD). Nous avons près d'un millier de grands étangs dans le cadre de ce projet. Ces étangs ont été creusés il y a mille ans sous la dynastie des Pala, pour approvisionner en eau la population, ainsi que le bétail du roi. Mais ils ont tous fini par s'ensabler. Dans le cadre du projet, nous étions censés les recreuser et y élever du poisson.

— Et qu'est-il advenu de ce projet ?

— Eh bien, c'est le drame dont je pensais vous entretenir. J'ai visité la zone récemment, et j'ai été frappé par la corruption et l'incurie qui y règnent. Je voulais

savoir pourquoi l'APD souhaitait mettre fin à son financement. J'aurais une proposition à vous faire.

— De quoi s'agit-il ?

— Voilà, ce que je vous demande, c'est de reprendre
le projet. Gérez-le, faites à votre guise. Ce ne sera plus
notre affaire.

— Qu'est-ce que vous voulez que je fasse avec ces
mille étangs ?

— Je vous en conjure, réfléchissez bien à ma proposition. Au moins, allez sur place pour vous faire une idée.
Je suis sûr que vous ne pourrez pas rester insensible à
la beauté de ces étangs, sans compter qu'ils recèlent
d'immenses possibilités pour notre pays.

— Mais pourquoi n'élevez-vous pas du poisson
vous-mêmes ? Pourquoi voulez-vous que je reprenne ce
projet ? Nous sommes une banque. Nous ignorons tout
de la pisciculture.

— Si vous ne vous sentez pas capables d'y élever
du poisson, reprenez-les au moins au gouvernement ; ils
seront en de meilleures mains. Sinon, au train où vont les
choses, il n'en restera bientôt plus rien. Nos fonctionnaires feront en sorte que les étangs et leurs environs
satisfassent leur cupidité. Si vous en prenez le contrôle,
ils seront sauvés.

L'homme était manifestement de très méchante
humeur. Il accusait son propre personnel de corruption
et essayait de défendre les biens de l'État contre ceux-là
mêmes qui étaient censés les protéger. Pour ma part, je
ne voulais pas m'engager dans un domaine que je
connaissais mal. Je lui dis que ce serait une erreur de
nous confier ce projet, qui n'entrait pas dans le cadre de
nos activités.

Il était très déçu, mais visiblement pas prêt à
renoncer.

— Prenez au moins le temps d'y réfléchir, insista-t-il.
Vous n'êtes pas obligé de me donner tout de suite une
réponse définitive. Attendez d'avoir visité le site avant de
prendre une décision.

— Je suis désolé de vous décevoir, mais je ne crois pas que nous soyons de taille à reprendre un si grand projet.

Malgré mes réticences, l'idée me séduisait. Je fis part de cette conversation à mes collègues. Eux aussi étaient d'avis que si le gouvernement voulait véritablement nous confier ce projet, nous devrions accepter.

Une semaine plus tard, je recevais un nouvel appel du secrétaire. À cette date, ma réponse était toujours négative.

— Je vous appelle pour une autre raison, insista-t-il. J'organise une réunion avec plusieurs personnes importantes qui doivent me conseiller sur les futures orientations du ministère de la Pêche. Je serais ravi que vous assistiez à la réunion, vous pourriez nous aider à formuler notre politique.

— Vous en profiterez pour remettre le projet de Nimgachi sur le tapis...

— Mais non, vous avez ma parole : il ne sera pas question de Nimgachi pendant la réunion.

J'éclatai de rire et acceptai. J'étais sûr qu'il ne tiendrait pas sa promesse. Toutefois, je voulais rencontrer cet homme qui me témoignait une telle confiance sans me connaître.

Une douzaine de personnes assistaient à cette réunion — pour moitié des hauts fonctionnaires du ministère de la Pêche, pour moitié des universitaires et des chercheurs. La réunion dura deux heures. Le secrétaire ne prononça pas un mot au sujet de Nimgachi.

Un peu avant la fin de la réunion, il me chuchota à l'oreille : « Restez un petit moment. Nous pourrons prendre le thé et nous entretenir seul à seul. »

J'acceptai.

Quand tout le monde fut parti, on nous apporta du thé et des biscuits. « Vous voyez, j'ai tenu parole, me dit-il. Je n'ai pas parlé de Nimgachi pendant la réunion. Maintenant qu'elle est terminée, nous pouvons en reparler, n'est-ce pas ? »

Il était très content que je lui laisse une chance. Il me fit l'historique du projet, revint sur la corruption de son personnel et se déclara prêt à nous céder le projet à nos conditions. Puis il me confia une pile de rapports, afin que je les étudie et que je mûrisse ma décision.

Mais je savais déjà que nous allions accepter. Le secrétaire était un homme profondément soucieux du bien public, ce qui n'était pas chose courante. Il voulait défendre le patrimoine national, menacé par les fonctionnaires corrompus, il n'y avait aucune raison de ne pas l'aider. Et même si cela ne devait pas nous rapporter grand-chose, nous n'avions rien à y perdre.

De retour dans mon bureau, je rédigeai une longue note à l'intention du secrétaire. J'acceptais de reprendre le projet, mais je posais des conditions rigoureuses. Nous voulions un bail de 99 ans, avec un loyer annuel très bas. Le gouvernement devrait retirer tout son personnel dès que le transfert aurait lieu. Nous voulions une liste détaillée de tous les biens transférés.

J'envoyai la note le lendemain. Le secrétaire m'appela aussitôt. « Nous acceptons toutes vos conditions, me lança-t-il. Je suis ravi que vous ayez accepté. C'est un grand soulagement. »

C'était vraiment curieux. Jusque-là, avec toutes les administrations, Grameen avait toujours essuyé refus sur refus. Rencontrer quelqu'un au plus haut niveau de la fonction publique qui vous sollicite, vous persuade d'accepter sa proposition et approuve vos conditions pour la reprise d'un projet gouvernemental, voilà qui tranchait singulièrement avec nos habitudes. C'était pratiquement le monde à l'envers.

Mais si le secrétaire approuvait nos conditions, il ne pouvait pas toutes les satisfaire — celle notamment concernant le bail de 99 ans, qui fut ramené à 25 ans. Il ne pouvait pas aller contre la réglementation. Mais grâce à lui, tout se fit à la vitesse de l'éclair. Sa proposition devait recevoir l'aval du Président, du ministère de la Terre. Tout fut bouclé en deux mois !

*

« Le poisson et le riz font les bons Bengalis », dit un proverbe. Pour notre peuple, le poisson est à la fois une source de protéines et une source de revenus. La terre, l'eau et les hommes ont toujours formé un équilibre harmonieux au Bangladesh. Le poisson est ainsi devenu l'aliment de base dans notre pays.

La pisciculture devait permettre de transférer d'importants actifs aux paysans sans terre. Nous espérions que les étangs inutilisés donneraient du travail aux pauvres. Si nous réussissions dans cette entreprise, nous pourrions non seulement les aider à se nourrir, se vêtir et se loger, mais encore nous leur donnerions la possibilité de devenir des agents économiques de tout premier plan dans l'agriculture, l'industrie et le commerce. D'où notre décision de relever le défi. La pisciculture nous apparaissait comme une occasion rêvée d'appliquer à grande échelle notre stratégie de coentreprises.

Lorsque l'État veut aider les pauvres, cela se traduit généralement par une politique de distribution gratuite d'argent, de terres et autres actifs. Mais il est rare que les pauvres en profitent. Il y a loin de l'État aux pauvres... et beaucoup d'intermédiaires qui savent très bien profiter de ce système de distribution. Si d'aventure quelques pauvres parviennent à mettre la main sur ces ressources, ils ne les gardent pas longtemps — qu'il s'agisse d'un étang, d'une exploitation piscicole ou d'une simple couverture.

Nous avons décidé d'inverser la tendance une bonne fois pour toutes.

*

Nous avons donc signé avec le gouvernement l'accord de transfert du projet de Nimgachi en janvier 1986.

En 1988, le gouvernement nous loua d'autres d'étangs, ce qui porta leur nombre à 808.

Nous dûmes rapidement nous rendre à l'évidence : les choses n'allaient pas être faciles.

Des inondations exceptionnellement violentes frappèrent le Bangladesh en 1987, occasionnant de graves dommages à l'exploitation. L'année suivante, en 1988, nous connûmes la pire inondation depuis un siècle. De nouvelles pertes vinrent s'ajouter à celles de l'année précédente. Les poissons prédateurs restaient dans les étangs, et nos efforts pour les éliminer étaient réduits à néant par les inondations, qui amenaient de nouveaux prédateurs.

Les problèmes de vol étaient amoindris depuis que Grameen avait repris le projet. Toutefois, le vol persistait, en particulier dans les régions éloignées. Nous dûmes abandonner tout espoir de produire à l'échelle initialement prévue.

Pis encore que les conditions naturelles, il fallait faire face aux résistances humaines de toutes sortes, y compris au sabotage. L'ancienne bureaucratie et les intérêts particuliers que nous supplantions n'acceptaient pas de bonne grâce notre présence. Dès le début, notre personnel rencontra une hostilité extrême. Les fonctionnaires chargés de la gestion du projet n'avaient pas accepté la décision prise en haut lieu de laisser Grameen s'occuper de tout. Se sentant floués, ils ne cessaient de se plaindre, disant que c'était une décision partisane visant à les discréditer. On avait attendu qu'ils amènent le projet au seuil de rentabilité pour les évincer, afin qu'ils ne soient pas associés aux bénéfices. Et Grameen venait recueillir les fruits de leur travail.

Bon nombre de ces fonctionnaires attisaient l'hostilité anti-Grameen parmi la population.

Nous étions également dans le collimateur des dirigeants locaux des principaux partis politiques. Ceux qui avaient été au pouvoir dans cette région avaient le plus à perdre et devinrent nos plus farouches adversaires. Les leaders des partis de gauche faisaient valoir que le développement était l'affaire de l'État, non du secteur privé, et encore moins d'une banque privée. Mais leur animosité, en réalité, venait du fait que, dans l'ancien système, ils avaient pu exercer une influence sur les fonctionnaires chargés de la gestion des étangs, et que cette époque était révolue.

À Tarash, un grand parti politique organisa des manifestations et des meetings anti-Grameen. Les dirigeants essayaient de convaincre les villageois que nous étions une organisation étrangère résolue à exploiter la population locale et à expédier les bénéfices à l'étranger. Des rumeurs couraient, selon lesquelles nous étions téléguidés par la CIA dans le but d'étouffer l'idéal révolutionnaire chez les pauvres du Bangladesh.

L'attitude de la population allait du scepticisme à la rébellion ouverte. Il y avait des jours où notre personnel ne pouvait pas sortir des locaux, tant l'hostilité qui nous entourait était forte.

Mais nous en avions vu d'autres, et il en fallait plus pour nous faire renoncer. Même au plus fort des tensions, nous étions convaincus que nous arriverions à retourner la situation à notre avantage et à gagner la confiance de la population.

Nous organisâmes des meetings avec les gens du cru, leur expliquant ce que nous essayions de faire et leur demandant leur soutien. Nous leur expliquâmes qu'une saine gestion des étangs bénéficierait non seulement aux paysans sans terre, mais encore à l'ensemble de la collectivité. En gage de bonne foi, nous organisâmes une quarantaine de centres d'éducation préscolaire pour les enfants pauvres. De proche en proche, la patience et la sincérité de notre personnel finirent par payer, et la confiance par l'emporter sur la suspicion.

Les groupes armés d'extrême gauche qui avaient mis le feu à nos bureaux et forcé notre personnel à abandonner les villages sous la menace des armes finirent eux aussi par quitter la région. Nous pouvions enfin nous concentrer sur l'élevage du poisson.

Nous n'avions aucune expérience dans ce domaine.

Nous avons donc envoyé notre personnel en Chine pour apprendre la gestion piscicole et l'alevinage. Les compétences pratiques furent acquises sur le tas.

Enfin, notre importante mise de fonds initiale et la formation de notre personnel ont commencé à porter leurs fruits.

Nous avons mobilisé les pauvres autour des étangs afin de les associer au projet. Ils apportaient leur travail, surveillaient les étangs pour éviter le braconnage, et Grameen s'occupait des achats de matières premières, de la technologie et de la gestion. La production était partagée par moitié entre Grameen et les éleveurs. Nos partenaires en tiraient des revenus annuels assez importants, et nous devions faire en sorte de rentrer dans nos frais.

Nous adoptâmes également un système d'incitations ou de primes. Si la production d'un étang dépassait un objectif fixé, les exploitants étaient récompensés.

Les pauvres qui, du temps de la gestion publique, volaient du poisson (parce que tout le monde en faisait autant) étaient devenus, grâce à notre politique d'intéressement aux bénéfices, d'excellents éleveurs, veillant sur un poisson qui, désormais, leur appartenait.

Nous avons alors estimé qu'il serait plus sain de regrouper tous les projets piscicoles en une seule et même structure indépendante, ayant son propre mode de gestion et des compétences spécifiques. Nous décidâmes également de dissocier le projet piscicole et la Banque Grameen.

En 1994, nous avons donc créé la Fondation Grameen pour la pisciculture, qui devait reprendre tous les projets piscicoles de Grameen.

Notre fondation est une entreprise sans but lucratif. À mesure que nous surmonterons nos problèmes techniques, financiers et de gestion, nous espérons créer des filiales à but lucratif. Les parts de ces filiales seront détenues par des groupes de pisciculteurs actuellement partenaires sur une base de 50-50. Des individus seront également invités à prendre part aux bénéfices.

Si ce modèle de gestion et d'actionnariat fonctionne, nous pourrons le transposer n'importe où au Bangladesh pour relancer la production d'étangs inutilisés, tant dans l'intérêt des pauvres que dans celui des propriétaires des étangs.

Si nous parvenons à associer le programme de microcrédit et la gestion des étangs, il sera possible d'utiliser efficacement deux ressources jusqu'ici inexploitées, et qui abondent au Bangladesh : un grand nombre de gens très pauvres qui ne possèdent aucune terre d'un côté ; 1,5 million d'étangs inutilisés de l'autre.

L'expérience de Grameen en matière de pisciculture démontre qu'on peut, à partir de rien, mettre en place des organisations au service de la communauté, apportant aux pauvres une meilleure maîtrise de techniques complexes et les associant à un projet microéconomique.

L'augmentation de la productivité passe en effet par la maîtrise de la technologie, mais il faut veiller à ce que le surcroît de production ne soit pas accaparé par les riches.

Avec les ressources dont dispose le Bangladesh, il n'y a pas de raison pour que les pauvres restent pauvres. Nos difficultés sont liées bien davantage à une mauvaise gestion qu'à un manque de ressources. C'est par la mise en valeur de ces ressources que l'on parviendra à résoudre le problème de la pauvreté.

XXXVI

GRAMEENPHONE :
LA TECHNOLOGIE POUR LES PAUVRES

Je reçois de nombreuses lettres me demandant ce qu'il est possible de faire pour le Bangladesh. J'encourage toujours les bonnes volontés et conseille de mettre les idées en pratique car il me semble que la tendance naturelle est plutôt de suggérer des idées que de passer à l'action.

Un jour de 1994, Khalid me présenta Iqbal, un jeune Américain d'origine bengali qui assurait m'avoir rencontré sur le campus de l'université Oberlin.

Iqbal avait une idée : celle de demander l'autorisation de créer une compagnie de téléphone au Bangladesh afin d'apporter le téléphone portable dans les villages.

J'ignorais tout du potentiel et des limites de cette technologie. Khalid invita Iqbal à développer son idée. Elle semblait excellente. Mais nous ne savions pas comment gérer une compagnie de téléphone.

« Ce n'est pas très compliqué, affirma Iqbal. J'y ai déjà réfléchi, je vous donnerai tous les détails dont vous avez besoin. »

Je ne savais pas si je devais prendre Iqbal au sérieux ou le considérer comme quelqu'un qui fourmille d'idées, mais est incapable de les mettre en pratique. Je résolus de ne pas trancher. Il fallait lui laisser du temps et le mettre à l'épreuve.

Petit à petit, le projet prit forme. Khalid n'abandonna jamais l'idée, même lorsqu'il ne semblait plus y avoir d'espoir. Avec patience, il poursuivait son but.

Finalement, en 1996, le gouvernement du Bangladesh accorda trois brevets d'exploitation. Nous en obtînmes un et signâmes un protocole avec le gouvernement le 11 novembre 1996. J'annonçai à la presse que la compagnie devrait être opérationnelle le 26 mars 1997, qui est le jour anniversaire de l'indépendance du Bangladesh.

Nous formâmes deux compagnies indépendantes, l'une à but lucratif (GrameenPhone), l'autre à but non lucratif (Grameen Telecom). GrameenPhone est un consortium de quatre partenaires : Telenor de Norvège (51 %), Grameen Telecom (35 %), Marubeni du Japon (9,5 %) et Gonophone Development Company (4,5 %).

C'est GrameenPhone qui détient la licence et qui fournira un service dans les zones urbaines en établissant un réseau international de téléphones portables. Grameen Telecom, quant à elle, achètera des postes en gros à GrameenPhone et les revendra au détail dans tous les villages du Bangladesh par l'intermédiaire des emprunteurs Grameen, dont la grande majorité sont des femmes. Dans chacun des 68 000 villages où nous sommes représentés, l'une d'entre elles deviendra la préposée au téléphone. Le service sera tarifé pour les villageois, ainsi cette nouvelle technologie permettra de créer une activité rémunératrice. Le village sera relié au monde entier grâce à une femme qui utilisera le moyen de communication le plus moderne pour gagner sa vie et échapper à la pauvreté.

Comme prévu, GrameenPhone débuta ses activités le 26 mars 1997, bien qu'il ne soit pas facile de tenir des délais au Bangladesh, où de nombreux obstacles imprévus réduisent souvent les projets au rang de vulgaires morceaux de papier. Tous les employés de la compagnie travaillèrent jour et nuit pour commencer le jour dit.

La cérémonie d'inauguration eut lieu dans les bureaux du Premier ministre, qui en était l'invité d'honneur. Elle appela, avec un téléphone Grameen, le Premier ministre norvégien qui passait ses vacances dans le Nord de la Norvège. Elle lui demanda quel temps il faisait. Il répondit :

— Il fait très froid, 36 degrés en dessous de zéro.

— Comment pouvez-vous apprécier vos vacances avec un climat pareil ? Vous devriez venir les passer ici ; il fait 32 degrés au-dessus de zéro.

Après cet appel international, le Premier ministre reçut un appel local d'un membre de Grameen, Mme Laily Begum, du village de Patira, au nord de Dhaka, qui utilisait elle-même un téléphone portable Grameen. Elle devint la première préposée au téléphone à gagner sa vie en facturant aux autres leurs communications.

Le Bangladesh a la plus faible densité de téléphones de la région avec seulement un poste pour trois cents personnes. Pour une population totale de 120 millions d'habitants, nous ne possédons que 400 000 appareils, dont beaucoup sont hors d'usage. De plus, on les trouve surtout dans les villes, où le téléphone est un signe extérieur de pouvoir. Plus vous avez de téléphones sur votre bureau, plus vous êtes important.

Nous ne sommes pas la première compagnie de téléphones portables du pays. Nous avons été précédés par une entreprise qui fonctionne depuis sept ans, mais qui vise la portion la plus riche du marché et facture très cher son service, le présupposé étant que si vous avez un téléphone portable, c'est que vous devez gagner confortablement votre vie.

GrameenPhone se propose d'augmenter le nombre de téléphones en usage de 400 000 sur les quatre prochaines années. Nos tarifs sont calculés pour être accessibles aux couches les plus défavorisées. GrameenPhone est la compagnie la moins chère du monde avec 9,2 *cents* la minute au tarif le plus haut et 6,7 *cents* au tarif le plus bas pour une communication vers un appareil Grameen-Phone n'importe où dans le pays.

Les téléphones portables nous ont conduits à nous intéresser à un autre problème, celui de l'énergie. Nous avons donc créé une autre compagnie à but non lucratif que nous avons baptisée Grameen Shakti (Grameen Énergie).

Beaucoup de villages bengalis ne reçoivent pas l'électricité et pourtant ils en ont besoin pour pouvoir utiliser les téléphones portables. Nous voulons donc leur apporter l'énergie solaire. Grameen Shakti se consacre au développement de toutes les formes d'énergie renouvelable par un système de financement qui évite aux consommateurs de débourser une grosse somme en une seule fois.

Grameen Shakti effectue également des recherches sur les systèmes d'énergie solaire domestique, les stations d'accumulateurs, les turbines éoliennes, etc.

Grameen Cybernet, une compagnie à but lucratif créée pour fournir un service Internet au Bangladesh, fait figure de précurseur dans le domaine. Nous envisageons de rendre cette technique disponible dans les villages grâce au réseau de téléphone Grameen. Nous espérons pouvoir créer des emplois internationaux pour les enfants des emprunteurs Grameen dans leurs villages mêmes. Ils pourront mettre leurs compétences au service d'entreprises du monde entier depuis leurs maisons ou depuis les centres communautaires qui disposeront d'installations de communication.

Il existe une autre entreprise Grameen à but non lucratif, Grameen Communications, qui fournit également un service Internet en liaison avec Grameen Cybernet. Son objectif est de mettre Internet à la disposition de tous les établissements d'enseignement et de recherche du Bangladesh. Nombre d'entre eux ne possèdent pas de lignes de téléphone fiables ou de budget leur permettant d'avoir accès à Internet. Grameen Communications leur proposera des systèmes qui les aideront à résoudre leurs difficultés.

XXXVII

GRAMEEN TRUST : FONDS POPULAIRE

La renommée de Grameen ne cessant de grandir partout dans le monde, nous recevions un nombreux courrier et des visites de personnes qui désiraient en savoir plus ou nous soumettre des projets.

Pour répondre à cette demande croissante d'informations, de formation et d'assistance technique, nous fondâmes, en 1989, une nouvelle organisation, Grameen Trust.

Beaucoup nous avaient déjà imités, tel l'Amanah Ikhtlar Malaysia, APDC (Centre de développement de l'Asie pacifique) de Kuala Lumpur pour les Philippines et l'Indonésie. Sous l'appellation de « programme de dialogue international », nous organisâmes donc des formations par le biais de Grameen Trust et tentâmes de concevoir une méthodologie permettant de repérer et de former les émules potentiels. Les cadres des organisations affiliées étaient censés passer douze jours dans nos locaux, principalement les agences locales, pour une immersion totale dans les activités quotidiennes de Grameen. Beaucoup s'essayèrent à mettre des programmes sur pied, mais ils rencontraient d'énormes difficultés à trouver les financements initiaux. Les donateurs potentiels préfèrent en général les programmes de dons purs, tels que la santé, l'éducation, la formation, etc. L'idée d'un système

de crédit les met mal à l'aise. Pour traiter ces propositions, ils ont besoin de l'intervention de leurs banquiers
et cela se révèle toujours si compliqué que le projet ne
voit pas le jour.

On nous demanda maintes et maintes fois de l'aide
pour trouver les fonds de départ. Nous fîmes de notre
mieux et intervînmes auprès des conseillers proches des
donateurs. Nous rencontrâmes les responsables nationaux. Nous proposâmes de procéder au repérage des
projets satisfaisants. Rien n'y fit.

En 1991, je répondis à l'invitation du WSEP (Projet
pour l'emploi indépendant des femmes) de Chicago. Je
rencontrai des membres de l'association, assistai à des
réunions avec le personnel et donnai une conférence sur
Grameen.

Il y avait environ cinquante personnes dans la salle.
Je ne les connaissais pas, je savais simplement qu'elles
s'intéressaient à notre expérience. Je répondis ensuite à
de nombreuses questions, dont une sur les organismes
créés sur le modèle de Grameen. J'expliquai combien il
était difficile de trouver des donateurs, et répétai que si
les donateurs ne savaient pas comment gérer les projets
de microcrédit, je ne demandais qu'à les y aider. Ils peuvent verser l'argent au Grameen Trust et nous nous occu-
pons de la gestion. Si l'utilisation de la première tranche
les satisfait, ils peuvent poursuivre les versements. Sinon,
ils arrêtent. J'aurais aimé qu'au moins un donateur
veuille bien nous donner notre chance.

Alors que l'échange avec la salle se poursuivait, je
reçus un message d'un membre de l'auditoire demandant
à me voir après la conférence. Je passai la note à Connie
Evans, directeur général du WSEP, assise à côté de moi,
pour savoir si elle était d'accord.

Juste après la réunion, je fus conduit dans une petite
salle où une dame me rejoignit, qui me demanda sans
préambule :

— De combien pensez-vous avoir besoin pour financer les projets affiliés à votre banque ?

— Nous devrions pouvoir commencer avec environ 200 000 dollars.

— Sera-t-il difficile de trouver des projets qui tiennent la route ?

— Oh non ! nous avons déjà une longue liste d'attente, et dès que nous aurons de l'argent disponible, les demandes afflueront.

— Combien de temps restez-vous parmi nous ?

— Encore deux jours, puis je vais à Washington.

— J'essaierai de vous remettre un chèque avant votre départ. Puis-je vous inviter chez moi ce soir afin de vous présenter quelques collègues et de régler les modalités de ma contribution ?

Je me tournai vers Connie pour avoir son aval. Elle était enthousiaste :

— Comment pourrais-je t'empêcher de répondre à l'invitation d'Adele Simon, surtout en sachant qu'elle veut te donner de l'argent !

Je passai donc la soirée chez Adele Simon, accompagné de Connie et de Mary Houghton. Adele avait également invité trois de ses collègues. Elle était présidente de la Fondation MacArthur, et décida que la subvention proviendrait de la fondation.

Je savais que je n'aurais pas une minute à moi au cours des deux jours suivants pour rédiger une proposition de projet, et pourtant, il en fallait une. Adele n'était pas du genre à se laisser décourager. Elle demanda à Kabita, son assistante, de me suivre partout, tout le temps, et de me poser des questions qui lui permettraient ensuite de rédiger le projet à ma place.

Je n'oublierai jamais ma rencontre avec Adele Simon. La décision qu'elle prit de me soutenir allait être imitée par bien d'autres organisations et servit de modèle pour le mouvement du crédit solidaire.

Grâce à ce don de la Fondation MacArthur, Grameen Trust s'impliqua plus sérieusement dans le financement des émules de Grameen dans le monde. Quand nous eûmes besoin de fonds supplémentaires, j'en parlai à Peter Goldmark, président de la Fondation Rockefeller, et il me fournit une nouvelle subvention d'un demi-million de dollars. Peter devint un de nos amis fidèles. Il ne se contenta pas de nous rendre visite au Bangladesh, mais mit un point d'honneur à se faire accompagner des responsables d'autres fondations ou organisations philanthropiques. C'est ainsi qu'il nous présenta Wayne Silby, qui avait fondé le Calvert Group of Funds. De plus, il me fit entrer au conseil d'administration du Calvert World Values Fund et m'initia aux secrets de la haute finance.

Après sa première visite en 1990, Peter s'adressa à un groupe de dirigeants du Social Venture Fund à New York. Il raconta son expérience avec Grameen :

« J'ai vu s'écrouler sous mes yeux les anciennes lois, se désagréger l'étalon traditionnel. Et la subversion consistait à remettre en cause :

— la certitude que les pauvres ne sont pas capables de s'en sortir ;

— la certitude que les femmes en sont encore moins capables que les hommes ;

— la certitude que les pauvres ne possédant pas de terres sont des emprunteurs peu fiables ;

— la certitude que les pauvres ne savent pas travailler en équipe, effectuer des prévisions, décider par eux-mêmes et gérer un prêt ;

— la certitude que la meilleure forme de développement, c'est l'aide apportée à des projets centralisés, de grande ampleur et entrepris par les gouvernements.

Si les anciennes certitudes étaient faites de terre cuite, le sol de la Banque Grameen serait jonché d'innombrables tessons. »

Nous étions très satisfaits de la situation : un nombre toujours croissant de projets nous étaient soumis dans l'esprit d'un financement de notre part. Comme nous ne disposions pas de fonds suffisants pour les aider tous, nous établîmes une projection des demandes sur cinq ans et conclûmes qu'il nous faudrait 100 millions de dollars pour répondre aux besoins existants.

Nous rendîmes public cet objectif sur cinq ans, mais aucun donateur ne se manifesta. Les groupes Results aux États-Unis, au Canada, au Japon, en Allemagne et en Grande-Bretagne tentèrent d'attirer l'attention des principaux responsables des programmes d'aide et j'intervins moi-même auprès de leurs organisations. Elles admiraient toutes le travail accompli par la Banque Grameen et Grameen Trust, mais leur réglementation ne leur permettait pas de prêter de l'argent à une organisation étrangère qui, elle-même, prêterait à un autre pays. Les institutions d'aide sont organisées en bureaux nationaux et en agences sur le terrain. L'argent attribué à un pays doit transiter par le bureau approprié. Grameen Trust n'a pas de bureau de ce type. L'argent du Grameen Trust ne revient pas au Bangladesh, il est destiné à des pays du tiers-monde.

La seule réponse que nous reçûmes provint de US-AID, qui proposait de nous donner 2 millions de dollars. C'était un début très encourageant, car US-AID pouvait constituer un exemple pour les autres.

Mais rien ne vint.

XXXVIII

LA BANQUE MONDIALE AU SECOURS DES PLUS PAUVRES

Un soir de 1993, je reçus un coup de fil du vice-président de la Banque mondiale, Ismail Serageldin. Il se demandait comment il pourrait nous aider.

Ismail est l'un de nos admirateurs sincères. Lorsqu'il était directeur de politique et de recherche pour l'Afrique, il avait pris l'initiative de venir nous voir à Dhaka. Il cherchait un moyen d'exporter nos idées dans d'autres pays, et nous avons collaboré en tant que membres du comité directeur de la Fondation Aga Khan à Genève. J'ai vu Ismail évoluer avec une aisance déconcertante dans des milieux aussi éloignés que l'architecture et l'économie. Malgré le poste élevé qu'il occupe à la Banque mondiale, il n'a jamais perdu de vue les démunis.

— Je ne sais pas, Ismail, lui répondis-je. Les interlocuteurs de la Banque mondiale sont les gouvernements. Vous ne pouvez pas travailler avec nous.

— Si, nous aimerions beaucoup ; mais vous n'avez jamais accepté notre argent.

— La Banque Grameen n'en a pas besoin. Nous nous débrouillons très bien tout seuls.

— Quels résultats obtenez-vous avec votre demande de 100 millions de dollars pour le Grameen Trust ?

— Rien de concluant. Personne ne s'est manifesté, sauf US-AID avec 2 millions de dollars.

— Avez-vous envoyé une copie de votre demande à la Banque mondiale ?

— Non, nous ne pensions pas que vous seriez intéressés.

— Pouvez-vous me la faxer demain ? Je verrai ce que je peux faire.

Une semaine après la réception de mon fax, Ismail m'appela :

— Nous avons étudié votre proposition. Nous vous accordons les 98 millions de dollars qu'il vous reste à trouver.

— J'en suis ravi. Nous ne pensions pas pouvoir trouver cette somme.

— Nous le faisons avec plaisir.

— Comment avez-vous réussi à contourner les instances gouvernementales ? Je ne pensais pas que ce serait possible.

— Ne vous inquiétez pas, nous en avons parlé. Nous trouverons une solution.

J'eus soudain un doute : Ismail avait-il l'intention d'accorder un prêt de 98 millions de dollars à Grameen Trust ? Je savais que la Banque mondiale ne donnait jamais de subvention. Comment Grameen Trust pourrait-il rembourser un tel prêt ?

— Attendez, vous parlez d'un prêt ou d'une subvention ?

— Un prêt de 98 millions de dollars.

— Je suis désolé, Ismail, mais Grameen Trust ne peut pas accepter. Nous ne pourrions jamais rembourser.

— Mais ce serait un prêt à faible intérêt sur une très longue échéance. Presque un don, en fait.

— Ce n'est pas si simple. Les responsables de la Banque mondiale ne tarderont pas à demander au gouvernement du Bangladesh de garantir ce prêt. Pourquoi le ferait-il, puisque l'argent doit financer des projets à l'étranger ? Grameen Trust ne récupérera jamais le montant initial, même si le taux de remboursement est de 1 %. Lorsque les emprunteurs remboursent, ils le font dans la monnaie locale, qui est sujette aux fluctuations, mais la Banque mondiale exigera des dollars. Je ne vois pas comment nous pourrions accepter ce prêt.

— Je vois. Les variations de taux de change, c'est vraiment un problème.

Mais Ismail n'est pas homme à abandonner la partie si rapidement. Il eut immédiatement une idée.

— On peut se débrouiller. Voilà ce que nous allons faire : nous vous donnerons l'intégralité de la somme d'un coup et vous l'investirez pour compenser les pertes dues aux variations de taux.

— Je ne suis pas spécialiste de la gestion financière sur le marché international, répondis-je. J'ai besoin de quelqu'un qui s'y connaisse. Pourquoi ne demandez-vous pas à un expert de se renseigner et de rédiger un accord qui protège les intérêts de chacune des parties ?

Ismail me promit d'y veiller. Les jours suivants, j'appelai des amis financiers. Aucun ne m'encouragea vraiment.

Ismail me rappela.

— N'abandonnons pas l'idée, dit-il. Pour le moment, nous ne parvenons pas à trouver un arrangement. Nous allons donc vous donner une subvention de 2 millions de dollars. Ensuite, nous chercherons un moyen de financer votre projet de 100 millions de dollars.

— Voilà une proposition simple et directe pour l'instant. Pas de garantie du gouvernement, pas de difficulté de remboursement. Pourtant, je croyais que la Banque mondiale refusait les subventions...

— Ce que nous voulons, c'est aider les gens. Notre tâche est de trouver des moyens de simplifier les choses. Cet argent ne provient pas des fonds propres de la Banque mondiale, mais des bénéfices qu'elle dégage. En fait, c'est une allocation prélevée sur le fonds discrétionnaire du président.

L'attribution de cette somme à Grameen Trust fut annoncée par le président de la Banque mondiale, Louis Preston, à la conférence sur la faim, en décembre 1993.

Results mit au point des visites de Grameen pour ses membres. Elles étaient organisées selon le même principe que le programme de dialogue international.

Un groupe de vingt-trois bénévoles participa à un programme de ce type en 1995. Le dernier jour, je leur donnai quelques conseils sur l'avenir du mouvement du crédit solidaire. J'exprimai mon insatisfaction envers les bureaucraties des organismes d'aide qui, partout dans le monde, refusent leur soutien aux projets de microcrédits, que ce soit par le biais de leurs propres agences ou par celui de Grameen Trust.

— Pourquoi devrions-nous attendre que la machine étatique se décide à agir ? demandai-je. Les citoyens savent ce qu'ils veulent et ils peuvent faire valoir leurs droits. À leur niveau, il est assez facile de collecter 100 millions de dollars, il suffirait qu'un million d'entre eux contribuent pour une somme de 100 dollars chacun. Est-ce un objectif si dur à atteindre ? Les 100 dollars en question, remis perpétuellement en circulation sous forme de prêts, transformeront bien des vies...

Lorsque j'eus fini, un homme leva la main. Je lui donnai la parole :

— J'aime bien l'idée d'un million de personnes donnant 100 dollars chacune, dit-il. Il faut bien commencer quelque part. Je fais le premier pas : voici un chèque de 100 dollars.

Tout le monde applaudit. Une autre main se leva. Un autre chèque. Certains des participants n'avaient pas leur chéquier. Ils empruntèrent à d'autres. J'eus bientôt vingt-trois chèques en ma possession : 2 300 dollars pour débuter la collecte.

Je suggérai d'appeler cette campagne le « Fonds populaire ». Nous nous mobiliserons pour trouver la somme qu'il nous faut. Ce ne sera pas facile, mais je ne vois pas pourquoi nous n'y arriverions pas.

Ismail Serageldin était toujours à la recherche de 100 millions de dollars.

Il pensait sûrement qu'il serait plus facile de trouver cette somme grâce à une solution globale. Ismail était président du CGIAR (Groupe consultatif pour la recherche agricole internationale) et il voulut créer un autre groupe consultatif pour rassembler les donateurs qui finançaient déjà des projets de crédit solidaire ou qui étaient prêts à le faire. Il s'adressa tout d'abord à US-AID, qui donna une réponse positive, ainsi que quatre autres donateurs. Il pensa donc pouvoir rencontrer, lors de réunions officielles dans différentes capitales, de nouveaux donateurs, mais il se heurta à une opposition farouche. Certains y voyaient une tentative d'immixtion de la Banque mondiale dans leurs sphères de décision. Après une série de rencontres, il parvint cependant à élargir son assise, son but immédiat étant d'obtenir un engagement de financement de programmes de microcrédits à hauteur de 100 millions de dollars.

Lors de la création de ce groupe consultatif, j'insistai sur la nécessité de s'adresser toujours aux plus déshérités. En effet, le mot « pauvre » est très embarrassant. Il est interprété de façon si variable qu'il peut parfois désigner une personne relativement aisée. Ismail prit cette remarque très au sérieux. Lorsque le groupe fut enfin formé, il persuada les autres membres de l'appeler Groupe consultatif pour venir en aide aux plus pauvres (CGAP). J'en fus satisfait car je pense que cela évitera les controverses inutiles.

Des difficultés se firent jour au moment de choisir le lieu d'implantation du secrétariat du CGAP. Les donateurs hésitaient entre trois possibilités : Paris, l'IFAD à Rome ou la Banque mondiale à Washington. On me demanda ce que j'en pensais. Le choix de trois capitales de pays développés me paraissait une erreur et je suggé-

rai d'opter pour une ville où les pauvres sont nombreux :
Dhaka, Katmandou, Manille ou La Paz.

Les donateurs refusèrent absolument d'en entendre
parler ; finalement, on me redemanda quel serait mon
choix parmi les trois premières villes évoquées. Je choisis le siège de la Banque mondiale, la plus importante
organisation financière de développement, espérant que
cela permettrait de la tenir constamment en alerte.

Je fus invité à assister, et à intervenir, à la cérémonie
d'inauguration du CGAP à Washington en 1995. Ce fut une
expérience passionnante. J'avais toujours évoqué la possibilité d'ouvrir un « troisième guichet » pour les subventions à la Banque mondiale ; on ne m'avait jamais pris au
sérieux. Nous disposons aujourd'hui du CGAP, qui remplit ce rôle. J'espère qu'il est bien appelé à devenir un
organisme permanent de la Banque mondiale et qu'il ne
s'agit pas d'une simple décision tactique.

POSTFACE

SOMMET DU MICROCRÉDIT : ATTEINDRE 100 MILLIONS DE FAMILLES PARMI LES PLUS PAUVRES EN 2005

Sam Dalley Harris, le patron de Results, se mit à réfléchir à la possibilité d'organiser une grande manifestation sur le microcrédit : le problème est trop vaste pour se satisfaire de mesures timorées. Loin de disparaître, il ne fait que s'aggraver.

Multipliant les consultations, Sam chercha alors à fixer un objectif raisonnable en matière de microcrédit. En 1995, John Hatch (FINCA) rédigea à son intention un document concernant son ambition de faire bénéficier du microcrédit 200 millions de familles parmi les plus pauvres en l'espace de dix ans. Je ne croyais pas que ce fût réalisable — et personne ne le prendrait au sérieux si c'était irréalisable.

Je réécrivis le document en ramenant l'objectif visé à 100 millions de familles pauvres pour la période 1996-2005.

Comment atteindre cet objectif ? Organisation, financement, formation, cadre institutionnel, suivi ?...

Nous eûmes alors l'idée d'organiser une réunion d'organisations et d'amis du microcrédit à travers le monde et de réfléchir ensemble à l'avenir. Puis nous convînmes d'un changement d'échelle, afin d'inclure ceux qui n'étaient pas familiarisés avec le microcrédit, mais qui seraient susceptibles de s'y intéresser s'ils en savaient plus. Nous pensions avoir environ 500 personnes. Progressivement, ce nombre fut porté à 1000. Ce que nous allions organiser, c'était rien moins qu'un sommet sur le microcrédit.

Commença alors la rédaction d'un projet de déclaration. Je n'avais pas mesuré à quel point cela allait susciter des tensions. Chacun voulait réécrire la déclaration à sa manière. Je fus choqué de voir naître tant de conflits lors de la mise au point du texte. Sam était très déçu. J'essayai de lui remonter le moral en lui disant que cela ne faisait que favoriser le dialogue. Nous devions confronter toutes nos différences, tant intellectuelles qu'institutionnelles ou philosophiques. Mais cela ne me coûtait pas grand-chose de prêcher la bonne parole pour ensuite retourner tranquillement à Dhaka. Sam, lui, était dans l'œil du cyclone, et il n'avait nulle part où se réfugier.

Il fallut fixer une date pour le sommet. Nous prévoyions toujours de l'organiser en 1996, pour notre dixième anniversaire. Le problème était de savoir combien de participants nous attendions. Chacun y alla de son estimation. J'en annonçai 3000 ; tout le monde crut à une plaisanterie.

Après avoir débattu du nombre de participants, nous abordâmes la question de l'hébergement. Sam prit le téléphone pour savoir combien d'hôtels à Washington pourraient accueillir une conférence de 3000 participants, avec au moins 50 salles de réunion.

Un seul hôtel offrait une telle capacité. Sam demanda si nous pouvions venir en septembre ou en octobre 1996. Impossible. Tout était réservé jusqu'à la fin de 1997. Qu'allions-nous faire ? Il nous faudrait attendre jusqu'en 1998 pour organiser le sommet. Ce serait trop tard.

Par chance, il subsistait une possibilité dans ce même hôtel pour la première semaine de février 1997. Nous réservâmes immédiatement. Mais il fallait déposer un acompte. Sam se chargea de trouver l'argent.

Je dus beaucoup m'investir dans la préparation du sommet. Sam organisa des réunions pour me faire rencontrer d'importantes personnalités américaines que je n'aurais jamais connues s'il n'y avait eu ce sommet. Nous pûmes compter sur de très nombreux appuis.

Du 2 au 4 février 1997, environ 3 000 personnes venues de 137 pays se sont réunies pour le Sommet du microcrédit. Hillary Rodham Clinton, première dame des États-Unis, la reine Sophie d'Espagne, le Dr Tsutumo Hata, ancien Premier ministre du Japon, tous trois coprésidents du Sommet, ont inspiré les délégués par leurs témoignages.

Mme Hillary Clinton a considéré ce Sommet comme « l'un des rassemblements les plus importants du monde ». Elle a déclaré : « (Le microcrédit) n'est pas seulement le moyen d'ouvrir des possibilités économiques aux individus. Il évoque la communauté. Il évoque la responsabilité. (Avec le microcrédit) il s'agit de voir comment, dans le monde d'aujourd'hui, nous sommes tous interconnectés et interdépendants. Le microcrédit, c'est reconnaître que dans notre pays, le sort d'un bénéficiaire de l'assistance sociale à Denver ou à Washington est inextricablement lié au nôtre. C'est comprendre comment le fait d'arracher les gens à la pauvreté en Inde ou au Bangladesh rejaillit de façon positive sur la communauté entière et crée un sol fertile où faire croître la démocratie, parce que les gens espèrent en l'avenir. »

La cheikh Hasina, Premier ministre du Bangladesh et coprésidente du conseil du Sommet des chefs d'État et de Gouvernement, a présidé l'assemblée plénière d'ouverture. L'ont rejointe sur le podium Alpah Oumar Konare, président du Mali, Y.K. Museveni, président de l'Ouganda, P.M. Moumbi, Premier ministre du Mozambique, Alberto Fujimori, président du Pérou, la reine Sophie d'Espagne, Tsutumo Hata, le Dr Siti Hsemah, première dame de Malaisie, et moi-même.

Les débuts ont été électrisants.

Le Sommet était organisé en sessions séparées pour

les Conseils spécialisés : praticiens, agences donatrices, corporations, institutions religieuses, agences des Nations unies, institutions financières internationales, avocats, ONG, parlementaires.

On peut dire que cela a été un macroévénement sur le microcrédit. Le monde entier s'est rassemblé. Le partage de l'écoute et l'échange d'accolades nous ont mis les larmes aux yeux. Manifestement, si nous pouvions maintenir ce niveau d'énergie pendant les neuf prochaines années, nous dépasserions les buts fixés par le Sommet.

Robert Robin, secrétaire d'État américain au Trésor, Jim Wolfensohn, président de la Banque mondiale, Gus Speth, administrateur de l'UNDP, Carol Bellamy, directeur exécutif de l'UNICEF, le Dr Nafiz Sadik, directeur exécutif de l'UNFPA, Federico Mayor, secrétaire général de l'UNESCO, Huguette Labelle, président de l'Agence canadienne pour le développement international, Brian Atwood, administrateur de l'Agence américaine pour le développement international, Fawd al-Sultan, président de l'IFAD, chacun s'est surpassé pour inspirer les délégués lors des sessions plénières. Chaque orateur, chaque oratrice a affirmé son implication totale dans le soulagement de la pauvreté et le microcrédit.

Bella Abzug, ancienne membre du Congrès américain et coprésidente du Conseil des avocats, a provoqué une ovation debout lorsqu'elle a proclamé : « Jamais, au grand jamais, nous ne devons sous-estimer l'importance historique de ce que nous accomplissons aujourd'hui. Et peu importe si la voie est étroite, si le rythme est décourageant, je vous demande de ne jamais céder, de ne jamais abandonner. »

Les délégués ont exprimé clairement par leurs applaudissements phénoménaux qu'ils n'entendaient ni céder ni abandonner, jamais.

Les praticiens du microcrédit du monde entier se préparent activement à la tâche colossale qui les attend par des sessions tenues simultanément et baptisées « Relever le défi ».

Le Sommet a transformé radicalement le statut du microcrédit qui, de dada cher à quelques-uns, est devenu un programme sérieux.

La vie nous conduit vers des chemins mystérieux, elle nous mène au bout de nos capacités de façon tout à fait imprévisible. Les microemprunteurs grandissent dans l'acceptation qu'ils ne sont personne, qu'ils ne valent rien ; aujourd'hui, ce Sommet les soumet aux feux de la rampe et en fait les héros d'un combat pour le développement du monde. L'un après l'autre, les orateurs les ont encensés pour leur patience infinie et leur étonnante habileté à microgérer de minuscules ressources afin de se forger une vie dans la dignité. Le Sommet a souligné le fait que les épreuves et tribulations qu'ils traversent sont comparables à celles affrontées par les grands héros de l'Histoire.

L'enseignement de l'économie m'a appris ce qu'est l'argent. Maintenant que je dirige une banque, je prête de l'argent et le succès de nos investissements réside dans le nombre de billets chiffonnés que nos membres affamés ont aujourd'hui dans la main. Mais ironiquement, le mouvement du microcrédit construit autour, pour et avec de l'argent, n'a profondément et essentiellement rien à voir avec l'argent. Le microcrédit c'est aider chaque personne à atteindre son meilleur potentiel. Il n'évoque pas le capital monétaire mais le capital humain. Le microcrédit constitue avant tout un outil qui libère les rêves des hommes et aide même le plus pauvre d'entre les pauvres à parvenir à la dignité, au respect et à donner un sens à sa vie.

Nous sommes une banque, c'est tout ce que nous sommes, tout ce que nous prétendons être ; nous accordons des prêts pour aider les plus pauvres à atteindre la dignité humaine. Mais la dignité personnelle, le bonheur, l'accomplissement de soi, le sens de sa vie, s'obtiennent par le travail, les rêves, le désir et la volonté des individus eux-mêmes. Il nous suffit d'ôter les barrières structurelles qui ont si longtemps tenu une classe défavorisée à l'écart de tout contact humain. Si elle réussit à s'épanouir au mieux de ses capacités, le monde sera radicalement transformé non seulement par la fin de la pauvreté mais par les efforts économiques et sociaux de ceux qui, hier encore, dormaient sur le trottoir, mendiaient et erraient sans savoir d'où viendrait leur prochain repas.

Pourquoi est-ce seulement maintenant, à l'aube de ce troisième millénaire, qu'on entreprend quelque chose pour se débarrasser de cette plaie vieille comme le monde qu'est la pauvreté ? Pourquoi une action aussi concrète que le Sommet mondial du microcrédit doit-il reposer sur les efforts d'un professeur de musique de lycée comme Sam Dalley Harris et son équipe de volontaires ? Pourquoi n'élisons-nous pas des représentants officiels et ne soutenons-nous pas des partis politiques qui considéreront cette question comme prioritaire ?

Quand est venu mon tour de parler à l'ouverture de la session plénière du Sommet, je songeais encore à Jobra et à mes premiers « emprunteurs ». À la façon dont je suis passé de la vision globale de l'économiste à l'humble aperçu du praticien.

J'étais profondément ému, comme si, enfin, dans cette salle de bal d'un hôtel de Washington, nous disposions de suffisamment de pouvoir politique pour faire bouger les choses, pour aider tous les millions de pauvres qui attendent que le monde change, afin qu'ils puissent s'aider eux-mêmes à devenir indépendants et à vivre dans la dignité.

Je me suis levé et j'ai dit :

Tandis que nous sommes ici rassemblés, je me demande : « Qu'est au juste le Sommet du microcrédit ? Encore un gala mondain à Washington ? »
Pour moi, c'est un événement chargé d'émotions.

Comme moi, beaucoup de gens présents aujourd'hui vivent une expérience terriblement émouvante. Parce que nous avons tous travaillé très dur pour que cela soit possible. Et c'est arrivé. Enfin. Je souhaite profiter de l'occasion pour remercier les millions de microemprunteurs et les milliers de personnes qui ont œuvré au redressement d'un tort qui a causé tant de misère humaine évitable.

Pour moi, ce Sommet est une cérémonie grandiose — nous célébrons la libération du crédit de l'esclavage de la garantie. Ce Sommet est réuni pour dire adieu à l'ère de l'apartheid financier. Ce sommet déclare que le crédit est plus que des affaires, exactement comme la nourriture : le crédit est un droit de l'homme.

Ce Sommet entend préparer le terrain pour donner libre cours à la créativité humaine et aux efforts des pauvres. Il vise à garantir à chaque pauvre la chance de recouvrer sa dignité.

Nous croyons que la pauvreté n'a pas sa place dans une société humaine civilisée, mais dans les musées.

Ce Sommet veut créer un processus qui enverra la pauvreté au musée.

L'homme a marché sur la Lune seulement soixante-cinq ans après le vol de douze secondes des frères Wright. Cinquante-cinq ans après ce Sommet, nous irons aussi sur notre Lune. Nous créerons un monde sans pauvres.

Grâce à l'énergie que je perçois dans cette salle, j'ai encore plus confiance en notre réussite. Mesdames et messieurs, il faut réussir !

Merci.

Alors que j'achevais mon intervention, je portai le regard sur l'auditoire. On a applaudi. Mais je n'ai rien entendu. Tout ce que j'ai entendu, au fond de moi, sont des millions de voix déterminées, émanant du monde entier, qui disaient : « Oui, nous promettons de réussir. Oui, nous réussirons. »

Dhaka, 30 août 1997

TABLE DES MATIÈRES

AVANT-PROPOS DE L'ÉDITEUR 9
PRÉFACE 13

PREMIÈRE PARTIE
LES DÉBUTS

I. Le village de Jobra : des manuels à la réalité 17
II. La Banque Mondiale Washington D.C., 1996 30
III. 20 Boxirhat Road, Chittagong 48
IV. Passions d'enfants 58
V. Années de campus aux États-Unis (1965-1972) 64
VI. Mariage et guerre de Libération (1967-1971) 74
VII. Université de Chittagong (1972-1976) 77
VIII. Agriculture : l'expérience de la ferme des trois tiers
(1974-1976) 85
IX. Échapper à la prison du nantissement 96

DEUXIÈME PARTIE
LA PHASE EXPÉRIMENTALE (1976-1979)

X. Pourquoi prêter aux femmes plutôt qu'aux hommes ... 113
XI. Le mur du Purdah 118
XII. Être une femme et travailler pour Grameen 127
XIII. La structuration de notre système de prestations :
comment devenir membre ? 133

XIV. Le système de remboursement : le monde à l'envers 139
XV. Grameen face aux banques classiques 147
XVI. Grameen, filiale expérimentale de la Banque agricole (1977-1979) 156
XVII. Aïd El-Fitr 1977 164

TROISIÈME PARTIE

LA CRÉATION

XVIII. Des débuts sous le signe de la prudence (1978-1983) 173
XIX. Face aux archaïsmes 188
XX. Autres ennemis : catastrophes naturelles, inondations, famines, raz de marée et autres maux 198
XXI. Formation du personnel de Grameen 204
XXII. Naissance de Grameen en tant qu'établissement indépendant 213

QUATRIÈME PARTIE

LE MODÈLE GRAMEEN EST-IL EXPORTABLE ?

XXIII. Transposition du modèle Grameen 229
XXIV. Les États-Unis, de l'Arkansas au Dakota du Sud 247
XXV. Dans les ghettos de Chicago 258
XXVI. Partenariat Grameen-Results 265

CINQUIÈME PARTIE

QUELQUES RÉFLEXIONS SUR L'ÉCONOMIE

XXVII. Travail indépendant : retour à l'essentiel 269
XXVIII. Libéralisme et objectifs sociaux 273
XXIX. Éducation et formation pour les pauvres ? 281
XXX. Le problème démographique 286
XXXI. Un monde sans pauvreté : Quand ? Comment ? 289

XXXII. La pauvreté, question dédaignée par les écono-
mistes 295

SIXIÈME PARTIE

DE NOUVELLES EXPÉRIENCES, DE NOUVEAUX HORIZONS

XXXIII. Prêts au logement : une expérience couronnée
de succès 301
XXXIV. Santé et retraite 305
XXXV. La fondation Grameen pour la pisciculture 311
XXXVI. Grameenphone : la technologie pour les
pauvres 320
XXXVII. Gramen Trust : fonds populaire 325
XXXVIII. La Banque mondiale au secours des plus
pauvres 330

POSTFACE

Sommet du microcrédit : attendre 100 millions de familles
parmi les plus pauvres en 2005 336

Impression réalisée sur CAMERON
par BRODARD ET TAUPIN
La Flèche
en septembre 1997

Imprimé en France
Dépôt légal : septembre 1997
N° d'édition : 97146 – N° d'impression : 6744S-5